Einaudi. Stile

Niccolò Ammaniti
La vita intima

Einaudi

www.einaudi.it

ISBN 978-88-06-25515-2

La vita intima

Se tu vuoi un amico, addomesticami!

ANTOINE DE SAINT-EXUPÉRY, *Il Piccolo Principe.*

Non mi snudare senza ragione.
Non m'impugnare senza valore.

*Iscrizione sulla spada della statua di Giovanni de'
Medici scolpita da Temistocle Guerrazzi.*

I.

Mercoledí 21 febbraio

1.

Questa storia inizia un mercoledí del decennio passato, sono le nove e quindici del mattino e Maria Cristina Palma sta facendo ginnastica. È impegnata in uno squat bulgaro, un esercizio che tonifica quadricipiti e glutei. Una gamba piegata indietro, una in avanti, flette il ginocchio fissando oltre i vetri della veranda la coltre opaca. Le polveri sottili che hanno costretto i romani a settimane di targhe alterne con la pioggia si sono abbassate. In casa fa caldo, ma dietro i doppi vetri il gelo della notte ha coperto di brina le cicas e la pergola denudata del terrazzo. Tra le colonnine della balaustra s'intravede il lungotevere intasato di auto e piú in là la sagoma sgraziata di Castel Sant'Angelo, evanescente nella foschia malsana della capitale. L'attico in cui vive Maria Cristina è uno di quei paradisi che la maggioranza della gente non sogna nemmeno tanto è inarrivabile. Oltre trecento metri quadrati a due passi da piazza Navona, in un palazzo neoclassico sorvegliato giorno e notte dalle camionette della polizia.

Il suo personal trainer, Mirco Tonik, un ragazzone di Francavilla al Mare, le sta raccontando che ha festeggiato il compleanno del fidanzato Michael Carmichael, un irlandese che traduce manuali d'istruzione di stampanti e router, in un ristorante vegano al Pigneto. Mentre l'alle-

natore rimembra una parmigiana di melanzane da sveni-
mento toglie un disco dal bilanciere e il peso all'estremità
opposta dell'asta, cinque chili di pura ghisa, si sfila e finisce sull'alluce destro della donna, che caccia un urlo cosí
potente da zittire la coppia di inseparabili nella gabbia
smaltata sopra le felci. La veranda, con le orecchie d'elefante nei vasi azzurri, la kentia e gli stoloni del pothos che
si prostrano dalle librerie, le pulsa intorno come l'effetto
speciale di un brutto film.

Mirco Tonik, intuendo la vastità della stronzata com-
messa, si passa le mani sulla testa e ancheggiando invoca
il creatore: – Oddio! Oddio! Oh, mio Dio. Che ho fatto.

Maria Cristina vibra di dolore. Deve solo respirare e
lasciarlo fluire.

Con il tempo la memoria dei piccoli dolori fisici, al contrario di quella dei dolori dell'anima, tende a svanire e dopo pochi anni ricordiamo appena le sofferenze provocate
dall'estrazione di un molare o da un'appendicite. Sono tra-
scorsi quindici anni da quando l'ex marito di Maria Cristina, il noto scrittore Andrea Cerri, le ha chiuso un dito della
mano nello sportello di una Golf cabrio di fronte all'*Hotel
Locarno*. Allora era corsa al pronto soccorso del Fatebe-
nefratelli dove le avevano tagliato l'ultimo lembo di pelle
che tratteneva un grumo di carne, unghia e sangue. Oggi
per fortuna la tomaia della scarpa ha attutito l'impatto.

– Come stai? Ti fa male? – balbetta il personal trainer
con una mano premuta sul petto.

Maria Cristina senza fiato gli fa segno di stare calmo.

In quel momento non esiste al mondo, forse al mondo
sí, ma di sicuro non nel primo municipio romano, persona piú lontana dalla calma di Mirco Tonik. L'alluce che
ha acciaccato è uno dei piú preziosi fra i sedici miliardi
di alluci che calpestano il pianeta.

I piedi di Maria Cristina Palma, misura trentanove, la misura dell'armonia per l'Yajurveda, sono piedi greci dove il secondo dito, il melluce, supera appena l'alluce, come nella *Venere* di Milo. In medicina questa caratteristica è chiamata «dito di Morton» in onore di Dudley J. Morton, un ortopedico americano che per primo l'ha descritta. Si trova solo nel dieci per cento della popolazione mondiale e la sua prevalenza è irregolare. Negli scandinavi non è presente, ma tra gli Ainu che vivono nelle isole giapponesi raggiunge quasi il novanta per cento. La volta plantare, alla Barbie, è cosí perfetta che la pelle, non toccando mai terra, si mantiene liscia e morbida. Secondo la podomanzia, l'arte di leggere il futuro nei piedi, le dita affusolate indicano ambizione e determinazione. Digitando su Google «piedi di Maria Cristina Palma» escono migliaia di foto. Dettagli e ingrandimenti con e senza scarpe. Maria Cristina, insieme a Selena Gomez, è la regina di wikiFeet, il portale dei feticisti del piede.

Mirco Tonik, fra l'altro, non dimentica chi è il marito della donna a cui ha offeso il dito, Domenico Mascagni, l'attuale presidente del Consiglio italiano. Le poche volte che lo ha incrociato in casa, dal terrore non è riuscito nemmeno a guardarlo negli occhi. È un uomo potente, rampollo di una antica stirpe di avvocati che hanno salvato industrie, rappresentato Stati e holding internazionali. Si narra che un suo antenato, un certo Tancredi Mascagni, trovandosi a passare dall'Inghilterra abbia contribuito alla redazione della Magna Carta.

Il personal trainer già s'immagina indigente, a soffiare in un flauto di Pan (unica altra cosa che sa fare oltre che allenare) davanti alle pizzerie del centro per qualche spicciolo. Michael glielo ha ripetuto cento volte. «Spendi poco ora per non spendere tanto dopo. Fatti l'assicurazione».

Lui, però, ha il braccino corto e adesso dovrà vendere il poco che possiede (un monolocale al Pigneto, un quarto di dammuso a Pantelleria e uno scooterone sgangherato) per pagare la ricostruzione della sublime falange. E ci si ricorderà di Mirco «Tonik» Belluccio come dell'uomo che ha massacrato il ditone di Maria Cristina Palma. Ha bisogno di aria. Spalanca la portafinestra e si dirige verso il parapetto, ripetendo con l'aspra cadenza abruzzese: – Ora mi uccido. Ora mi uccido.

Sotto il terrazzo dei Mascagni ce n'è un altro su cui si aggira un pastore tedesco dall'aria poco amichevole. Mirco torna indietro, immerge la testa nella vasca dei papiri, si stira i capelli sul cranio e rientra in casa.

Maria Cristina, seduta sulla panca, si è tolta la scarpa e osserva il dito rosso e gonfio.

L'allenatore si genuflette sul tappetino di fronte alla propria regina. – Sono pronto a subire qualsiasi punizione. Possibilmente corporale. Ultimo desiderio, qualche goccia di Xanax.

– È in bagno.

Il supplicante solleva lo sguardo. – Mi risparmi? Se mi perdoni ti abbono tutto l'anno.

– Sulla mensola sotto lo specchio.

Mirco Tonik, ancora incredulo per la grazia ricevuta, corre a succhiare una bella dose di molecole di Alprazolam.

Il professor Angelo Zurlo, chirurgo ortopedico primario del Gemelli interpellato telefonicamente da Caterina Gamberini, l'assistente personale di Maria Cristina Palma, assicura che in base a nuove evidenze cliniche è consigliato camminare sulla parte traumatizzata perché «aumentando il flusso sanguigno subunghiale si evita di creare ematomi che provocano la caduta dell'unghia». Quindi niente ospedale, una buona dose di antinfiammatori e, possibilmente, camminare con scarpe aperte e con poco tacco.

La notizia rianima la moglie del premier, che temeva di dover saltare la festa al Circolo Canottieri Aniene. Ha ricevuto un nuovo vestito da Dior e vuole sfoggiarlo al compleanno di Igor Rossi Brogi, presidente dell'Anai (Associazione nazionale albergatori italiani).

Ora, se il professore avesse prescritto a Maria Cristina di tenere il piede a riposo e lei fosse rimasta a casa, questa storia non potrei raccontarla. Ma non ne sono cosí certo. Le storie, quelle importanti, quelle che cambiano i destini, sono fiumi impetuosi, difficili da imbrigliare. Tu gli metti un ostacolo e loro deviano, trovano un'altra via per fluire. E a me piace che questa storia inizi cosí, con un urlo di dolore.

L'incidente appena accaduto, però, può essere un buon esempio per inquadrare meglio Maria Cristina Palma, la protagonista di questo romanzo.

Se riceve del male, si preoccupa per chi glielo ha fatto. Sminuire le sofferenze che l'esistenza le ha elargito rassicurando il prossimo è una delle sue specialità. A undici anni, nella villa di Mondello, aveva tentato di domare una zuffa tra Nello, il soriano di casa, e Tolo, il barboncino di zia Vittoria. Il felino, un demone tigrato che rimbalzava per la stanza, l'aveva scalata come un tronco affondandole gli artigli nelle carni infantili prima di dissolversi in corridoio. La piccola era uscita in giardino. C'erano la mamma, la zia, i camerieri con le divise bianche, i cugini con i braccioli e suo fratello sul trampolino. La piscina pulsava di un azzurro accecante, le cicale frinivano fra i pini e lei, sgraziata sulle lunghe gambe da puledro, con due inutili triangoli di stoffa blu tesi sul petto ossuto, scorticata come san Bartolomeo, si era seduta a tavola davanti al piatto di zucchine ripiene, aveva poggiato il tovagliolo sulle ginocchia, si era versata un bicchiere d'acqua e aveva bevuto tra gli strilli di tutti.

2.

Dodici ore dopo l'incidente, Maria Cristina Palma è al Circolo Canottieri Aniene a festeggiare il compleanno di Igor Rossi Brogi.

Che imperdonabile errore non restarsene a casa. L'alluce non ha smesso di tormentarla per tutto il giorno e ora, affastellato insieme alle altre dita nella scarpa Tom Ford, le pulsa come un secondo cuore. Che sofferenza inutile, se si fosse messa un sandalo basso, come saggiamente le aveva consigliato il professor Zurlo, se la sarebbe risparmiata, ma avrebbe comportato un ripensamento della mise della serata.

La festa per fortuna procede. Il salone trabocca di albergatori che parlano fitto fitto, l'uno sull'altro, in un frastuono di voci, forchette e risate. Un pianista depresso suona timide note di jazz.

– Reagisci, – sussurra a sé stessa Maria Cristina. Con un sorso finisce il calice di Ribolla gialla, lo posa in bilico sul bracciolo della poltrona, si alza e schivando i vassoi dei camerieri supera una schiera di signore che fanno la fila per il carciofo alla giudia. Avvertendo addosso i loro sguardi, si avvita in una piroetta. È incantevole nel suo Dior che le lascia le spalle e la schiena scoperte, lo spacco laterale lambisce le mutandine e si allarga in una campana cipria e rosso.

Dove sarà suo marito?

Gli uomini della sicurezza piantonano le porte. Gli assistenti del primo ministro, nessuno supera i trent'anni, sono accalcati su un divanetto con i rigatoni all'amatriciana sulle ginocchia come un branco di adolescenti alla festa dei genitori.

Eccolo lí.

È in fondo al salone accerchiato dagli albergatori, le mani nelle tasche dei pantaloni, lo sguardo corrucciato che mette su quando ascolta cose molto importanti o molto noiose.

Maria Cristina, nel suo metro e novanta compreso di tacchi, fende il capannello, allunga un braccio e gli posa la mano sulla spalla.

Il premier la scruta cercando d'intuire se si tratti di una cosa seria. Vive in attesa di cose serie. Ma la moglie è una sfinge. – Perdonatemi un istante, – dice lui rivolgendosi al drappello. E a chiosa: – Comunque, la prospettiva è valida, non dobbiamo sottovalutarla...

– Ve lo rubo un secondo, – aggiunge lei con un sorriso.

Il gruppetto di sessantenni, alcuni calvi, alcuni tinti, strizzati nei loro completi blu, rigorosamente senza calze, le caviglie spelate dalla vecchiaia che si affacciano sotto i pantaloni stretti, le scarpe con le suole alte, sorride a sua volta esibendo palizzate di placchette dentali costellate dai puntini del pepe dell'amatriciana che tengono in mano. Tutti in sincrono, come in un ballo tirolese, compiono un passo indietro e la fissano neanche fossero di fronte a una contorsionista che s'infila dentro una valigia. Sono impegnati a confrontare la Maria Cristina Palma viva con il patrimonio iconico (video, servizi di moda, foto paparazzate, foto familiari eccetera) che custodiscono nell'ippocampo, la parte del cervello in cui risiede la memoria.

Le scansionano la bocca, il collo, i fianchi, il seno (rifatto al cento per cento), le sterminate gambe che si affacciano dal vestito e finiscono in un paio di tacchi vertiginosi. Cercano di capire se sia davvero la donna piú bella del mondo. E si rispondono che sí, è bella, diamo a Cesare quel che è di Cesare, ma non bella come leggenda vuole. Nulla di che rispetto a una Monica Bellucci o una Emily Ratajkowski o a migliaia di altre. Figuriamoci, raffinata, elegante, corpo eccezionale per i suoi quarantadue anni, ecco, una botta tutta la vita, ma da perderci la testa, no. Certo, non si capisce come cazzo ha fatto quel borioso di Mascagni ad acchiapparsi un pezzo di figa cosí.

La risposta c'è.

Alla vecchia maniera.

Soldi e Potere.

Occorre qui spiegare che un anno prima dell'inizio di questa storia un'importante ricerca realizzata da un'università della Louisiana in collaborazione con il Center of Advanced Study of Body and Facial Plastic Surgery di Carmel (CA) ha decretato che Maria Cristina Palma è la donna piú bella del mondo.

Sulle prime la ricerca non ha suscitato grandi reazioni. Di notizie del genere, buone da mettere in fondo alle home page accanto alle pubblicità di integratori alimentari e mutui agevolati, ne escono a centinaia ogni giorno. Eppure, un po' alla volta, per meccanismi stocastici che solo i meteorologi e i matematici capiscono, la notizia è montata diventando, per usare una parola che detesto, virale. Alimentata dai social, ha scatenato un'esultanza patriottica riservata solo alla nazionale di calcio quando vince i trofei piú importanti. Dall'Italia la notizia è tornata oltreoceano e da lí è rimbalzata per il globo sancendo la supremazia della bellezza mediterranea e di conseguenza della nostra cucina, dei nostri panorami e della nostra cultura millenaria.

Le misure dell'ovale di Maria Cristina Palma corrispondono a quelle della divina proporzione, i rapporti tra linee verticali, orizzontali e oblique coincidono con la formula matematica della sezione aurea. Gli zigomi alti, il naso cosí diverso tra frontale e profilo, convivono in perfetta armonia con le labbra sottili che incorniciano i denti bianchi e dritti. Le sopracciglia, naturalmente folte, sono parabole che indicano la via per gli occhi il cui colore risulta un mistero. A seconda della luce sono grigi, verdi, screziati da pagliuzze dorate o gialli da sembrare rubati a una volpe. La statura maestosa, la proporzione delle leve, le caviglie sottili, i piedi di cui abbiamo già detto, la pelle liscia come un petalo di rosa canina, incarnano la bellezza eterna che ha affascinato gli artisti di ogni èra, da Fidia a Picasso.

In poco tempo, però, la gioia per la vittoria si è trasformata in un incubo per la nostra protagonista. Per mesi ha dovuto barricarsi nella casa di campagna, assediata dai giornalisti, accerchiata dai fan, richiesta da trasmissioni di ogni genere, inseguita dagli agenti cinematografici e derisa, insultata e disprezzata dagli odiatori. Qualsiasi immagine la ritraesse era pubblicata: quando saltava con l'asta agli europei juniores di atletica, quando calcava le passerelle a Parigi, quando l'avevano estratta dall'auto in fiamme in cui era morto il suo primo marito.

I partiti di destra subito, poi gli alleati di governo seccati dall'improvvisa luce accesa sulla coppia, hanno accusato Domenico Mascagni di usare la moglie come un candelabro dorato messo a nascondere la sua modesta caratura politica. Questa ostentazione è un insulto alle donne brutte, alle donne che lavorano, a quelle affette da patologie.

Maria Cristina Palma è un vaso vuoto riempito di nulla,
un mezzuccio patetico per guadagnare consenso.

La storia che va per la maggiore è che la donna sia stata pagata diversi milioni di euro (fondi neri del partito)
per tenere in piedi un matrimonio finito. In realtà la coppia non esiste. Irene, la figlia di dieci anni, è frutto di un
calcolo, forse di una provetta, visto che i due non hanno
rapporti sessuali e in casa nemmeno si parlano. Ci sono
riscontri, carte, vecchie interviste. E compagne delle elementari, cugini, ex fidanzati, avvocati, sedicenti amici sono pronti a confermare che la signora Palma è disposta a
tutto pur di arrivare. È un golem costruito a tavolino da
un team di esperti, programmata dal Bruco, il social media
manager di Mascagni, per essere l'incarnazione della perfetta moglie di un premier. Bella e muta. La timidezza, il
modo dimesso di esprimersi, i sí, i no, i non so sussurrati,
sono prove inconfutabili che è triste, infelice, vittima del
marito. Ma c'è anche chi sostiene sia lei la mente criminale del clan, una che si è scopata l'universo intero pur di
essere lí. Sono state costruite trasmissioni tv, programmi
radio, sguinzagliati giornalisti investigativi per indagare
sulla vita di «Maria Tristina», l'ex modella palermitana
la cui esistenza è divisa tra privilegio e tragedia.

Nelle librerie circola una sua biografia non autorizzata,
Storia di una stella del Sud. In appena cento pagine, corre-
date da illustrazioni, il famoso giornalista Manlio Calzini
fornisce un riassunto completo. La madre di Maria Cristina, Teresa Sangermano, di ricca famiglia siciliana, sposa,
dopo una notte trascorsa in un rifugio sulle Tofane, l'alpi-
nista friulano Bebo Palma. I due mettono al mondo prima
un bambino, Alessio, e cinque anni dopo Maria Cristina.
Quando Teresa si ammala di un brutto cancro, il marito
la lascia per una documentarista francese e va a vivere in

Nepal abbandonando la famiglia. Teresa muore che Maria Cristina ha dodici anni. Otto anni dopo Alessio perde la vita in un incidente subacqueo in Grecia. Per qualche tempo le sciagure si tengono lontane dalla vita della giovane, che intanto, in seguito a un infortunio, ha lasciato lo sport per la moda. Diventa il volto ufficiale di una nota marca di lingerie. A ventisette anni si sposa con lo scrittore Andrea Cerri (unico, stando ai bene informati, vero amore della sua vita) di vent'anni piú vecchio. Dopo due anni di matrimonio, in un incidente stradale, lui perde la vita e lei si ustiona parte del corpo. Si risposa a trentadue con Domenico Mascagni e lo stesso anno nasce una bambina, Irene.

Il lieto evento non è sufficiente a far dimenticare un'esistenza funestata dalle sciagure e le affibbiano un soprannome, Maria Tristina.

Maria Cristina, con ancora gli sguardi degli albergatori appiccicati al culo, trascina il marito alla vetrata della terrazza. Le guardie fanno scudo coprendoli alla vista degli invitati.

– Usciamo un secondo, ti prego... – fa lei cercando di aprire la portafinestra. – Avevi detto che la festa era divertente e c'erano i fuochi d'artificio.

– Pare che il comune non abbia dato il permesso.

– Mi fa male il dito. Voglio andare a casa.

– Ora?

– Sí. Ora –. Gli si stringe addosso e gli sussurra in un orecchio. – Ho bevuto.

Lui la osserva preoccupato. – Quanto?

– Un po'. Speravo mi passasse il dolore.

Maria Cristina non è astemia, beve un bicchiere ogni tanto, non di piú, se supera quel limite si ubriaca. Dio le ha infuso tanta bellezza ma si è dimenticato di fornirle l'alcol deidrogenasi, l'enzima che metabolizza gli alcolici.

Domenico fa segno a una guardia di aprire la finestra, afferra la moglie per un polso e la porta fuori.

Sulla terrazza fa freddo. Nell'aria è rimasto il sentore della pioggia caduta nel pomeriggio e Maria Cristina, avvolta nella garza, sente il gelo pizzicarle la pelle. Domenico si sfila la giacca e gliela poggia sulle spalle mentre lei si avvia con passo incerto verso la ringhiera. A terra il tappeto di foglie crea laghi di mattonelle turchesi. In un angolo sono raccolti i tavoli, le sedie impilate e una fila di funghi riscaldanti che riflettono sull'acciaio le luci di Roma Nord. Il premier raggiunge la moglie, sulla camicia azzurra ha due aloni scuri che gli macchiano le ascelle. Lei prova ad abbracciarlo, ma lui allunga una mano e cerca le sigarette nella tasca della giacca, fa due passi indietro e se ne accende una. – Perché? – le chiede.

Maria Cristina scrolla la testa come se dovesse liberare i capelli dal fieno. – Perché cosa?

– Perché hai bevuto? Un antinfiammatorio non era meglio?

– Ne ho già presi due –. Gli dà la schiena e fissa i barconi dei canottieri e il Tevere gonfio che preme contro gli argini lugubri. Un brodo marrone si muove lento, in grandi spirali brillanti che trascinano con sé rami, buste di plastica e isolette di materia scura.

– Hai mangiato qualcosa?

– A parte l'insalata, no. È tutto grasso. Friggono pure il gorgonzola. E comunque, per la cronaca, non sono ubriaca, sono brilla. Voglio mettere il dito nell'acqua fredda.

Domenico le si avvicina, fa un lungo tiro, i bagliori della brace gli imporporano la fronte lucida, le sopracciglia sovrastano come boschetti l'incavo degli occhi. Rimane imbambolato a contemplare il fiume trattenendo il fumo e pensando a chissà che.

Maria Cristina ci è abituata. È cosí da quando è diventato presidente del Consiglio.

Se prima si vedevano poco, ora non si vedono mai. Torna a casa tardi, quando lei è già a letto. Da qualche settimana, poi, è piú taciturno del solito, si esprime a monosillabi. I sondaggi. Il suo indice di gradimento personale e quello del governo non sono mai stati cosí bassi dall'inizio del mandato. Ma forse c'è altro.

In verità a Maria Cristina non interessa granché. Detesta la politica. E il giorno in cui Domenico ha accettato l'incarico dal presidente della Repubblica gli ha chiesto un solo favore, di non discuterne con lei. Gli fa da spalla se è necessario o divertente. E stasera non è né necessario né divertente.

– Resisti ancora un po', – le dice lui ridestandosi. Dà un ultimo tiro alla cicca, la spegne schiacciandola con la suola, si gira per accertarsi che nessuno lo stia osservando e la lancia di sotto.

Maria Cristina gli strofina il naso sulla nuca ronfando come una gattina, sorpresa dall'effetto disinibente dell'alcol. – Dài, ti aspetto a casa –. Ma sente il corpo di lui indurirsi, i muscoli contrarsi e si ritrae offesa.

Domenico si riprende la giacca. – No. Ci devono fare le foto con la torta di compleanno. L'ho promesso a Brogi.

Maria Cristina prova con un tono piú serio. – Non puoi farle da solo?

– No, ne vuole una con te e sua moglie.

– Uffa... Ti odio.

– Senti, adesso ti metti da una parte, diciamo a Caterina di toglierti la gente di torno, facciamo 'ste foto e andiamo a casa, – le dice Domenico e si avvia verso il salone.

– Che noia –. Maria Cristina allarga le gambe puntando i piedi a terra, inarca il busto, stringe con le mani la ringhiera e schiudendo appena la bocca rovescia la testa indietro: i capelli cadono giú dritti come una cascata di seta bruna, mentre il Circolo Canottieri Aniene, l'Associazione nazionale albergatori italiani, i carciofi alla giudia e Roma Nord le vorticano attorno.

Sí, è ubriaca.

Caterina appare sulla terrazza con un cappotto in mano.

Uno dei vantaggi di essere la moglie del premier è che le hanno assegnato un angelo custode di cui non può piú fare a meno. Caterina Gamberini, di Torino, trent'anni, con una criniera di capelli crespi e rossi e il volto tondo spruzzato di lentiggini. Ha solo un problema, si veste male. Questa sera indossa un completo maschile blu e una camicetta da infermiera, bianca e senza collo.

Maria Cristina l'abbranca. – Cate, abbracciami.

L'assistente, perplessa, si lascia stringere.

In genere Maria Cristina evita la vicinanza con il prossimo, è parca di strette di mano, quando bacia mantiene un centimetro di sicurezza tra le guance, ma la Ribolla che le circola nel sangue ha spalancato le porte del fortino e adesso, come un cucciolo bisognoso di affetto, cerca il contatto fisico facendone scorta per i periodi di sobrietà.

Caterina tenta di condurla all'interno. – Dài che si gela qui fuori –. Prova a metterle il cappotto, ma lei fa segno di no e barcollando torna nella sala.

Uno stagista con la frangetta corvina e un girocollo rosso cardinale le domanda se abbia bisogno di qualcosa.

– Un bicchiere di vino bianco, gioia, – risponde Maria

Cristina andando a sedersi in un angolo buio, le mani sulle ginocchia, offesa con suo marito.

Lo stagista le porge il vino.

– Grazie –. Gli sorride. – Non ricordo come ti chiami.

– Maurilio.

– Maurilio? Che nome raro. Che origini ha? – E con un sorso si scola mezzo bicchiere.

Il giovane le spiega che in greco significa scuro e deriva dall'antica Mauritania, il Marocco di oggi.

– Tu però non sei scuro. Anzi sei piuttosto pallido.

– Sí, sono chiaro di carnagione... – fa Maurilio e aggiunge: – Ma, per esempio, se una si chiama Serena non significa che sia serena. No?

– E se uno si chiama Pino non significa che è un pino –. Maria Cristina scoppia in una risata bassa e maschile che c'entra poco con lei. Finisce il calice, si passa il dorso della mano sulla bocca e fissa lo stagista. – Me ne porti un altro?

Charles Darwin, il grande naturalista inglese, nei suoi appunti schizzò un albero genealogico per chiarirsi i rapporti fra le specie animali che popolano la Terra. In cima, sul ramo piú alto, si ergono in tutta la loro arroganza gli esseri umani. Appena sotto le scimmie, poi gli altri mammiferi di terra, acqua e aria. Di lato, su rami loro, ci sono uccelli, rettili, anfibi. E cosí via in una caduta verticale verso gli organismi piú semplici. Al di sotto del tronco, tra le radici che affondano nei primordi della vita, si trovano le spugne. Queste creature marine hanno un'esistenza abbastanza noiosa. Attaccate agli scogli, passano il tempo a filtrare l'acqua in cerca di nutrienti e ossigeno. Piú o meno come le cugine cozze, ma al contrario di

queste, le spugne non ci mettono pensiero, essendo pri-
ve di sistema nervoso. Il vero trionfo delle spugne arriva
dopo la morte. I loro scheletri elastici, capaci di assorbire
i liquidi, hanno aiutato per secoli gli esseri umani nella
cura del corpo e nella pulizia delle stoviglie. Per fortuna
o disgrazia loro, con l'avvento delle materie sintetiche
sono state dimenticate. Oggi sono sinonimo di un pezzo
di gommapiuma.

Ecco, Maria Cristina, ancorata a una poltrona di
velluto scarlatto, è ruzzolata giú per la scala evolutiva
ben oltre i vertebrati e i molluschi, lí dove il pensiero
latita, e si è trasformata in una spugna pregna di alcol.
Fissa inebetita un quadro a olio di una caccia alla volpe
assorbendo l'aria viziata che sa di fritto e maialino in
salsa agropiccante.

Oltre una trincea di divani che fa da barriera, i mem-
bri dello staff guidati da Caterina respingono chi cerca un
selfie con la #exmodella, #mogliedelpremier, #bellastronza
da postare. Le voci degli invitati le arrivano a folate, so-
vrapposte, mischiate in una macedonia nauseante. L'unica
che emerge chiara è quella squillante della sua assistente.
– Adesso non può. È stanca. Mi dice, per favore, come si
chiama… Mi dia una mail. No… No… Mi scusi lei.

In uno di quei lampi alcolici in cui scopriamo verità
tanto sconvolgenti quanto effimere, Maria Cristina rea-
lizza di volere un bene esagerato al mastino torinese che
la difende dai cattivi. Deve farle un regalo. Un bel viaggio in un luogo esotico dove possa riposarsi. Con chi?
Non sa nemmeno se è fidanzata. Come può avere qualcuno, passa la vita a organizzarle le giornate, a spiegarle
quello che deve fare, e non ci sono domeniche, Natali o
Pasque. E i ragazzi della scorta, no? Gli stagisti? Marina, la segretaria di Domenico? Trabocca di gratitudine

verso questa umanità meravigliosa che si occupa di lei.
Sarebbe bello invitarli a un picnic in campagna con le loro famiglie. A Pasquetta. Ma chissà se a Pasquetta Domenico sarà ancora premier.

– Scusi... Scusi... Dove va lei? Ho detto di no! – Le
urla di Caterina la riportano alla realtà. L'assistente sta
placcando una indiana tarchiata che è riuscita a superare
la barriera.

Maria Cristina si osserva la scarpa che le imprigiona il
dito. Quanto vorrebbe liberarlo. E in piú le scappa la pipí.
Però qualcosa si muove. Hanno abbassato le luci della sala
e il pianista è stato sostituito da un dee-jay brizzolato che
ha cominciato l'inevitabile nenia anni Ottanta.

Il momento giusto per correre in bagno. Si alza e senza
dire niente a nessuno scivola lungo la parete lasciandosi
alle spalle Caterina, la sicurezza e la folla di ammirato-
ri. Supera la postazione del dee-jay a testa bassa mentre
gli albergatori in pista si scatenano: le donne al centro, gli
uomini intorno, pugnetti e piroette di fronte a una torre di altoparlanti da cui Howard Jones si domanda cosa
è l'amore.

Sulla porta del corridoio c'è una guardia che parla al
telefono. – Ma non ho capito, i dim sum sono alla piastra
o al vapore? Perfetto. Sei allora. Quelli con le verdure. E
poi le nuvolette di gamberi, basta che non siano vecchie
come l'altra volta...

Maria Cristina gli lancia un cenno di intesa cui lui risponde con un'alzata di mano. Attraversa il lungo corridoio
in penombra, i tacchi battono su lastroni di marmo lucido
color sabbia bagnata. Alle pareti ci sono foto in bianco e
nero, illuminate da lumicini votivi, di canottieri in posa
accanto alle loro barchette. In una vetrina sono allineate
coppe, medaglie, statuine di bronzo.

Tre invitati, due uomini e una donna, i cappotti con il bavero alzato e l'aria rubizza di chi è andato a fumare al freddo, la scrutano. Lei abbozza un sorriso.

– Signora Palma, possiamo farci una foto assieme? – chiede un tipo magro con un sacco di capelli grigi che gli esplodono anarchici sul capo.

Lei spera di commuoverlo. – Devo andare in bagno…

– Un attimo. Velocissimi –. Il tipo sguaina il cellulare e tutti e tre le si appiccicano addosso. Maria Cristina resta impalata, con il sorriso di cui non si libera da quando è arrivata, mentre parte una raffica di scatti. Riesce a svincolarsi e finalmente trova le toilette. Uomini a sinistra. Donne a destra. Con una spinta spalanca la pesante porta di mogano e come questa si richiude la festa sparisce in un risucchio d'aria, sostituita da uno sciacquone che perde. Stringe il pugno in segno di vittoria.

L'ambiente è spazioso, pulito, profumato di lavanda. Fa venire voglia di rimanere lí a svernare. Lo specchio, sopra un piano di marmo nero con i lavandini e i rubinetti d'oro, riflette le tre cabine scure dei water. Apre la prima e ci si chiude dentro. Anche la tavoletta è immacolata. Solleva la gonna e fregandosene si siede. Il vino non le ha dato alcuna allegria, ma una fiacca che sconfina nella tristezza. La testa è di granito e appena chiude gli occhi tutto prende a roteare. Il rivolo di urina si accorda con il rumore dello sciacquone. Toglie la scarpa. Per godere di piú dovrebbe infilarsi due dita in gola e liberarsi dell'insalata di finocchi e arance che galleggia nel vino.

– Qui non c'è, – fa una voce giovanile entrando nel bagno.

– È sparita, capito? Non mi ha detto niente. E io lí come una scema –. La seconda voce è di Caterina. Riconosce l'inflessione piemontese.

– Mica se ne può andare da sola, no?

– Ma figurati. Sarà da qualche parte. È ubriaca.

Una delle due apre un rubinetto.

– Ma quindi, spiegami meglio… Tu come la fai la piz-za? – chiede la voce giovanile.

– Io con il lievito di birra e farine adatte alle lunghe lievitazioni.

– Lunghe quanto?

Deve essere una stagista.

– Minimo quarantotto ore. A volte pure sessantotto.

– Tre giorni?

– E sí! Faccio una marinara pazzesca.

Al pensiero dell'aglio Maria Cristina fa una smorfia di disgusto. Non immaginava che Caterina fosse pure piz-zaiola. Forse potrebbe regalarle un fornetto.

– Me la devi far provare.

– Certo. Ma tu mi dài un bacio.

Maria Cristina, come una bimba, spalanca la bocca e se la tappa con una mano.

– Quando?

– Ora. Mica quando ho fatto la pizza.

Si sentono degli schiocchi e poi dei risucchi di labbra.

Nooo, Caterina Gamberini è lesbica. E chi se lo po-teva immaginare? Maria Cristina rinfila la scarpa, ab-bassa la gonna e reggendosi sbilenca alle pareti si met-te in piedi sulla tazza. Non le vede, si erge sulle punte: un lampo fulminante le parte dall'alluce azzannandole il polpaccio, per poco non sviene. Ingoiando un urlo si siede di nuovo sulla tazza e resta lí, ansimante, in atte-sa che il male passi.

– Andiamo a cercarla, – dice la voce sconosciuta.

– Sí. Aspetta che mi aggiusto, sembro una matta, – risponde Caterina.

– Ma dimmi una cosa, a lei gliel'hai mai fatta assaggiare?
– Cooosa?

L'altra scoppia a ridere. – La pizza, cretina. Che pensavi?

– Figurati. Quella ha bandito da casa i carboidrati. Solo verdura e tè. Se le fai vedere un pezzo di pane va fuori di testa. Non credo che abbia mai assaggiato una pizza
in vita sua.

– Quindi mi vuoi dire che fa una vita di merda?

– Cosí come può fare una vita di merda una che ha tutto e la natura l'ha premiata con quel fisico.

– E pensa che il marito… Ma lo sa?

– Secondo me sí. Però non lo ammetterebbe mai.

– E lei?

– Macché. È sempre sola. Non vede nessuno. Il suo
migliore amico è una specie di tuttofare improbabile che
gira per casa. Alla fine, lo vuoi sapere, mi fa pena. Non è
cattiva. Ma è brutto non rendersi conto. È cosí inadatta,
scema… – Si prende un attimo per cercare un aggettivo
piú preciso. – È frivola.

– Frivola?

– Sí. Però adesso andiamo, dài.

Le due escono dal bagno e Maria Cristina rimane con
il piede tra le mani.

Cinque minuti dopo Maria Cristina esce dal gabinetto
dove non ha smesso di piangere, ha il rossetto sbavato e il
trucco sciolto, si sciacqua gli occhi arrossati e ravvia i capelli alla meno peggio.

La porta del bagno si spalanca e appare la signora indiana che prima, nel salone, aveva tentato di avvicinarla.
Ha un sari di seta verde smeraldo avvolto su una maglietta
gialla. Da un fianco le pende, appesa a una enorme cate-

na dorata, una borsa rossa di Bottega Veneta. Sulla testa è posato un panettone di capelli cangianti. Ha un'età non definibile ed è molto bassa.

– Signora Palma. Sono onorata di incontrarla. Mi chiamo Stefania Subramaniam. Ho provato a salutarla prima, non mi hanno fatto passare –. Ha l'accento strascicato di Roma Sud.

Maria Cristina balbetta qualcosa, ma un groppo le tappa la gola.

La donnina avanza verso di lei. – Si tinge i capelli?

La domanda è cosí diretta e inopportuna che Maria Cristina assente con il capo.

– Lo sa che le fanno un pessimo lavoro? – L'indiana infila degli occhiali con la montatura rossa e osserva le ciocche con gli occhi vispi. – Che tinta usa?

Ecco che succede a non farsi accompagnare dalla sicurezza. Prima scopri di fare pena alla tua assistente e adesso una pazza ti ammazza in un bagno, magari avvolgendoti il catenone della borsa intorno al collo.

– Non ne ho idea... È il parrucchiere che la sceglie –. Arretra verso l'uscita.

L'indiana agita un indice piccolo e grassottello. – È sbagliato.

Maria Cristina stringe le mani. – Cosa?

– Attraverso i capelli passano le tossine, i veleni dell'atmosfera, le sostanze chimiche che gettano nei campi. Lei, si ricordi, è la donna piú bella del mondo, deve prendersi cura dei suoi capelli –. Ha il tono benevolo di una madre. – Inoltre vedo un po' di ricrescita.

Maria Cristina si accosta allo specchio. Una sottilissima, quasi invisibile striscia argentata percorre la base dei capelli dietro le tempie. Se c'è una cosa che la fa uscire di senno è la ricrescita, una sciatteria inaccettabile. – Mamma

mia che orrore. Domani mi faccio la tinta, giuro su Dio.
Per fortuna è buio, spero nessuno lo noti.

– Invece lo noteranno –. L'indiana non ha un briciolo
di pietà. Apre la borsa e ci infila dentro una mano. – E
diranno che si trascura.

Maria Cristina chiude gli occhi, è certa che ora le spare-
rà, ma quando li riapre la donna brandisce un pennellino
per il mascara come una bacchetta magica. – Posso agire?
Le faccio sparire l'argento in un secondo.

Maria Cristina ci pensa un istante. – Va bene.

– Non qui, però –. L'indiana indica i water. – Cosí se
entra qualcuno non ci vede.

– Giusto.

Le due, improvvisamente complici, si chiudono in una
cabina. Ma c'è un problema di altezze. O Maria Cristina
s'abbassa o l'altra sale sulla tazza. Alla fine la moglie del
premier si genuflette, schifandosi un po' al contatto con
il pavimento. Ora che sono alla stessa altezza si accorge
che la donna ha gli occhi sferici e le sclere giallognole di
un rapace notturno, troppo grandi, non in scala con il resto del viso. Piantate al centro, le pupille, nere come tor-
malina, emanano l'antica beatitudine dei guru. Le ricorda Amma, la famosa santona che abbraccia i suoi fedeli.
Ogni anno migliaia di persone da tutto il mondo vanno in
India per farsi travolgere dal flusso d'amore che Amma
riversa su chi ne ha bisogno. Anche Maria Cristina è andata fino a Chennai per farsi abbracciare dalla santa dopo
la morte di Andrea.

– Alza il mento, – le dice Stefania Subramaniam e Maria
Cristina, come se l'avessero stappata, singhiozza a labbra
strette. – Che hai, tesoro? – le domanda l'indiana.

Maria Cristina scuote la testa. – Niente.

L'altra le carezza la fronte. – E allora perché piangi?

Lei abbassa il capo tirando su col naso. – Perché faccio pena alla mia assistente, ha detto che sono frivola. E credo che mio marito mi tradisca con la sottosegretaria alla Pubblica amministrazione.

– Chiudi gli occhi.

Maria Cristina obbedisce e sente la punta del pennellino sulla radice dei capelli. – Adesso ci occupiamo del rossetto e del trucco e spazzoliamo i capelli, – la rincuora Stefania Subramaniam, tirando fuori un nécessaire con tutto ciò che serve. – Ecco fatto. Perfetto. Gli uomini e le assistenti non capiscono nulla.

Maria Cristina l'abbraccia, il cuore colmo di riconoscenza. Si rimette in piedi, si aggiusta il vestito.

L'indiana estrae dalla borsa un vasetto di vetro con dentro un liquido scuro e denso. – Questa è una tinta naturale, non c'è nulla di velenoso. L'ho fatta io. Mettitene poca –. Gliela dà. – Ho un salone di parrucchiera a via di Casal Bertone. Se un giorno vorrai...

La moglie del premier si poggia un palmo sul cuore. – Ci provo. Prometto. Grazie, grazie, grazie –. E, contro ogni sua abitudine, la bacia sulle gote.

Con il barattolo di tintura in mano, Maria Cristina si dirige verso il salone che pulsa di musica e luci.

All'improvviso sente una voce alle spalle.

– Secca. Secca. Ehi Secca, fermati.

Si gira, un uomo le sta venendo incontro.

– Aspetta.

Lei si indica. – Parla con me?

– E con chi sennò? Di Secca ce n'è una sola. Lo so che adesso sei importante, ma per me resti la vecchia Secca.

Deve essere uno dello Chateaubriand, lí la chiamavano cosí. Quel soprannome le è stato appioppato perché era la piú alta e magra del liceo, e a dire la verità non le dispiaceva nemmeno. A Roma è usato un po' per tutti, non devi per forza essere magro. Secco, che ce l'hai una sigaretta? E puoi pure essere obeso.

Con il tempo gli anni delle superiori, piazza Euclide, il Circeo, i gelati a villa Balestra, le amiche stronze, i cazzoni pieni di soldi che la scarrozzavano sulle Porsche, sono sbiaditi senza che lei abbia fatto nulla per trattenerli. Però si sa, il passato te lo puoi pure scordare, ma lui non si scorda di te. I suoi compagni di scuola sono una persecuzione, spuntano come funghi e tutti si lamentano che adesso che è famosa non se li caga piú.

Ora no però, non ha voglia di fingere di ricordare, di ascoltare aneddoti su settimane bianche, sospensioni, vuole solo tornare a casa.

Il tipo, nel frattempo, si è avvicinato. Lo osserva meglio. Buio totale. Del resto incontra una tale quantità di esseri umani che il suo cervello, per questioni di spazio, procede a una pulizia settimanale.

Eppure, qualcosa...

Intanto, cosa insolita, è piú alto di lei e con un fisico da giocatore di pallavolo. La stempiatura s'insinua tra i capelli color cenere che gli arrivano poco sopra le spalle, segno che non ama invecchiare. La nota piú intrigante è la frezza bianca che gli nasconde un occhio conferendogli un aspetto torvo, alla Capitan Harlock. Il viso si allunga in un mento puntuto coperto da una barba sfatta e biondastra, appena macchiata di grigio ai lati della bocca carnosa e un po' esangue. Indossa una camicia di lino azzurra stinta dai lavaggi, con una cravatta di maglina blu a strisce bianche che pende lasca dal colletto sbottonato. La giacca blu scuro, di cotone grosso, completa il quadro dell'uomo giovanile e che vive la vita senza prenderla troppo sul serio. A occhio e croce una cinquantina d'anni. Tutto sommato, un bel tipo. Continua a dondolare la testa come se fossero due amici che si rincontrano all'aeroporto dopo anni.

– Sarò franca, – fa Maria Cristina. – Ho problemi di memoria e ho pure bevuto, quindi non ti offendere, ma non mi ricordo di te. Mi spiace. Non so proprio chi cazzo sei.

Ha veramente detto cazzo?

Lui scoppia a ridere. – Lo sapevo, non sei cambiata di una virgola. Facciamo cosí, ti do qualche indizio.

– No. Pietà. Gli indizi no. È stata una giornata pesante. Devo andare da mio marito per tagliare la torta con la moglie del capo degli albergatori. Scusami. Prossima volta –. Si gira e si incammina sentendosi stronza ma nel giusto, due sensazioni che ha imparato a far convivere da quando frequenta il mondo della politica.

– *Nasquira*.

Maria Cristina rallenta.

– *Nasquira*.

Si ferma.

– *Nasquira*. Ti ricordi, vero?

Secondo alcuni studi la mente registra la nostra esistenza su due nastri. Il primo, quello della memoria a breve termine, custodisce le cose che ci aiutano a districarci nel presente (dove stanno le chiavi, in quale cassetto teniamo l'aspirina, qual è il civico del dentista) e come si forma, scompare. Il secondo, quello della memoria a lungo termine, trattiene le cose profonde, essenziali, che ci toccano e ci determinano in quanto individui e hanno a che fare con le emozioni: lo scodinzolare festoso del nostro cane, la morte di una persona cara. Queste due categorie di ricordi vengono elaborate in parti diverse del nostro encefalo. Nell'ippocampo memorizziamo le password, nella corteccia imprimiamo il primo bacio.

Il nome *Nasquira* è impresso a fuoco nella corteccia di Maria Cristina Palma. È il nome di uno Swan 60, una meravigliosa barca a vela su cui ha fatto una crociera con il fratello poco prima che morisse.

Sa chi è quello lí.

– Nicola Sarti, – dice voltandosi.

– Ciao Secca.

Nell'ultima estate della sua vita, Alessio aveva portato Maria Cristina in barca con i suoi amici. Otto ragazzi piú grandi, in fissa con la vela e belli come dèi. Il patto era niente femmine. Si rimorchia in giro. Unica eccezione la Secca, difesa e corteggiata da tutti.

Dopo tre settimane lei era sbarcata a Lipari per andare a Courmayeur dai nonni. Gli altri avevano proseguito per l'Egeo, dove suo fratello era morto in un incidente con le bombole.

– Oddio, che bello vederti, – gli dice emozionata. – Come stai?

Ha avuto una breve avventura con Nicola Sarti proprio durante quella vacanza, ma dopo la tragedia non lo ha piú visto né sentito.

Lui la raggiunge e a bassa voce le dice: – Molto bene, adesso.

Maria Cristina lo abbraccia e chiude gli occhi. È come se una sfera di energia li avvolgesse e la festa, la gente, i rumori scomparissero di colpo. – Perdonami, ma dopo la morte di Alessio non ho voluto piú vedere i suoi amici, ci stavo troppo male.

Lui la stringe forte, a lungo, con l'intensità di chi ti è vicino. – Lo capisco. È normale.

– Mi fa bene vederti, Nicola.

– Non sai a me.

Il vino che ha in corpo l'aiuta a trovare il coraggio per domandargli: – Ma tu c'eri in barca quando Alessio…?

Nicola Sarti continua a stringerla tra le braccia. – Sí.

Maria Cristina sospira. – Al funerale non sono venuta. Il nonno…

– Non dire niente. Teniamoci i ricordi belli. Pensiamo a quanto ci siamo divertiti prima.

Maria Cristina si stacca e si mette a posto i capelli. – Giusto. Lo sai che mi piacevi tanto?

– Non dirlo a me. Mi ero preso una cotta esagerata. Ho faticato a dimenticarti.

Lei tira fuori un tono allegro. – Ti avevo puntato dal primo giorno.

Non è vero. A lei piaceva Gian Marco Meroldi, solo che lo stronzo, appena sbarcati a Panarea, si era trovato una svedesina. Però adesso Meroldi è un dirigente Rai panzone e Nicola Sarti è un figo. La vita è giusta, a volte.

Lui fa due passi indietro, rimirandola. – E ora? Guardati!

Maria Cristina solleva le braccia e compie una mezza piroetta. – Moglie del primo ministro. Avresti mai immaginato?

– No. Se penso a com'eri.

Lei solleva un sopracciglio. – Com'ero?

– Be', bella scatenata.

Maria Cristina non capisce che intenda. – Eravamo tutti scatenati. E giovani. Tu che ci fai qui?

– Ho una catena di hotel cinque stelle. In Sardegna e in Trentino. E sto per inaugurare un resort, *Le Cupole*, vicino a Pomezia. Spa. Cibo gourmet. Tutto il pacchetto che va di moda.

Rimangono in silenzio, fissandosi, la mente ai giorni della crociera. Maria Cristina ripensa alle notti sul ponte

a guardare le stelle, alla pesca a traina, alla salita sul vulcano di Stromboli.

La musica in sala si abbassa e si riaccendono le luci,
rompendo l'incantesimo.

– Dobbiamo vederci, – butta lí lei.

– Quando vuoi –. Nicola Sarti indica il barattolo che
Maria Cristina ha in mano. – Cos'è? Marmellata di more?

Lei scoppia a ridere. – No, tinta per capelli. Me l'ha re-
galata una specie di santona parrucchiera.

– Ecco la tua risata. Tale e quale.

Una voce al microfono chiede attenzione. La torta sta
arrivando.

– Scusami, devo andare, mi tocca…

Lui solleva le spalle. – Vai. Vai. Tranquilla. Però quando
puoi vieni al mio resort… anche con tuo marito. Prometti.

– Con mio marito la vedo complicata. Ma io sí, certo –.
Ora dovrebbe dargli il numero, però non è cosí semplice,
deve prima comunicarlo alla sicurezza.

Due palle. Addio.

Incerta su che fare, non lo bacia, gli stringe la mano,
mentre Caterina la raggiunge trafelata e la trascina da
Igor Rossi Brogi, che sta spegnendo le sue settanta fottu-
te candeline.

3.

Non finiva piú. Però ora Maria Cristina è in auto diretta a casa. Si sente uno schifo. La panna e le meringhe
della torta inacidiscono nel vino. Vorrebbe appisolarsi,
ma se chiude gli occhi precipita in un vortice. I lampio-
ni dell'Olimpica strisciano di giallo i finestrini sporca-
ti dalla pioggia. Si sfila la scarpa e si massaggia il piede

mentre l'autista guida spedito seguendo i fanalini rossi della scorta.

Domenico, nuca sul poggiatesta, sonnecchia. È odioso, può dormire ovunque, gli bastano pochi minuti per riposarsi. Un giorno, durante un G8, è scomparso all'improvviso. Attimi di terrore. Teste del servizio di sicurezza che stavano per saltare. Poi lo hanno trovato in uno sgabuzzino delle scope che ronfava su una sedia. Maria Cristina per dormire deve mettersi i tappi, la mascherina per gli occhi, chiudere le imposte e intorpidirsi la lingua con le benzodiazepine.

– Ti fa male? – le chiede lui.

– Un po'. Comunque avevi ragione, mi sono divertita –. Tralascia l'episodio di Caterina nel bagno. – Prima ho incontrato una che sembrava una santona indiana... No, in realtà era una parrucchiera di Casal Bertone che mi ha tinto la ricrescita. Poi Nicola che non vedevo dalla crociera con Alessio. Nicola Sarti. Lo conosci?

Domenico schiude una palpebra poco interessato. – Mai sentito.

– Ha una catena di alberghi. Lo avevo cancellato e pensa che mi ci ero pure fatta una storia. Credo di avere seri problemi di memoria.

Lui scuote la testa con un'espressione ironica. – Non è la memoria. Sono troppi quelli con cui ti sei fatta le storie.

Lei gli molla un calcetto su uno stinco. – Scemo. Invece è simpatico. È stato Alessio a farmi notare che gli piacevo.

– Non era geloso? Eri sua sorella minore.

– No. Per niente. Come te, d'altronde. Invece Andrea era geloso. Lo nascondeva bene, ma io lo notavo –. Il volto di Maria Cristina si distende fissando l'ellisse luminosa dello stadio Olimpico. – Lo beccavo che mi osservava quando parlavo con altri...

– Non c'è niente di peggio degli uomini gelosi, – la interrompe Domenico. – Sai quante donne hanno pagato con la vita la gelosia dei propri compagni?

Maria Cristina sbuffa. – Che esagerazione.

– La gelosia è coercizione. Anzi, dovrei organizzare una campagna d'informazione su questo problema.

Effetto Pavlov. Appena lei nomina Andrea, lui scatta. Non si trattiene. Questa non è gelosia?

– Ho detto che non lo faceva vedere, – puntualizza Maria Cristina. – Ma che io, conoscendolo, lo intuivo.

– Be', se lo notavi, lo era –. Domenico prende il cellulare dalla tasca. – Domani mattina parto presto. Vado a Strasburgo, poi a Torino al funerale dell'operaio morto. Torno tra un paio di giorni. Sabato viene a cena Wim Claes, il ministro del Commercio belga.

– Io non ci sono, vado in campagna.

– Lo so. L'ho invitato lí. È simpatico. Pare sia un tuo fan accanito. Mi ha detto che vi siete conosciuti a Parigi quando facevi la modella.

– Boh, può essere.

– È venuto a una cena a casa tua e tu hai fatto la pizza.

– Mi ha scambiata con un'altra. Io non ho mai fatto una pizza in vita mia. Poi a Parigi, figurati, mi nutrivo di carote.

– Sostiene che hai fatto la pizza beneventana. Gli ho promesso che gliela farai di nuovo in campagna, era tutto felice.

– Io? – Maria Cristina, nonostante l'alcol che le smorza le emozioni, rizza lo sguardo. – La pizza beneventana?

– Sí. Ci tiene da morire. Mi ha fatto una testa cosí…

– Perché gli hai detto questa cazzata?

– Una scusa. Ho bisogno che mi appoggi per un voto sugli spumanti a Bruxelles. E siccome parla solo di questa pizza beneventana e di quanto sei bella, gli ho detto che sei pizzaiola –. Ha un tono piatto e se sta scherzando non sembra.

Maria Cristina ha la nausea, prova ad abbassare il finestrino, dimenticandosi che nelle auto blindate sono bloccati. – Gli compriamo le pizze del *Barilotto del Nonno*, si mangia quelle.

Domenico scuote l'indice. – Ha detto che vuole farle con te. Dobbiamo accendere il forno a legna. Cerca di scoprire com'è fatta la beneventana, cosí poi la infornate insieme.

Maria Cristina boccheggia come un pesce gatto in un rivo limaccioso. – Dobbiamo? Perché non dici devi? Quel forno non si accende da trent'anni. E poi per l'impasto ci vuole tempo, bisogna… – Non sa nemmeno lei cosa.

– Puoi farmi questo favore?

Non è lucida e non capisce se il marito la stia prendendo in giro. – Ti ho detto che non so fare la pizza. Se gli fosse piaciuto il parapendio, mi sarei dovuta buttare giú da una montagna?

– Maria Cristina, ti prego, non ho voglia di discutere, – sbuffa lui irritato. – Se vuoi farlo, lo fai. Studi su Internet, chiedi una mano a Caterina. Se non ti va, pace, la prendiamo in pizzeria. Ma la miseria, un favore… Guardati, non riesci a tenere la testa dritta.

Maria Cristina solleva il capo. – Come sai che Caterina è brava a fare la pizza? Te lo ha detto lei? O l'hai assaggiata?

– Ma che ne so. Sta sempre con te.

– Comunque, per tua informazione, è molto brava. Fattela preparare da lei.

Domenico legge qualcosa sul cellulare. – Ah, dovresti andare a parlare con gli insegnanti di Irene, cosí capiamo come va in matematica. E dovresti farti delle foto con loro e con altri genitori mentre uscite da scuola.

– Perché?

– Lo ha chiesto il Bruco.

– Non aveva detto che dovevo restare quiescente?

– Non lo so. Forse non ti vuole piú quiescente.

Walter Bernulli, conosciuto come il Bruco, è il capo dell'AP Team, un'oscura setta di giovani esperti di media che gestisce la comunicazione del primo ministro. Laureato in Filosofia teoretica, è diventato famoso tra i gamer di tutto il mondo perché ha sconfitto da solo Ragnaros, un boss invulnerabile del videogioco *World of Warcraft*. Passato a studiare le oscillazioni randomiche della borsa, ha fatto una barca di soldi con i tutorial di trading online. Poi ha analizzato i social, i flussi e le polarizzazioni delle opinioni realizzando dei listening tool che esaminano il sentimento della rete e ne interpretano i comportamenti cercando di anticiparli.

Il Bruco è stato il primo a essere ingaggiato da Domenico nella sua famosa squadra di esperti, è il suo oracolo, nonostante i consensi siano in picchiata da mesi.

Maria Cristina è certa che tra i due ci sia un patto segreto perché suo marito è pronto a mettere in discussione chiunque, ma il Bruco no, il Bruco è un dannato genio. E la cosa straordinaria è che non si sono mai visti dal vivo né parlati al telefono. Questa è stata la condizione imposta dal social media manager per accettare l'incarico.

Leggenda narra che il Bruco viva come un eremita sui monti Simbruini, alcuni sostengono in una caverna, altri in una chiesa sconsacrata, altri in un trullo ricostruito in un bosco da cui invia e-mail complicatissime, autentici saggi di sociologia per dettare le strategie di comunicazione. In alternativa manda vocali di poche parole ordinando ad esempio che Maria Cristina deve restare quiescente, senza degnarsi di spiegarne il motivo. E non gli basta. Della moglie del premier vuole decidere tutto, come si veste, dove siede ai tavoli, quali foto vanno ai giornali e scrive sui social al posto suo.

Maria Cristina non è nemmeno certa che il Bruco esista davvero, di lui in rete si trova solo una foto scattata in un pub con in mano una pinta di birra. Un tipo grasso, sulla trentina, barba e capelli biondi, con una maglietta dei ZZ Top.

Quando era uscita la storia della donna piú bella del mondo, il Bruco era euforico e deciso a cavalcare l'improvvisa e gratuita popolarità. L'obiettivo era rendere la coppia presidenziale, se possibile, ancora piú distante dalla gente comune. Il ricco avvocato prestato alla politica e l'ex modella di buona famiglia, icona di eleganza e con un passato funestato dai lutti. In pratica due stronzi. L'idea si basava su un algoritmo sviluppato da Olsson e Lindberg, due etologi che hanno studiato le dinamiche comportamentali dei cercopitechi. Nelle tribú di questi primati, il leader, il maschio dominante, sceglie la femmina piú performante incutendo rispetto e sottomissione al gruppo.

Il Bruco era sicuro che il modello babuino avrebbe funzionato. Gli elettori, sosteneva, sono stufi dei leader che s'immortalano sui social in mutande e canotta, nelle camerette dei bambini, con i rosari appesi alle lampade di Ikea, che imprecano guardando il calcio e si vantano di non avere mai letto un libro. I capi popolo, diceva, hanno fatto il loro tempo. I raffinati coniugi Mascagni erano l'esatto opposto, il messaggio che doveva passare era che si occupavano dell'Italia per disinteressato spirito umanitario. Sull'esempio dei Kennedy. E chi meglio di Jackie e John ha incarnato lo spirito di una nazione?

Di conseguenza il Bruco aveva stabilito che sui profili
di Maria Cristina venissero postate esclusivamente foto in
bianco e nero. Per lo piú immagini catturate ad arte mentre passeggiava nei boschi, guardava quadri alle mostre o
camminava sola e pensierosa sulla ciclabile del Tevere. Il
risultato era stato quello di attirare su Maria Cristina
l'odio di un'umanità inferocita. Le hanno scritto che è una
stronza, una puttana che merita solo cazzi e cazzotti,
un essere spregevole che beve tè al bergamotto mentre la
gente muore di fame e i fiumi esondano. Polarizzare il popolo di Internet era esattamente lo scopo del Bruco: piú si
fosse formato uno schieramento che la voleva morta, piú
l'altro schieramento, quello democratico, quello istruito,
quello che vota, avrebbe trovato nei Mascagni figure con
cui solidarizzare e in cui riconoscersi.

Per fortuna di Maria Cristina, a un certo punto il social media manager si è ricreduto e in una e-mail sibillina
ha ammesso che la strategia non funzionava. Da allora la
moglie del premier ha scelto un profilo basso. Ha dirada-
to i post fino a renderli istituzionali. Oggi si limita a fare
gli auguri di Natale, a rallegrarsi per le vittorie degli atleti
italiani e a invitare la popolazione al voto.

– E poi, magari, vuole di nuovo le foto? Non mi va, –
boccheggia Maria Cristina, toccandosi lo stomaco. – Devo
vomitare.

Domenico la fissa preoccupato. – Adesso?

– Sí. Adesso.

– Non puoi resistere?

– Tu resisti quando ti viene da vomitare?

Lui solleva gli occhi al cielo e si rivolge all'autista. – Michele, la signora non si sente bene. Dovrebbe…

– Vomitare, – aggiunge lei.

L'autista li guarda attraverso lo specchietto. – Ora?

– Sí, ora. Ferma la macchina, – fa Maria Cristina, trattenendo un conato.

– Un attimo. Chiamo la scorta –. Michele confabula con quelli della sicurezza. – Dicono che non è possibile. È pericoloso. Mi dispiace, presidente. Manca poco. Acceleriamo.

– Hai sentito? Non si può, – le fa Domenico con il tono di un maestro pedante. – Resisti.

Maria Cristina poggia la testa sul finestrino e comincia a inspirare. Si sta coprendo di sudore freddo. – Se vanno cosí veloce è pure peggio. Dammi la giacca. Presto.

– Che ci devi fare?

– Ci vomito dentro. Mi sento male –. Sta per mettersi a piangere. – Come te lo devo dire?

– Nella mia giacca? Ma è quella che mi ha fatto Davies su misura –. Si sporge verso l'autista. – Scusa, Michele, mi daresti la tua giacca? Poi te la ricompro. È una...

Un pugno della moglie, al centro delle scapole, gli impedisce di terminare la frase.

– Ma sei stronzo?!

Lui si gira, il viso paonazzo, gli occhi furiosi, la fulmina. – Sei impazzita?

– Nella tua no, ma in quella di Michele sí? – Accompagnato da un suono gutturale, un fiotto giallo, caldo, pastoso esce dalla bocca di Maria Cristina come una fiamma dalle fauci di un drago, finendo ovunque. Sul vestito di Dior, sui rivestimenti in pelle e sui tappetini della Mercedes, sui pantaloni di flanella di suo marito, tagliati su misura a Savile Row.

II.

Giovedí 22 febbraio

I.

Le palpebre della moglie del premier vibrano, sta sognando una volpe che si chiama Carlina e al posto degli occhi ha due uova al tegamino, i tuorli sono pupille gialle e il naso una pallina fatta all'uncinetto.

Una voce dall'aldilà s'intromette nel sogno. – Signora…

Carlina, nonostante il suo padrone insista che è buona, le mordicchia le caviglie.

– Signora, si svegli, è tardi.

– Sí? Che c'è? – ansima Maria Cristina cercando di riemergere dal sonno.

– C'è Caterina… – fa la domestica.

– Caterina?

– Sí. Ha detto che avete una call.

– Che ore sono?

– Le nove e mezza.

Maria Cristina schiude un occhio sbadigliando. – Daisy, per favore, aprimi le finestre.

Un raggio di sole le entra dritto nella retina e lei affonda il viso nel cuscino.

– C'è anche Mirco Tonik, – le rammenta la filippina.

Maria Cristina si passa una mano sulla faccia. – Digli che oggi saltiamo.

– E a Caterina?

– Nulla. Portami la colazione, grazie.

– Va bene, signora.

Lentamente, come una libellula che si libera dell'esuvia, Maria Cristina allunga le gambe sopra il piumone e spalanca le braccia cercando di fare il punto sulle sue condizioni di salute. Lo stomaco non male, ma ha gli elettrodi di Frankenstein avvitati nelle tempie. Quando solleva la testa si accorge di essere in mutande, reggiseno e collant, a terra il vestito di Dior incrostato di vomito.

Se l'è sfilato da sola? Chi l'ha portata in camera? Non ricorda nulla.

Domenico sarà incazzato a morte. Per fortuna da quando è diventato primo ministro si trattiene spesso nell'appartamento di Palazzo Chigi e se viene a casa dormono in camere separate. Maria Cristina ha preso al balzo la scusa che lui arriva tardi e si sveglia presto per esaudire il sogno inconfessabile di ogni coppia.

Si sfiora l'unghia dell'alluce, sta assumendo una tonalità bluastra e fa male. Stiracchiandosi passa sotto gli affreschi sbiaditi della volta della stanza. Entra in bagno e si guarda allo specchio. Ecco gli effetti della serata. Ha il viso gonfio come se si fosse riempita di cortisone, il cuscino le ha rigato la fronte, i capelli sono opachi e crespi. Si solleva le ciocche accanto alle orecchie: deve correre dal parrucchiere. Ha gli occhi da rospo e la lingua bianca. Solo le tette sono uguali, inattaccabili da tutto. Fino alla gravidanza aveva una prima e non ha mai portato il reggiseno. Con l'allattamento le sono esplose, per poi svuotarsi in due tasche mosce. È stato Domenico a suggerirle di operarsi. Non che lei fosse contraria, ma l'idea di portare sotto la pelle due affari sintetici per il resto della vita non le piaceva. L'operazione non è venuta benissimo, lei le voleva naturali, a goccia, e invece somigliano a minne di sant'Agata, i dolcetti siciliani ri-

vestiti di glassa bianca e con sopra una ciliegia candita.
I capezzoli, per qualche complicanza postoperatoria, sono rimasti turgidi e le impediscono di indossare camicie
e magliette senza reggiseno.

Ingoia due compresse di analgesico, si lava i denti e si
getta sotto la doccia bollente.

Daisy torna con la colazione: mezzo avocado, uno yogurt magro e un caffè.

Maria Cristina s'infila una canottiera. – Irene e il presidente hanno fatto colazione assieme?

– Sí.

– E di che hanno parlato?

– Io non ascolto, – fa la domestica omertosa.

– Non ti sto accusando di ascoltare, volevo solo sapere
se ti sembravano contenti.

– Normali, signora. Erano di fretta, hanno mangiato.

Maria Cristina la liquida con un sorriso. – Puoi andare. Grazie.

Sua figlia sta diventando sempre piú indipendente.
Ha paura di perderla, tutta presa dalle sue passioni. Da
qualche tempo suona il violino e va a cavallo al maneggio.

Giorni fa guardavano la tv e Irene le ha detto: «Tu sei
diversa dalle altre mamme».

«In che senso?»

«Le altre mamme controllano le figlie. Stanno appicci-
cate. La madre di Gabriella è sempre lí con lei».

«Fammi capire, vuoi che stia di piú con te?»

«No», ha risposto la ragazzina, laconica.

«Quindi va bene cosí?»

«Sí».

A Maria Cristina è rimasto il dubbio che fosse un ve-
lato rimprovero.

Chissà se Domenico ha raccontato a Irene cosa ha combinato ieri sera la mamma. Non è da lui, ma vai a vedere. Ha il sospetto che da un po' il marito cerchi di portare la figlia dalla sua parte.

Bussano.

– Chi è?

– Luciano. Posso entrare?

Controlla di essere presentabile. – Entra.

Un essere ovoidale si affaccia dalla porta. Le spalle sono cosí spioventi che la testa pare avvitata direttamente sulle scapole. I capelli prosperano come un cespo di scarola. La barba dura come nylon si arrampica oltre gli zigomi. Gli occhi nocciola spuntano da sacchetti di pelle scura, sormontati da sopracciglia che crescono spesse sulla fronte alta e piatta come un muro. Indossa un golf lercio di un colore indefinibile, un coacervo di azzurro, amaranto e nero. Un paio di jeans sbiaditi e troppo grandi, appesi alla cinta, cascano in mille pieghe sopra gli scarponi da lavoro sporchi di vernice. Maria Cristina lo ricorda sempre cosí. Anche nel gelo, mai una giacca. A Natale e per il compleanno gli regala piumini, golf, camicie, mai che glieli abbia visti addosso.

– Buongiorno, Cri. Fatto tardi?

– Sí. E mi sono pure ubriacata.

– Brava. Ogni tanto ci vuole. Scusa se ti disturbo, ho trovato il soffione per la doccia di tuo marito –. Alza una busta e gliela mostra. Gli mancano il mignolo e l'anulare della mano destra, sembra sempre che impugni una pistola. – Era pieno di calcare e i gommini si erano induriti. Ho rimediato questo, è diverso, ma migliore. Tedesco –. Si tira su i pantaloni. Le chiappe, invecchiando, hanno traslocato nel ventre adagiato come un marsupio sul pube. Soffre di diabete, ma s'ingozza di kebab e di ogni schifezza che trova nelle rosticcerie. Maria Cristina lo ha spedito dall'endocrinologo, ma fargli seguire una dieta è un'utopia.

Luciano prende dalla busta un grosso aggeggio d'acciaio cromato. – Un affare. L'ho trovato a quattro spicci e l'ho messo a posto. Questo di listino costa quattrocento euro. Sembra nuovo, vero?

– Bellissimo. Grazie, Luciano –. Maria Cristina prende un cucchiaino di yogurt. – Che aspetti? Vai a montarlo.

– Posso? Sicura?

Luciano ha un sacro terrore di Domenico, soprattutto da quando è diventato presidente del Consiglio.

– Non c'è. Tranquillo, vai.

Lui rincula verso l'uscita, poi torna indietro. – Ah, ho un biglietto per te –. Prende dalla tasca un foglio di quaderno piegato. – Da Irene. Me lo ha dato prima di uscire.

> Ciao mamma. Non venirmi a prendere a scuola. Viene Greta e mi porta a vedere un cavallo che ha fatto il figlio. Ci vediamo a casa. 🖤

Un peso si solleva dal petto di Maria Cristina. Che figlia amorevole ha.

– Vieni qua, – ordina a Luciano.

– Che c'è?

– Fatti dare un bacio.

Lui, tra il sorpreso e il sospettoso, si accarezza il collo. – No Cri, meglio di no, faccio schifo.

– Ho detto vieni qua –. Gli dà un bacio sulle guance avvertendo l'odore di sapone scadente e di ascelle sudate. – È vero, puzzicchi, ma ti amo uguale. Grazie.

– E di cosa?

– Di esserci.

Lui indietreggia a corto di parole e con un paio di giravolte, agitando il moncherino, sparisce dalla stanza.

2.

Per capire l'importanza di Luciano Vasile in questa storia bisogna partire dalla morte della madre di Maria Cristina. Quando Teresa Sangermano morí, la famiglia si pose il problema di cosa fare dei due orfani. Maria Cristina aveva dodici anni e Alessio diciassette. Quell'irresponsabile del padre era scomparso, le ultime lo davano in un monastero tibetano, ammalato di pleurite dopo una scalata sull'Annapurna. Gli zii palermitani non volevano saperne di mettersi in casa quei ragazzini. Perciò toccò ai nonni materni occuparsene. I due non abitavano piú in Sicilia da anni. La nonna, toscana, Irene Salimbene, gestiva le terre di famiglia in Maremma e il nonno, Roberto Sangermano, palermitano, quando aveva smesso di fare il rappresentante per l'Europa di una nota marca americana di creme e cosmetici si era trasferito in una villa all'Olgiata, un comprensorio residenziale alle porte di Roma dove giocava a golf. Gli anziani coniugi conducevano vite separate, tranne i week-end in cui partecipavano a tornei di bridge in giro per l'Italia. Roberto Sangermano aveva anche un'amante ufficiale, Liliana Miconi Lombardelli, la sua ex segretaria. Irene Salimbene, donna ombrosa, con una storia di depressione e alcolismo, tornava nella capitale solo per le infiltrazioni all'anca.

Fu stabilito che Alessio studiasse al convitto nazionale, mentre Maria Cristina avrebbe vissuto all'Olgiata e frequentato la scuola di Formello, il paese lí accanto.

I nonni non ci sapevano fare con la ragazzina, o la viziavano o la dimenticavano. Cosí se ne presero cura i domestici, Maria e Tonino Vasile, originari di Termini Imerese, che vivevano in una dépendance della villa con il figlio Luciano.

L'orfana conquistò subito il cuore della coppia, era un angelo, buona e bella, da riempire di baci. Maria, quando se la portava a fare la spesa, la spacciava per sua figlia e si prendeva i complimenti che non riceveva per Luciano, che pareva sbozzato da uno scultore indolente.

I due ragazzini, nati a un giorno di distanza, si trovarono subito. Si svegliavano cercandosi e andavano a letto disperati perché il sonno gli avrebbe sottratto qualche ora assieme. Raggiunta l'età furono iscritti nella stessa classe dello scientifico. Studiavano nella casetta dei Vasile, il tavolo della cucina coperto da una tovaglia di plastica, la tv sempre accesa sulle televendite, mentre sul fuoco sobbolliva una pentola che impuzzava quaderni e libri di cipolla.

In quella specie di riserva esclusiva che era il comprensorio, Maria Cristina e Luciano scorrazzavano per le stradine alberate sul sellino monoposto di un Ciao rosso. Lei secca e puntuta come una cavalletta si appendeva a lui, tondo e irsuto come un panda. Sfuggivano alle ronde dei vigilanti nascondendosi tra i bunker del golf per rubare le palline da rivendere a scuola. Oppure se ne stavano seduti al bar *Tramonto* a mangiare ventagli di pasta sfoglia e a guardare le auto sfrecciare sulla Cassia Bis.

Luciano fu per Maria Cristina un fratellastro, un confidente, un mago pancione che faceva sparire le pizze ingoiandole in un boccone e un generoso servitore che si prese la colpa quando furono beccati a rubare gomme e penne al supermercato.

La loro era un'amicizia speciale, ma destinata a finire. Un po' come in quei video su Internet dove un cucciolo di tigre gioca con un'oca, finché una mattina dell'oca non resta che un'ala sanguinante.

Le cose cambiarono durante l'estate fra la terza e la quarta liceo, quando una pubertà tardiva strappò Maria

Cristina dall'incanto infantile. In quei tre mesi, come se le avessero dato il concime, la fanciulla si allungò, i polpacci si tornirono, il sedere prese forma e spuntò perfino un accenno di petto. Il sole fece il resto, scurendole la pelle e schiarendole i capelli tagliati in un caschetto che esaltava la lunghezza del collo. A settembre, tornando a scuola, si accorse con stupore che il suo posto nella società studentesca era cambiato. I maschi che prima la prendevano in giro (guarda la giraffa!) ora le ronzavano intorno e i piú temerari tentavano approcci invitandola a pizzate del sabato sera. Le compagne o la osteggiavano o cercavano di ingaggiarla nei loro gruppi.

Un giorno, mentre tornava dagli allenamenti di atletica, borsone appeso alla spalla, Maria Cristina trovò sulla propria strada Diana Brinzaglia, la figlia del fioraio della Storta, una frazione di case lí vicino. Bionda, labbra turgide, ormonata come un manzo argentino, era un trionfo di tette, chiappe, cosce che conteneva in minigonne e body succinti e colorati. Sedeva sulla sua vespa rosa fumando in compagnia delle gregarie, Silvietta Carnesecchi, Sofia D'Amico ed Emma Tarantini. Maria Cristina lanciò un sorriso al gruppetto e deviò verso l'altro marciapiede. Ma Sofia D'Amico, una che apriva le bottiglie di birra con i denti, le sbarrò il passo. «Dove credi di andare?»

«A casa». Le tremava la voce.

Diana Brinzaglia le girò intorno, la cicca tra pollice e indice, prese un tiro e le sbuffò una nuvola in faccia. «Dicono che piaci».

Maria Cristina, non capendo, sollevò le spalle.

«Nella classifica nei bagni dei maschi sei la seconda piú bona dopo Diana», la informò Emma Tarantini, una riccetta con una gran fronte funestata dall'acne che ruminava Big Babol tutto il giorno.

«E tu?» venne spontaneo chiedere a Maria Cristina. Nella domanda non c'era alcuna ironia, all'epoca ne difettava.

La Tarantini rimase spiazzata. «Che c'entro io? Io non sono in classifica, e comunque non stiamo parlando di me».

Diana Brinzaglia la studiò con l'aria di chi sta valutando un vaso, indecisa se romperlo con un calcio.

Maria Cristina non aveva mai avuto tanta paura. Di natura non era un cuor di leone e quelle ci andavano giú pesante. Alla povera Sara Sapegno, una di seconda, avevano tagliato i capelli nello spogliatoio perché portava le mutande con i pupazzetti rosa.

«Sai perché io sono la prima e tu la seconda?» le chiese Diana Brinzaglia.

Maria Cristina scosse la testa.

«Perché hai una scopa in culo. Tu non la vedi, ci sei nata, ma è grossa cosí –. E le fece il segno con le dita. – Ti senti superiore, una dia scesa in terra, ma sei come la lattuga, non sai di niente».

Maria Cristina avrebbe voluto risponderle che lei non si sentiva superiore a nessuno e che essere come la lattuga le andava benissimo, ma aveva perso l'uso della parola.

La reginetta della Storta la annusò, cercando di capire che razza di bestia esotica fosse. «Sei ricca, parli con quest'accento mafioso, sembri una modella, ma se uno dovesse scegliere chi scoparsi, secondo te, chi sceglierebbe?»

Chi era quell'uno che doveva scegliere chi scoparsi? Maria Cristina aveva la mente confusa, ma intuendo quale fosse la risposta gradita, indicò Diana Brinzaglia.

«Esatto. A te ti spezzano come un grissino, a me mi muoiono dentro». Le gregarie lanciarono dei gridolini di approvazione. «A te ti si fidanzano di giorno, a me mi scopano di notte. Hai capito, mia bella giraffona?»

Le uscí un «sí». Vuoto e tonto.

Sofia D'Amico le mollò uno spintone facendola ruzzolare a terra accanto ai cassonetti dell'immondizia. E le altre due le si fecero sopra pronte a darle una lezione, ma la reginetta fece segno che bastava cosí. «Tornatene alla villa. E ti consiglio il prossimo anno di iscriverti in un liceo di Roma dove ci stanno quelli come te. Formello lascialo stare».

Maria Cristina, singhiozzando, raccolse la borsa e volò sulle gambe da giraffa fino a casa senza mai fermarsi.

Il consiglio di Diana Brinzaglia si stampò chiaro e preciso nella mente della nostra eroina e l'anno successivo il nonno la iscrisse allo Chateaubriand, il liceo francese a due passi da villa Borghese, dove trovò animali della sua razza. L'unico inconveniente era che l'autista doveva accompagnarla avanti e indietro ogni giorno.

La cosa curiosa è che Diana Brinzaglia, con la sua cicca stretta tra pollice e indice, e la pelle cotta dalle lampade solari, non svaní nei borghi di Formello, traslocò nella testa di Maria Cristina Palma diventando una compagna segreta, una voce critica con cui dialogare nei momenti aspri dell'esistenza. Ancora oggi Maria Cristina ricorda la spietata lezione ricevuta vicino ai bidoni della spazzatura: «A te ti spezzano come un grissino, a me mi muoiono dentro. A te ti si fidanzano, a me mi scopano». La considera una verità assoluta, un faro in un percorso tempestato dalle menzogne degli uomini, che piú l'hanno corteggiata offrendole castelli dorati piú l'hanno cornificata.

Con il passaggio alla nuova scuola, però, Maria Cristina perse il suo fido scudiero. Luciano, oramai obeso, diventò sempre piú distante: il nido di seta che li teneva avviluppati come uova di ragno si era strappato e ne erano uscite creature con destini diversi. Lui la portava ancora in motorino, ma il bagno in piscina non lo faceva piú e quando erano in compagnia di altri non parlava, s'impalava, diventando un ingombro.

Dopo scuola il ragazzo iniziò a lavorare con uno zio che aveva una piccola impresa di costruzioni. Lo studio ne risentí, non era mai stato una spada, e venne bocciato. Maria Cristina invece passò la maturità e andò a vivere a Roma con il fratello. Per quindici anni i due non si sentirono piú. A Maria Cristina giungevano vaghe notizie che Luciano stava bene e lavorava al Nord, vicino Bergamo, saldatore nelle centrali elettriche. Ogni anno, puntuale, lui le spediva un biglietto di auguri per il compleanno («Tanti auguri, Cri. Un grande abbraccio a te e alla tua famiglia. Luciano») annesso a regali astrusi (profumi scadenti, cassette di vino da autogrill, confezioni di pasta colorata, cavatappi giganti). Lei, a volte, gli rispondeva. Poi venne a sapere dell'incidente. Luciano aveva perso due dita in un infortunio sul lavoro. Lo avevano licenziato e lui aveva fatto causa alla ditta per cui lavorava, ma il processo non filava per il verso giusto. Maria Cristina, che era già sposata con Domenico, lo pregò di occuparsene e lui girò la pratica a uno dei ragazzi del suo studio legale. La causa si chiuse con un risarcimento, ma la disabilità non consentiva a Luciano di riprendere il suo mestiere. Tornò a Roma disoccupato, investí quei pochi soldi in un appartamentino a Cesano e Maria Cristina cominciò a dargli dei lavoretti. La mancanza di un mignolo e di un anulare non gli impediva di aggiustare un frigorifero, posare un parquet, tenere il terrazzo in ordine o fare commissioni e file alla posta. Anche gli amici dei Mascagni cominciarono a servirsi di lui.

Quando Domenico entrò in politica, Maria Cristina non potendo piú pagare Luciano in nero decise di assumerlo, cosa che irritò suo marito. «Quanta gente stipendiamo? Siamo un'azienda? Un ente di beneficenza?»

3.

Dopo essersi presa tutto il tempo e anche di piú per apparecchiarsi Maria Cristina va nel salone dove l'aspetta Caterina Gamberini. Continua a ripensare a cosa ha detto l'assistente di lei nel bagno del Circolo. Scema. Frivola. Inadatta. Vorrebbe rimetterla a posto, ma non è geneticamente capace di affrontare il nemico a viso aperto, lo scontro la sgomenta e non può licenziarla, non è lei ad averla assunta. Ne parlerà con Domenico. Per farla irritare, però, ha deciso di essere, se possibile, piú frivola del solito.

Prende un respiro e apre la porta.

La giovane è seduta al centro di un divano di broccato giallo e azzurro, con il portatile sulle ginocchia. – Buongiorno.

– Buongiorno, – le risponde Maria Cristina, osservandola. – Dormito poco?

Al contrario di lei che si è truccata e pettinata e splende, Caterina Gamberini è sbattuta, ha gli occhi infossati nelle occhiaie.

– Non tanto –. L'assistente vola con le dita sulla tastiera sollevando appena lo sguardo dallo schermo.

– Caffè?

– No, grazie. Già preso. E tu, riposata?

– Avevamo una call?

– Alle nove e un quarto con i ragazzi della maratona del Sacro Convento. Dovevi fargli un saluto prima della partenza.

– Posso farglielo all'arrivo?

– Nelle maratone si arriva scaglionati. Comunque non importa. Ho rimediato, – fa Caterina spostandosi in punta al cuscino, i piedi l'uno accanto all'altro.

Maria Cristina prova un'improvvisa repulsione fisica per quella pelle bianca, chiazzata di lentiggini, facile all'arrossamento, che appare dalla camicetta di cattiva qualità. Va alla finestra. Anche attraverso i doppi vetri filtra il rumore dei lavori di ripristino del manto stradale.

– Oggi non voglio fare niente, – dice fissando gli operai che dispongono i sampietrini in archi precisi e con un martello li spingono nella sabbia. – Vado a farmi un massaggio. Prenotami il parrucchiere nel pomeriggio.

– Perfetto –. Caterina dà uno sguardo al monitor. – Non abbiamo tanto da fare. Mariella Reitner ti vuole a *Pane al pane*. La questione è delicata, il presidente deve andarci tra due settimane, il giorno prima della fiducia. Stranamente, la Reitner negli ultimi tempi ci sta sostenendo. Ha chiesto di intervistarti, assicurando che sarà un faccia a faccia su temi sociali. Domande prestabilite. Ovviamente non sarà cosí. Ti farà parlare di politica e di te. La conosciamo bene. Il Bruco dice di rifiutare.

Pane al pane è una trasmissione che va in onda ogni sera dopo il telegiornale, condotta da Mariella Reitner, una giornalista che, come un severo maestro di coro, dà voce all'intero arco politico italiano mettendo tutti in riga, senza distinzione. A volte si fa aiutare da opinionisti, a volte, nel caso di personaggi importanti, li affronta in solitaria.

Maria Cristina fa segno di no con l'indice. – Aspetta, sono io che non ci voglio andare, non è il Bruco che decide. Io non vado in tv, l'ho sempre detto, – puntualizza, accorgendosi di aver raggiunto troppo presto il tono da bambina capricciosa.

– Ovvio, – si affretta a confermare Caterina. – Il problema è che la Reitner ci terrebbe a incontrarti di persona per tentare di convincerti. Le ho risposto che sei occupata, ma non molla. Se non la accontentiamo, potrebbe spostare l'intervista con il presidente a dopo il voto. E questo, capisci, non va bene.

Al solo pensiero di trovarsi davanti a quella donna troppo intelligente e troppo brutta a Maria Cristina tremano le ginocchia. – Quindi cosa suggerisci?

– Incontrala e dille che non la vuoi fare.

Maria Cristina incrocia le braccia. – Ma scusatemi –. Passa al voi. – Ve la dovete sbrigare voi. Io che c'entro? È mio marito che ha scelto di fare il politico. Non io.

Un sorrisetto s'incolla sulle labbra di Caterina.

Maria Cristina si siede sulla poltrona, accavalla le gambe e urla: – Daisy! Daisy! Portami un altro caffè –. Lo sguardo le cade sulle ballerine blu e sui collant bianco panna che spuntano dai pantaloni scozzesi stringendo la caviglia tozza di Caterina Gamberini.

– Non ti stanno bene le ballerine, – le fa con voce piatta. – Potresti metterti delle scarpe con un po' di tacco, per favore?

L'assistente smette di battere sulla tastiera. – Scusa?

Maria Cristina le indica i piedi. – Quelle. Non metterle piú. Io mi metto i tacchi e se ci vedono insieme sembriamo… – Biancaneve e Pisolo. – Risulto troppo alta.

Caterina deglutisce prima di dire: – Va bene, come vuoi.

Maria Cristina si alza in piedi e sbadiglia. – E che le dico? Perché non voglio fare l'intervista?

L'assistente chiude con uno schiocco il portatile. – Ti ho mandato una mail con una serie di scuse. Puoi scegliere quella che preferisci. Se invece non vuoi incontrarla, le scrivo una lettera gentile e ferma. Decidi tu. Io, lo sai, sono qui per aiutarti.

Maria Cristina si alza di scatto e attraversa il salotto avanti e indietro. Si avvicina alla libreria, scivola con lo sguardo sui volumi della Treccani immacolati e accende la grossa cassa audio. Parte *Yes Sir, I Can Boogie*.

Oddio, adora questa canzone, non la sente da cento anni, le ricorda vecchi balli in discoteche piene di luci, salsedine e nasse da pesca della costiera amalfitana. Fa i pugnetti, mulina le braccia, un passo a sinistra, un altro a destra e canta: – I can boogie, boogie woogie all night long –. Si avvicina all'assistente e le porge la mano per invitarla. Ma quella resta impalata, sorride e dondola la testa come un piccione che becca le granaglie.

Entra Daisy. Maria Cristina si ferma, va dalla filippina e in un sorso finisce il caffè. – Grazie –. Poi, in tono svagato, si rivolge a Caterina. – Ci parlo io con la Reitner. Le chiedi, per favore, di raggiungermi da Kaw all'una.

– Ok. Perfetto.

– Ok. Perfetto? – ripete Maria Cristina a pappagallo.

– Ok. Perfetto.

La moglie del premier esce dal salone allungando le leve sul pavimento di marmo del corridoio. Il passo è da sfilata.

– Scusami… Scusami. Maria Cristina…

Si volta.

Caterina la rincorre. – Perdonami. Il presidente mi ha scritto che ha invitato Wim Claes in campagna questo week-end…

– Chi?

– Il ministro del Commercio belga. Dice che dovete preparargli la pizza…

Come relitti nella bassa marea, nella mente di Maria Cristina riemergono sprazzi di conversazione con Domenico in auto. Quello che vuole la pizza beneventana.

– Non dovete, devo, – puntualizza Maria Cristina. – Che palle.

Caterina scuote la testolina riccioluta e con il tono da amichetta del cuore dice: – Ho pensato, ecco, che se vuoi vengo pure io. Cosí la prepariamo assieme. Che dici?

Maria Cristina la osserva. – Scommetto che sei brava a fare la pizza.

– Me la cavo, – fa l'assistente, combattuta tra mode-
stia e orgoglio.

– Pure la marinara?

– Sí. Con l'aglio e l'origano. La mia specialità.

La moglie del premier sorride. – Grazie, non c'è bisogno.

4.

Secondo la medicina tradizionale thailandese il corpo
umano è attraversato da settantaduemila flussi energeti-
ci. Dieci di questi sono dei veri e propri canali, i Sen, da
cui partono tutti gli altri e sui quali lavora il massaggia-
tore utilizzando dita, gomiti, ginocchia e piedi. Il massaggio thai è impegnativo, fa male, ma ha grandi virtú
terapeutiche.

A due passi da piazza di Spagna, in via Borgognona,
all'interno di un elegante palazzo ottocentesco c'è la spa
Kaw, il miglior centro di massaggi thai della capitale. Di-
spone di tre piccole piscine con gradi diversi di salinità,
un hammam, due saune, una palestra per lo yoga, uno
spazio dove si può spizzicare cucina fusion e un'infinità
di stanzette profumate di essenze esotiche dove in una
eterna penombra risuonano flauti e arpe eoliche. Qui i
ricchi romani si fanno mettere le mani addosso.

Maria Cristina Palma ama perderci il tempo e in quanto moglie del premier ha privilegi esclusivi. In particolare
una zona riservata a lei, dove delle hostess cosí discrete da
sfiorare il mutismo si dedicano al suo corpo.

Ora è adagiata su una chaise-longue e beve una tisana
alla curcuma aspettando l'arrivo di Mariella Reitner. La
stanza è un insieme di sfumature pastello e spot lumino-

si. In un angolo, cinto da ciottoli di fiume, sotto lampade d'ottone, vivacchia un boschetto di bambú accanto a una vasca in cui nuotano i pesci rossi.

Con la giornalista deve essere ferma e decisa. No è no.

Suona un campanello e una hostess le si materializza davanti.

– Bussaba è disponibile?

– Sí, signora.

– Perfetto. Tra qualche minuto arriva un'ospite. Faremo un massaggio di coppia. La signora Reitner la tratta Bussaba. Per me terzo light. Grazie –. Un sorrisetto perfido le scivola sulle labbra.

I massaggi al Kaw sono classificati in base al grado di crudeltà. Nel primo e nel secondo, per principianti, ti compiacciono cospargendoti di spezie orientali, oli vegetali e per un'ora ti marinano come un pollo al curry. Già salendo al terzo grado, il rough, vengono eliminati gli oli e le mani che ti trattano cominciano a scovare tra i fasci muscolari l'origine del male, quel male che ci portiamo addosso da quando l'evoluzione ci ha fornito un sistema scheletrico. Nel quarto, extremely rough, compaiono le trazioni, i gomiti piantati tra le scapole, le schicchere, gli scrocchi di vertebre cervicali. La musica new age si trasforma in un mantra hard core. Il quinto, heavy explosion, è per guru o masochisti inveterati. Maria Cristina una volta ci si è sottoposta e a un certo punto ha dovuto lanciare il safe signal (battere tre volte il palmo sul lettino in segno di resa). Esiste anche una safeword, ความเห็นอกเห็นใจ (pietà in thai), ma è difficile da pronunciare. Fuori classifica c'è Bussaba. Il suo massaggio non ha grado, non ha nome, non ha safe signal. La leggenda narra che in gioventú Bussaba abbia lavorato ad Haspel, una prigione segreta in Thailandia, e con il solo uso dei pollici abbia estorto confessioni agli affiliati di al-Qaʿida. Conosce a memoria i duecentotrentaquattro punti del corpo umano da cui sgorga il dolore e lí infila le sue dita per farlo zampillare. È in grado di lussarti e rimetterti a posto una spalla con una pressione del mignolo. Chi subisce i suoi trattamenti non è in grado di esprimere frasi di senso compiuto, mugugna versi di contrizione implorando misericordia. In balia di Bussaba, alla Reitner sarà impossibile insistere per l'intervista.

Maria Cristina, soddisfatta della propria pensata, si fa accompagnare nella saletta, indossa un completo di cotone leggero, si allunga sul lettino e poggia il viso sul foro circolare mentre mani delicate cominciano a tastarle la schiena.

– Si può? – chiede una voce rauca, cavernosa, risultato di una esistenza passata a fumare tabacco nero. Poi dei colpi secchi sul pavimento.

Maria Cristina solleva il capo. Mariella Reitner, la grande giornalista che ha intervistato tutti, dal Dalai Lama a Bokassa, il dittatore cannibale, in prima linea a raccontare la guerra del Golfo e l'Afghanistan, è di fronte a lei. Quant'è vero che luci, trucco e parrucco sono capaci di miracoli, vista al naturale la donna sembra un orcio pugliese dotato di vita. Non supera il metro e sessanta, una dermatite seborroica le copre la schiena e le braccia e sessant'anni di abusi di grassi saturi, zuccheri, alcol l'hanno erosa come il pilone di un molo, la pelle ha un colorito malsano. Ha subito numerosi interventi a un'anca e adesso si regge in piedi grazie a un bastone da passeggio e due gambe coniche che si avvitano direttamente sul torace, saltando in un colpo pube e stomaco. La camicetta che le hanno fornito non si chiude e la ciccia straripa dal reggiseno a fiorellini lillà, grande come lo spinnaker del Moro di Venezia. Le braccia spuntano dalle maniche come pinne di un lamantino. Una frangetta da indio le nasconde la fronte. Le sopracciglia sottili incorniciano gli occhi di pietra grigia abitati da uno spirito ironico e gagliardo. Due solchi partono dalle narici e contengono bocca e mento. In definitiva, sembra piú adatta alla vita acquatica che a quella terrestre.

– Be', che idea meravigliosa, – dice la giornalista. – Erano cento anni che non mi facevo un massaggio. L'ultimo credo sia stato a Pechino, quando ero corrispondente per «Il Messaggero» a piazza Tienanmen. Ho sempre sostenuto, anche se non ti conosco, che sei una donna superiore –. Ha un tono gioviale e poco adulante, si guarda intorno contenta di questo inaspettato diversivo.

– Felice di conoscerti –. Maria Cristina allunga una mano. – So che è un po' intimo, ma ho pensato di farti una sorpresa. Una volta provato, non potrai piú farne a meno.

La giornalista le stringe la mano e zoppica verso il suo lettino. – Devo mettermi qua su?

– Sí.

– E come ci salgo? Non c'è una scaletta?

– Adesso Bussaba ti dà una mano –. Appena Maria Cristina pronuncia il nome, come il genio della lampada appare la massaggiatrice avvolta in una tunica blu elettrico.

Si dice che Bussaba viva in una cantina sotto il centro benessere da cinque anni. Non esce mai e di Roma non ha visto niente, a parte la Sedia del Diavolo. Ha un'età impossibile da definire. I capelli bianchi, stretti in una crocchia, le stirano le tempie. Al posto degli occhi ha due fessure senza nulla all'interno. Di stazza simile alla Reitner, è però un agglomerato di muscoli. Senza pronunciare una parola cinge il torace della giornalista e con uno stacco di gambe la poggia sul lettino come fosse a una finale di sollevamento pesi.

– Cristo Santo. Ma come c'è riuscita? È incredibile. Peserò due quintali –. Mariella Reitner si dibatte sul lettino come un leone di mare sul pack cercando di infilare la testa nel foro.

Il massaggio comincia lento, le thailandesi con leggere pressioni ispezionano i corpi, prendono confidenza prima di intervenire.

La voce della giornalista giunge inscatolata, ritmata dalle manipolazioni. – Maria Cristina, il fatto che tu mi abbia permesso di incontrarti mi riempie di gioia. So quanto sei riservata e quanto poco ami mischiare la vita personale con il lavoro di tuo marito. E so che non vai in televisione, e fai benissimo. Ma io... AAAHHH! – La giornalista caccia un urlo. – Oddiooo... Che dolore.

Maria Cristina si gira e vede Bussaba, la spietata, che tira un braccio della giornalista con la stessa inespressività di un coccodrillo che strappa una coscia a una gazzella.

– Come va? – chiede nascondendo un sorrisetto.

– Che dire, vigoroso, ecco, – sospira Mariella Reitner. – C'è chi sostiene che faccia bene –. Poi torna sul punto. – Io vorrei innanzitutto parlare di te, di Maria Cristina madre e moglie. E poi conosco la tua passione sociale.

– Dici? Non ne ho tantissima.

– Lo vedi? Sei modesta. Ho visto la tua foto con i piedi nel fango durante l'alluvione in Molise. E so quello che hai fatto per le ragazze madri islamiche.

– In Molise, per quella foto, mi hanno accusata di fare pubblicità alle galosce. Le madri islamiche invece ci tenevano ad avere un servizio fotografico su «Vogue». Lasciamo perdere...

La giornalista ansima, ma non molla. – Ti sminuisci e comunque, ahhh... una non si può trasformare in Madre Teresa solo perché, ahhh... è la moglie del primo

ministro. Io la trovo una grande falsità. Tu sei... Sei
cosí, sei... – Non riesce a terminare la frase, Bussaba
le sta strizzando una spalla come uno straccio bagnato.
Riprende fiato. – Un'intervista franca, senza fregature,
in un'atmosfera serena. Ti giuro sulla testa... – Mariella caccia un urlo di dolore. – Se ci arrivo, all'intervista.
Questa mi uccide.

– I massaggi thai sono cosí. Energici. Fa male, ma poi
vedrai come ti senti.

– Come una merda, – sbotta la giornalista e caccia un
urlo. – La T4 e la T5, oddio, lí dove mi hanno operato.
Oddio! AHHHHH!!!

Bussaba si è issata sul lettino e, reggendosi a delle fu-
ni che calano dal soffitto, fa il passo dell'oca sulla schiena
della Reitner, che si dibatte come un'otaria gravida.

Maria Cristina si alza e afferra la massaggiatrice per le
caviglie. – Scendi! Scendi giú! Le stai facendo male!

– Aiuto... Aiuto... Aiuto... – ripete Mariella. – Basta!
Basta!

Ma la massaggiatrice, appesa alle sue corde come un
orango in gabbia, non molla. – No signora. È normale. Questo Ashiatsu, fa bene a schiena. Niente dolore,
niente cura.

– Ti prego, scendi, – la implora Maria Cristina.

Bussaba salta a talloni uniti su una chiappa della Reitner,
che oramai non reagisce piú, pare svenuta. – No. Tratta-
mento non è terminato.

– Ho detto scendi! – le intima Maria Cristina. – Adesso basta, Bussaba. SCENDI!

La spietata, offesa, balza giú dal lettino e scompare.

Maria Cristina e l'altra massaggiatrice trascinano a peso
morto la Reitner nella zona relax, e lí l'adagiano come un
Budda addormentato sotto il boschetto di bambú.

– Vuoi che chiami un medico? – le domanda Maria Cristina, spruzzandole un po' di Evian sul volto.

La donna, a occhi chiusi, fa un debole no.

– Sono mortificata, – dice la moglie del premier. – Mi dispiace da morire. Cosa posso fare?

– Nulla. Ora mi riprendo. Tienimi solo compagnia –. La Reitner allunga una mano alla cieca, afferra quella di Maria Cristina e con un tono pietoso continua: – Ascoltami. Ti prometto un'intervista di cui non ti pentirai. Io voglio che ti racconti per come sei. Non parliamo dei tuoi lutti. Io ti farò domande chiare, senza indugiare, senza insistere, senza gossip, nel mio stile, e tu risponderai come vuoi –. S'interrompe per prendere fiato. – Un dialogo tra amiche, a braccio. Vedrai, ti dimenticherai delle telecamere e la gente ti amerà –. Un sorriso sofferente le attraversa la bocca. – Che dici?

E ora come fa a risponderle di no? – Purtroppo in questo periodo sono molto occupata e mi risulta difficile, sennò…

La voce della Reitner si rianima. – Ma non c'è problema, quando vuoi. Ci organizziamo. Basta un'ora e mezza.

Maria Cristina si maledice. Ha commesso l'errore della principiante: usare come scusa gli impegni. Caterina le ha scritto un memorandum proprio per sincerarsi che non cadesse nel tranello. Anche se opponi un muro di impegni i giornalisti, come topolini cocciuti, trovano una fessura dove infilarsi e fare breccia. Cosa può mettere fine a questa discussione? – Ecco, devo stare appresso a Irene, mia figlia… – butta lí. – Non sta bene.

– Oh, mi dispiace. Che ha?

– Ha… la sindrome della mano aliena.

La giornalista schiude come un rospo del grano un enorme occhio sferico e grigio. – Non la conosco. Di che si tratta?

– È una patologia rarissima, – dice Maria Cristina ripensando alla puntata di una serie sulle malattie piú strane al mondo. – La mano sinistra è come se avesse vita propria. Irene è convinta che non sia sua e che non faccia parte del suo corpo. La chiama Camilla e la tratta come una persona. La porta al mare. I dottori la devono tenere sotto controllo costante. Non posso mai lasciarla da sola. A volte Camilla le si rivolta contro impugnando una forchetta o altri oggetti acuminati.

– Be', terribile. Non avevo idea che esistesse questa malattia. Ma si può curare? – La Reitner schiude il secondo globo oculare, il tono ora è piú serio e accorato. – Io credo che tu questa intervista debba proprio farla. Vuoi sapere perché?

– Perché se no mi denunci per maltrattamenti?

– Sarò onesta con te, cara. La storia della donna piú bella del mondo non ti ha fatto un buon servizio. Sei diventata un accessorio di tuo marito. La bambolina che non parla mai.

– Sono io che non voglio parlare. Nessuno me lo impedisce.

– Ma la gente non lo sa, non sa chi sei, non ti conosce. Tu non dài la possibilità di farti conoscere veramente. C'è un mondo che tieni nascosto –. La giornalista le sfiora lo sterno. – Io lo so, siamo state educate all'antica, a tenerci dentro le emozioni, a non parlare mai di noi, ma tu, tuo malgrado, hai un ruolo e la gente ti giudica senza sapere nulla di te. La tua verità, quella piú intima, devi tirarla fuori per dimostrare che sei un essere indipendente, con un pensiero personale. Qualcuno, un po' piú sensibile, percepisce la tua profonda timidezza, sennò non ti chiamerebbero Maria Tristina. Ma gli altri?

– Mi chiamano Maria Cretina.

– E questo non deve accadere.

– Mi sono abituata. Ormai non ci rimango nemmeno male.

La Reitner le carezza il dorso della mano. – Non è giusto.

Maria Cristina la guarda, abbassa la testa avvertendo che la volontà le si sta disfacendo. La giornalista ha ragione, è giunta l'ora di dire chi è.

– Io ho paura della tv. Il cervello mi si svuota, non riesco a parlare. Ed è troppo importante che non passi come Maria Cretina.

– Non succederà. Sarà un'intervista calma e rilassata, se io ti faccio le domande giuste e tu non cerchi di dire cose intelligenti… ricordati che nessuno dice cose intelligenti, solo cose vere o false… mostrerai chi sei e sarà un regalo agli italiani. La tua bellezza non deve nascondere la persona che c'è dietro, la tua sensibilità, la tua gentilezza, la semplicità che ti rende diversa. In un mondo dove la gente spintona per apparire, tu sei una creatura speciale –. Mariella Reitner ha il tono letargico di un'ipnotista.

Maria Cristina prende aria e si passa le dita fra i capelli.

La Reitner le aggiusta una ciocca. – Allora, lo facciamo? Vedrai, anche tuo marito sarà contento. In questo momento ha piú che mai bisogno del tuo aiuto –. Poi con un tono piú basso: – Tu, tesoro, puoi cambiare le sorti del governo. Hai capito?

Maria Cristina fa sí. – Ma tu mi tratterai bene?

– Hai la mia parola.

Maria Cristina guarda i pesci rossi girare nella vasca.

– Va bene. Facciamola.

– Facciamola.

5.

Berretto sulla fronte, occhiali da sole che le eclissano il viso e un piumino nero che le arriva alle caviglie, la moglie del premier esce furtiva dalla spa.

Il sole si affaccia tra i palazzi tracciando strisce dorate su via Borgognona. La strada è un intreccio di camioncini e motorini che consegnano pacchi, tavolini affollati di turisti che gustano amatriciane oleose e carbonare stracotte.

Maria Cristina ha addosso l'eccitazione di aver detto sí alla Reitner e non ha voglia di tornare a casa, vuole immergersi nella vita del centro. Ci sono i saldi. Le piacerebbe fare shopping come una donna qualsiasi. Attraversa la strada evitando un paio di scooter che serpeggiano contromano e si ferma davanti a una vetrina, c'è un bel trolley di pelle blu, a metà prezzo, perfetto per i viaggi brevi. È tentata di entrare, ma non osa. Anche cosí mascherata la riconoscerebbero. Il fatto che si muova da sola è tollerato dalla sicurezza, ma non deve fermarsi e deve sempre comunicare dove è diretta.

Caterina la cerca sul cellulare. Vorrà sapere come è andata con la Reitner. Avrà un sorpresone.

Mentre si sposta alla vetrina di fianco dove sono esposti degli stivali di pelle rossa si accorge che accanto al negozio, seduta al tavolino di un bar, una cinese la sta fissando. Non può fare a meno di ricambiare lo sguardo. È bella ed elegante. I capelli le cadono lisci come spaghetti al nero di seppia. Ha occhi grandi e il rossetto viola, sembra un droide di ultima generazione creato per intrattenere uomini in un film di fantascienza. Indossa un vestito grigio di lana grezza, con il collo alto. Vicino a lei ci sono due uomini, cinesi anche loro, in giacca e cravatta, che parlano con un terzo uomo di spalle.

Che sia una cantante, un'attrice, una modella famosa?

Maria Cristina si gira verso la vetrina, ma con la coda dell'occhio continua a sbirciare l'orientale. Anche quella continua a fissarla, l'avrà riconosciuta, dice qualcosa agli altri, uno si segna un appunto su un tablet e intanto arriva il cameriere con i caffè, l'uomo di spalle si volta per prenderne uno.

È Nicola Sarti.

Maria Cristina si solleva gli occhiali per essere sicura. È proprio lui, l'amico di Alessio che ha incontrato ieri sera alla festa. Impaurita che la possa riconoscere, la moglie del premier si nasconde dietro una macchina e si affaccia a spiarlo mentre lui sta girando il cucchiaino nel caffè. Si è stretto i capelli in una coda, ha ancora la barba sfatta, dalla bocca gli penzola una sigaretta accesa, tiene le gambe accavallate e chiacchiera con i cinesi.

Non si sono incrociati per vent'anni e in meno di ventiquattro ore s'incontrano due volte. Che coincidenza. *La modella cinese sarà la sua fidanzata*, le suggerisce Diana Brinzaglia, la figlia del fioraio della Storta, che su certe cose ci prende.

Maria Cristina è tentata di avvicinarsi, ma intabarrata com'è, con i capelli unti dagli oli thailandesi, non è il caso. E la bella cinese la intimorisce. Quindi amen. Fa per allontanarsi, ma lui, come se avesse percepito gli occhi di qualcuno su di sé, si gira e per un secondo i loro sguardi collidono. Nicola Sarti ci mette un attimo a metterla a fuoco, a decidere se è lei o non è lei. Maria Cristina ne approfitta, gli dà la schiena, no, non va bene, pare che scappi, perciò torce la testa mentre si allontana, lui si è sollevato, incerto, cosí pure lei si gira irrigidendo il collo, la bocca le cade come se lo avesse riconosciuto solo ora, lui è in piedi al centro della strada con un pulmino bianco alle spalle

che suona, allunga una mano, indicandola, come a dire:
anvedi chi c'è? Si sposta, lascia sfilare il pulmino e le va
incontro prima piano, poi piú veloce e lei resta lí impalata.

– Secca? – A Nicola Sarti è rimasto un dubbio. – Secca, sei tu?

Maria Cristina gli sorride. – Ciao.

– E che ci fai qua?

– Ero andata lí... – Indica il portone della spa. – A farmi un massaggio. E tu?

– Io? Un caffè. Qui accanto ho un albergo che sto ristrutturando.

– Ma dài.

Nicola scuote la testa. – Incredibile. Non ci vediamo
da vent'anni e ci becchiamo due volte.

– Ho pensato la stessa cosa.

Tra loro, l'uno di fronte all'altra, c'è una lunga pausa.
Nei bar intorno preparano centrifughe e porzioni di riso
bianco e fagiolini lessi e le pizzerie al taglio sfornano rosse e bianche e loro si guardano. Lui, con quel cappotto
di panno verde sbottonato a mo' di mantello, sembra un
bounty killer.

– È un segno? – le chiede gettando a terra la cicca.

– Di cosa?

– Non lo so... Un segno –. Nicola Sarti si gira verso i
cinesi facendo cenno di aspettare.

Lei ne approfitta. – Senti, vai. Vai tranquillo. Stai con
delle persone.

– No. Abbiamo finito. Mi libero subito –. Nicola Sarti
si guarda il Rolex. – Pranziamo assieme?

Lei scuote il capo. – No, non posso.

– Perché?

– Non posso andare al ristorante. Come faccio?

– Non devi. Mangiamo nel mio albergo. Io e te. Soli.

Una cosa veloce. Andiamo a piedi. È vicino –. Sembra che abbia tutto chiaro in testa tale è la sicurezza con cui parla.

– Non ho avvertito i miei guardiani.

– Avvertili.

– È un casino, – si difende Maria Cristina. – Mi piacerebbe, ma cosí, all'ultimo momento…

Nicola Sarti le si avvicina. – E allora, se ti piacerebbe, fallo. Non ci s'incontra due volte per caso, lo abbiamo appena detto.

Questo qua non deve ricevere troppi no nella vita, pensa Maria Cristina. – Come faccio? – miagola guardandosi intorno in cerca d'aiuto.

– Provaci, Secca. Sei o non sei Maria Cristina Palma?

Il *Piccola Britannia*, come promesso da Nicola Sarti, è a pochi passi dalla spa. Proprio dietro via dei Condotti, in un vicolo ombroso dove si affaccia il retro di ristoranti e botteghe di antiquari sotto il piano strada. Nicola Sarti le racconta che l'albergo è chiuso da vent'anni e quando gli eredi si sono decisi a venderlo lui l'ha preso al volo. Lo sta ristrutturando per trasformarlo in un hotel boutique, una cosa che va di moda ma che Maria Cristina non capisce bene come funzioni.

La facciata del palazzo è coperta di ponteggi e teloni verdi. I due attraversano un ingresso fatiscente pieno di sacchi di cemento ed entrano nella hall ferma agli anni Quaranta, avvolta da drappi polverosi e carta da parati sbiadita. Una scala pretenziosa si avvita intorno a uno smisurato lampadario di cristallo poggiato su un trabattello. L'arredamento ricorda il bordello di un vecchio film americano. I muratori sono in pausa e solo un capo can-

tiere taciturno, che non dà segno di averla riconosciuta, li
scorta attraverso corridoi bui fino al bar interno.

– Avevo ragione? – Nicola Sarti posa il cappotto. – Qui
sei sicura, non ci sono paparazzi, giornalisti, fan. Puoi toglierti i travestimenti.

Maria Cristina ha informato la sicurezza del cambio di
programma e un'auto l'aspetta fuori. È riluttante a sfilar-
si gli occhiali: è senza fard, rossetto e mascara. È giunta a
un'età in cui senza trucco si sente disarmata. Ed è ancora
in soggezione per la perfezione della modella cinese, che
non capisce in quali rapporti sia con Nicola Sarti.

Si leva cappello e lenti.

Il bar è in una piccola stanza quadrata e senza finestre.
Le lampade di ottone con i paralumi di stoffa verde pen-
nellano bave di luce sulla boiserie di mogano e sulle pan-
che di pelle lisa di fronte ai tavolini tondi. Un bancone di
legno massiccio con il piano di marmo bianco occupa una
parete. Dietro c'è una specchiera déco coperta da una pi-
ramide di bottiglie di alcolici impolverate. Ai lati, su mezze colonne di marmo nero, sono appollaiati due pavoni di
bronzo con il pennacchio sulla testa e la lunga coda dorata.

– È meraviglioso, Nicola, – fa lei. – Potremmo essere
negli anni Quaranta a Londra o in un albergo coloniale di
Hong Kong.

– Ho deciso di comprare l'albergo per questo bar –. Nicola Sarti si guarda intorno soddisfatto. – Può diventare
un posto speciale per bere un buon cocktail.

– Sí, ma non devi toccarlo, mi raccomando.

– Ovvio che resta cosí –. Nicola Sarti passa dietro al bancone, accende una lampada e con un tono da barman la saluta. – Signora Palma, benvenuta all'*Hotel Piccola Britannia*,
siamo onorati della sua presenza, cosa possiamo offrirle? –
Si gira verso le bottiglie sporche, all'interno ci sono solo

fondi e incrostazioni. – Posso avvelenarla? Potrebbe urlare, contorcersi e morire senza che nessuno se ne accorga.

Maria Cristina lo fissa perplessa, non capisce se sta scherzando. – Lei chi è? Il barista di... – Vorrebbe dire di *Shining*, ma non le viene e si arrangia con: – ... di un film horror?

Nicola Sarti apre un piccolo frigorifero. – Credo di avere qualcosa di adatto alla signora –. Tira fuori, insieme a un sorrisetto sornione, una bottiglia di champagne ghiacciata. – Rosé Brut «Cristal» Louis Roederer 2013.

Maria Cristina con un saltino agile si issa sullo sgabello, accorgendosi di essere eccitata dal fuori programma. – Accidenti. Ha l'aria di essere costosissimo.

Tutto nella vita della moglie del premier è pianificato e condiviso e questo pranzo imprevisto, in questo albergo délabré, in compagnia di un ex, piacione, che la corteggia, la fa vibrare come una ragazzina al primo appuntamento.

– Per quanto riguarda il cibo, purtroppo, siamo messi peggio, – continua Nicola Sarti. – Abbiamo una busta di insalata mista, un pomodoro moscio e mais in scatola. Facciamoci portare qualcosa dal giapponese qui accanto e intanto ci beviamo lo champagne. Che dici?

Lei si allunga con i gomiti sul banco. – Insalata. Perfetto. È quello che mangio tutti i giorni.

Lui le mostra un cuore di bue. – E pomodori mosci?

– E pomodori mosci. Lascia fare a me che non ti vedo pratico –. Maria Cristina è intenzionata a dimostrargli che non è cambiata, che è rimasta la vecchia Secca.

– Una first lady non condisce l'insalata.

– Non sono la first lady. La first lady è la moglie del presidente della Repubblica. Io sono solo la moglie del premier che prepara ottime insalate –. Apre la busta. La lattuga è un po' appassita.

– Be', leggenda vuole che i Mascagni abbiano eserciti di servitori, case ovunque e che nella tua tenuta di campagna vivano animali estinti.

– Sí, Jurassic Park. Alleviamo dinosauri.

Nicola Sarti apre lo champagne, il tappo gli esplode nella mano, Maria Cristina trova in una credenza piatti e posate, e con olio e sale condisce la verdura.

Lui versa due coppe e ne porge una a Maria Cristina.

– A noi e a questa incredibile... Non so nemmeno come chiamarla. Coincidenza? Fatalità? Destino?

– Reunion?

I due si scrutano nelle pupille mentre i bicchieri tintinnano.

– Devo riconoscere che con gli anni sei diventata piú intensa, – dice Nicola Sarti, finendo lo champagne in un sorso.

– Quindi da giovane ero insignificante? – chiede lei con un tono finto offeso.

– No. Ma la vita ci segna, rendendoci piú interessanti.

Maria Cristina si bagna appena le labbra. – Non mi prendere in giro. Faccio schifo. Non sono nemmeno truccata.

– Piantala. Hai gli occhi di un gatto. Erano stati loro a stregarmi –. Nicola Sarti guarda sconsolato le foglie di lattuga. – Appena fa meno freddo ti invito a pranzo in un posto degno di una first lady... scusami, della moglie di un premier. Nel mio resort a Pomezia arriverà uno chef brasiliano. Un genio. Mangiamo in spiaggia.

– Se volevi impressionarmi lo hai già fatto con il *Piccola Britannia* –. E con la punta di una scarpa si sfila l'altra per lasciare un po' di libertà al dito acciaccato.

Perfetto. A lui piace chiacchierare e a lei tacere.

Nicola Sarti sta raccontando di una regata che ha fatto intorno al mondo su un catamarano in cui ha disalberato e per poco non ci ha lasciato le penne. È pieno di sé, eccitato dai successi, realizzato nel lavoro, attraversa la vita come fosse Disneyland. O chissà, magari è una posa e sta facendo la ruota di fronte alla femmina. Sembra che viva molto all'aria aperta, ha la pelle cotta dal sole e rughe sottili s'intrecciano ai lati degli occhi. Le mani sono grandi, intorno ai polsi braccialetti di stoffa si mischiano con il Rolex. Maria Cristina si complimenta con sé stessa, già all'epoca aveva buoni gusti. Si chiede se è single o sta con qualcuna. La modella cinese è innocua, è un'investitrice con cui sta facendo un affare sul lago di Como.

Caterina continua a vibrarle in tasca e lei vorrebbe solo cercare notizie su Nicola Sarti in rete per capire meglio chi è.

Lui attacca a ricordare. La crociera. A Panarea avevano salvato dalle rocce un motoscafone che aveva perso l'ancoraggio. Il proprietario li aveva invitati a mangiare fuori e Alessio ci aveva provato con la figlia. Maria Cristina ride ma ricorda appena, di quel viaggio le sono rimaste solo immagini, anelli rotti di una catena arrugginita in fondo al mare.

– Ma Alessio? – gli chiede interrompendolo. – Com'era? Per te che eri suo amico. Io da sorella minore lo vedevo come un dio.

– Un vero pazzo. Simpatico, – fa lui mettendosi in bocca una foglia di lattuga. – E quindi non ti ricordi di noi due?

– Poco, in verità, – è costretta ad ammettere.

– Il primo bacio ce lo siamo dato a Stromboli la notte di San Lorenzo, contavamo le stelle cadenti.

– Sí e hai usato la scusa del desiderio per baciarmi.

– Ah, però questo non lo hai dimenticato.

Maria Cristina cambia espressione e sospira. – Per anni mi sono sentita in colpa perché me ne sono andata a metà del viaggio. Forse, se fossi restata, Alessio non sarebbe morto.

– Non dire cosí. Non volevi partire. A Lipari piangevi. E poi figurati se riuscivi a bloccare tuo fratello –. L'uomo scuote la testa e beve un sorso di champagne. – Nessuno fermava Alessio. E comunque il destino fa il suo giro ma arriva dove deve arrivare.

Lei lo guarda senza capire.

– Tuo fratello se la cercava. Doveva spingersi sempre al limite e quando lo superava osava un po' di piú, andava un passo oltre le sue possibilità. Era quello che si tuffava da piú in alto, che scendeva di piú in apnea, con le bombole doveva far esplodere il profondimetro. Stessa cosa con gli sci o quando si arrampicava senza corda –. Gli occhi gli si perdono lontano. – Mi manca.

– Pure a me.

– Alla sua memoria, – fa Nicola Sarti riempiendole il bicchiere.

– Non posso. Ho lo stomaco rovinato. Ieri sera, dopo che ci siamo visti, non sai che ho combinato. Giura su chi hai di piú caro di non dirlo a nessuno.

Lui si poggia solennemente una mano sul petto.

Maria Cristina gli racconta, ritrovando improvvisamente la verve, della sbronza terribile e che ha vomitato in macchina perché la scorta non si poteva fermare. – Non ricordo nemmeno come ho fatto a salire a casa –. Si nasconde il volto tra le mani. – Che figuraccia –. Di scatto, senza volerlo, gli afferra una mano. – E oggi ho preso una decisione importantissima, non da me. Vado in televisione, a *Pane al pane*. Mi faccio intervistare. Devo solo vincere la paura. Ho paurissima della tv. E sudo tantissimo. Una volta stavo parlando, avevo una camicetta verde, mi colava tutto, si sono formate in diretta le macchie sotto le ascelle. Dovrò mettermi qualcosa di bianco.

– Com'è possibile? Sei o non sei la sorella di Alessio?

– Hai ragione, devo pensare a lui. Vorrei aiutare Domenico con i sondaggi. Per la gente lui e io siamo una cosa sola.

– Racconta della vomitata in macchina e vinci.

– T'immagini? – Non ha detto una cosa assurda Nicola Sarti. Deve rompere gli schemi. Essere sé stessa, non nascondere nulla.

– Oramai basta una storiella divertente per vincere un'elezione. La gente vota a cazzo.

Il telefono di Maria Cristina continua a vibrare. Lo tira fuori. – Scusami –. Risponde cambiando tono. – Caterina. Eccomi. No, ora non posso. Ti chiamo dopo –. Accenna dei sí. – Sí, lo so. Dopo –. Riattacca.

– Devi andare?

– Purtroppo. Il parrucchiere mi aspetta. Grazie per il pranzetto romantico –. Solleva le spalle con una smorfia dispiaciuta. – Mi ha fatto piacere rivederti. Verrà una bomba questo albergo –. Si infila il piumino.

Lui con un gesto galante le sposta il tavolino per aiutarla a uscire. – Ci abbracciamo?

– Certo –. Lo stringe appena temendo che avverta la consistenza sintetica del seno. – Vediamoci.

– Assolutamente. Al mare. Ti piacerà, – fa lui con lo sguardo intenso.

– Sarebbe bello.

– Dài.

Maria Cristina gli sorride. – Va bene. Ci proviamo.

– Prometti, – gli sussurra lui senza lasciarla.

– Prometto, – sussurra a sua volta lei senza convinzione.

– Ho delle foto e dei video della crociera. Posso mandarteli?

– Manda. Manda –. E questa volta gli dà il suo numero.

6.

Ha ragione Nicola Sarti. Lei deve tornare quella che era. La scatenata. E tagliarsi i capelli è già un inizio.

La moglie del premier, nascosta dagli occhiali da sole, attraversa veloce via dei Condotti. Le borse, i cappotti, le gonne la chiamano come sirene dalle vetrine, lei resiste, ma è deciso, appena Domenico è fuori dal governo, sguaina la carta di credito e non lascia prigionieri. Sono due anni che non entra in un negozio, la scimmia si fa sentire.

Una guardia del corpo la segue a distanza. Tagliano piazza di Spagna tra scie di turisti asiatici che si mischiano intorno alla Barcaccia. C'è vita. I monopattini. I ragazzini con gli skate. Ronzini sfiancati attaccati alle botticelle. Le guide con le palette. Le signore con i bassotti a pelo ruvido. Le file di taxi.

Maria Cristina sale veloce la scalinata di Trinità dei Monti e si volta ad ammirare la città che le stende ai piedi un tappeto di tetti, terrazze, attici e superattici, cupole scintillanti. Roma, affetta da disturbo bipolare, riesce a essere la città piú sgradevole e meravigliosa del mondo.

Su via Sistina auto e bus premono per liberarsi dall'imbuto dei lavori stradali.

La moglie del premier s'infila nel *Grand Hotel Battistoni* eludendo i portieri a guardia della porta girevole, si tiene lontana dal bancone della hall su cui si accalcano gli ospiti e si stipa in un angolo dell'ascensore colmo di giapponesi. Quando esce al quinto piano si trova di fronte a una porta argentata su cui è incastonata una grande forbice d'oro. Sotto, una scritta: HAIR STUDIO DI DIEGO MALARA.

L'hair sculptor Diego Malara è un pezzo d'uomo che supera i due metri d'altezza. Con quel suo barbone di peli grigi e ondulati come saggina e il cranio oviforme perfettamente rasato sembra un mistico russo. Indossa un caftano beige con dei ricami dorati sulle maniche. Da giovane giocava a basket nella Planet Sport Catanzaro. Quando Maria Cristina lo ha conosciuto era un ragazzone spaesato, l'assistente dei caffè di un parrucchiere di moda. Ora, vent'anni dopo, è una star televisiva e ha una linea di prodotti di bellezza. Sotto le sue lame d'oro (lui usa solo forbici d'oro massiccio) finiscono attrici, presentatrici, modelle e chi se lo può permettere.

Abbraccia Maria Cristina con la solita, studiata ruvidezza. – Che fai vestita da carbonara? – Inforca un paio di occhiali da vista pesanti e antiquati.

– Sono venuta in incognito. Ho attraversato tutto il centro. Nessuno mi ha riconosciuta.

– Adoro.

Maria Cristina nota che qualcosa nella bocca del parrucchiere non torna. Deve essersi rifatto i denti, ha due archi bianchi e smaltati come un bidè di Richard Ginori.

– Allora, amo', che dobbiamo fare?

– Ho la ricrescita. Pensa che ieri sera una indiana in una toilette me l'ha nascosta con il mascara.

– Amore, ma quante volte ti ho detto che i capelli crescono un centimetro e mezzo al mese. Da quanto non ci vediamo?

– Non lo so... Tre settimane.

– Fatti un po' di conti, amore. Appena finisce con la Naselli, ti faccio tingere da Chantal.

Maria Cristina lo fissa negli occhi arabi, privi di sclera, affondati nelle orbite violacee. – Oggi ho preso una grande decisione. Vado a *Pane al pane*. Quindi non so, sarebbe bello un taglio nuovo, diverso. Che dici?

Maria Cristina adotta da sempre un taglio alla Kate Middleton per intenderci, perfetto in ogni occasione pubblica. Riga al centro, scalato a *v*. La tinta è castana con riflessi caramello, sfumati sulle punte.

A Diego scivola la mascella. – Amore, dimmi che sei seria.

– Giuro.

– You made my day, – fa Diego applaudendo. L'afferra, la posiziona come un manichino sotto un faretto, le smuove la chioma, le gira attorno, mano sul mento, corrucciato, nemmeno Michelangelo intorno a un blocco di marmo. Tira fuori da una tasca un piccolo tablet e comincia a cercare. – Ecco qui.

Le mostra una foto dell'attrice Rosamund Pike com'era nel film *Gone Girl*, con un carré biondo platino che arriva appena sotto la mandibola e le punte dei capelli in linea con il mento. La riga è a sinistra e una lunga onda bionda incornicia il viso lasciando scoperto un orecchio.

– Con questo taglio uccidi, amore, – dice Diego Malara esaltato. – È un meteorite sulla Terra, fidati.

– Bionda. Sicuro?

Il parrucchiere si stringe nelle spalle. – Tingiamo, amore.

– Tingiamo, amore, – ripete la sorella di Alessio.

Ecco la nostra eroina, un'ora dopo, già decolorata e con la stagnola in testa, pronta a diventare algida e spietata come la femme fatale di *Gone Girl*. Accanto a lei è seduta Miriam Naselli, nota per aver interpretato per cinque stagioni l'ispettrice sorda Rina Romolo nella serie tv *L'azzardo rischioso*. Per il calo dell'audience la serie è stata cancellata e ora fatica a trovare nuove parti. Maria Cristina la segue su Instagram dove l'attrice si è reinventata come guida di percorsi spirituali, dà lezioni di yoga dalla cameretta dei figli e pubblicizza tisane, barbecue ed elettrostimolatori cardiaci.

Le due si conoscono appena, ma fanno finta di essere amiche perché nel gineceo di Diego Malara le signore sono tutte amiche essendo ricche, celebri e in generale di gradevole aspetto.

La Naselli le ha confessato che è entrata in menopausa e che è diventata daltonica, e non capisce se le due cose siano in relazione. Ora sta parlando dei suoi followers. – Pensa, ho fatto una domanda banalissima: è giusto dire ti amo a chi ami? Ho ricevuto migliaia di risposte super interessanti. Alcuni hanno scritto cose super poetiche, c'è un calore incredibile in rete, sarebbe bello incanalarlo in qualche modo, farci un libro. Tu che conosci...

Maria Cristina l'ascolta appena, sta cercando di convincersi che non ha fatto una stronzata a tingersi di biondo. Non sembrerà piú vecchia? Come la prenderanno in rete?

Un'altra ventata di parole di Miriam le s'intrufola nel cervello. – Secondo me bisogna dirlo forte. Quando pronunciamo la parola amore cambiamo le molecole dell'universo. Abbiamo questo potere spaventoso nelle nostre mani.

Maria Cristina si astrae di nuovo. Appena torna a casa deve comunicare che ha deciso di accettare l'intervista. Proveranno a farla rinunciare. Ma lei non deve cedere. Deve persuaderli che è un'opportunità per il governo.

La voce adenoidea di Miriam Naselli fa breccia, fastidiosa come un tafano. – La spirulina è ricca di cose buone. Proteine, aminoacidi e omega di tutti i tipi. È un'alga che puoi anche coltivarti in casa. È facilissimo: compri un acquario, lo riempi di acqua e spore di spirulina, poi queste crescono e formi tante palline cosí... Ma tu, scusa, che fai per la pelle? È cosí luminosa.

– Mi metto la crema, – fa distratta Maria Cristina mentre le arriva un messaggio.

CATERINA
La Reitner dice che hai accettato l'intervista. Possibile? Se l'è inventato? Mi chiami quando hai un attimo?

Sta per rispondere, ma arriva un altro messaggio.

Che pranzo piacevole. Prossima volta al mare. Sempre in solitaria ovviamente. Un grande abbraccio. Nic.

Numero sconosciuto. L'onda di un sorriso le increspa la bocca mentre salva il numero di Nicola Sarti.

Puntuale l'aspetta al varco Diana Brinzaglia. *Sicuro il tuo amichetto avrà bisogno di qualcosa. Ricordati che sei un tramite per entrare in contatto con il presidente del Consiglio.*

No, Nicola Sarti non è tipo. Se avesse avuto bisogno di qualcosa lo avrebbe detto. Finalmente ha incontrato qualcuno diverso dai soliti squallidi ministri muniti di trolley e moglie a Macerata.

MARIA CRISTINA
Amo l'insalata vecchia. Grazie a te. 😌

NICOLA SARTI
Come promesso qualche ricordo.

Arrivano due foto.

Nella prima l'equipaggio del *Nasquira* è seduto nel pozzetto di poppa. Suo fratello, Davide, Filippo, Mao, un altro di cui non ricorda il nome e lei, magrissima e abbronzata. In mezzo, sul tavolo, resti di anguria e una pentola con dentro un pappone secco che ha l'aria di una pasta e fagioli. Tutti con le lattine in mano, brindano verso la macchina. Nella seconda c'è Alessio, da solo, a cavallo del boma, che sta riparando la randa.

MARIA CRISTINA
Mamma mia com'eravamo giovani e felici. Che nostalgia.
Ma Alessio quanto era bello?

NICOLA SARTI
Sempre stato il piú figo.

MARIA CRISTINA
♡ ♡ ♡ ♡

Altre foto. In una sono in acqua e giocano a palla. L'inquadratura è da sopra la barca e fra gli schizzi si capisce poco, a parte il divertimento. In un'altra sono in un porticciolo, a piedi nudi, carichi di buste per la cambusa, lei ha un enorme cornetto in mano. Poi una foto buia, di notte, sullo sfondo ci sono bagliori rossastri. Con la luce del flash negli occhi, Nicola Sarti somiglia a un coniglio abbagliato dai fari. Maria Cristina, un cappello di paglia in testa, seduta a un tavolo con un piatto di pasta davanti e un bastardino ai piedi che aspetta un boccone. Alessio sulla tavola da windsurf insieme a Mao. Una fitta d'emozione le serra la gola mentre si rivede lí con suo fratello, i due orfani felici. Liberi dai nonni, con tutta la vita davanti.

> MARIA CRISTINA
> Mamma mia che belle. Grazie! Non sai quanto mi fa piacere. Mi commuovono.

– Allora, signore belle, come va?

Maria Cristina alza lo sguardo dallo schermo e fissa il parrucchiere che ha in mano una pizzetta con il prosciutto grande quanto una mattonella. – Merenda. Il bar qua sotto mi fotte il cervello con questa roba –. Parcheggia il sedere su una sediolina a rotelle e compie una piroetta. – Stavo riflettendo, cara Maria Cristina, che potresti darmi una mano all'Aia.

– Cos'è? – chiede Miriam Naselli.

– L'associazione dei parrucchieri. Lascia perdere, preferiscono farsi chiamare acconciatori, che è ridicolo, comunque… Ho pensato che sarebbe bello fare promozione del nostro lavoro in ambienti degradati. Tipo nelle carceri o nei centri di accoglienza a Lampedusa, oppure dove battono le prostitute, non sai quante ne vedo sulla Salaria quando vado a Todi… Insomma, potremmo andare lí e tagliare i capelli a queste disgraziate, truccarle. E poi farci qualche foto da mettere in giro. Non so… Mi sembra, ecco… – Prende un respiro riflessivo. – Mi sembra una bella cosa.

– Super bella, scherzi? È un'idea geniale –. Batte le mani tutta contenta Miriam Naselli.

Maria Cristina si allarga la mantellina che le stringe la gola. – Sí. Certo. Una bella iniziativa, – dice poco convinta, con un occhio al cellulare. Le sta arrivando un video.

– Il governo potrebbe sponsorizzarla, – aggiunge Diego Malara. – Non dico soldi. Ma sai, tipo sotto il patrocinio... quelle cose che scrivono...

Il cerchietto del download si riempie lentamente. C'è poco campo.

– Secondo me dovete coinvolgere anche gli attori, – fa Miriam, intendendo sé stessa. – Famosi parrucchieri, attori e barboni. Non sai quanti ne dormono sotto casa mia. Li ho trovati pure per le scale. Ce n'è una fantastica, elegantissima...

Il cerchietto si è riempito.

Maria Cristina fa partire il video. Poca luce. Un po' sgranato. Di fronte all'obiettivo il petto nudo, maschile, di chi ha acceso la telecamera. Appena si allontana riconosce, in controluce, il profilo di Nicola Sarti. È nella cabina grande, dell'armatore. L'oblò, spalancato, illumina il letto matrimoniale su cui è seduta a gambe incrociate Maria Cristina in topless, no, è nuda, con in mano una bottiglia di birra. Sorride e si mette in ginocchio. Fa segno con l'indice a Nicola Sarti di raggiungerla.

Lui si abbassa il costume mostrando le chiappe bianche.

– Ma se ci andassimo, che dici, Maria Cristina?

La moglie del premier si schiaccia il cellulare sul grembo. È come se un mulo l'avesse colpita con un calcio allo sterno, milioni di aghi le punzecchiano le gambe risalendole lungo la schiena fin nella nuca. Strizza le palpebre, le luci del salone sfarfallano, con un filo di voce sussurra:
– Cosa? Scusa, non ho capito.

Diego Malara si alza in piedi e getta il tovagliolo nel cestino. – Dicevamo di parlarne con Domenico. Mi sembra l'idea migliore.

– Vado in bagno –. Maria Cristina si avvia verso l'uscita con la mantellina addosso e la carta argentata nei capelli.

– È dall'altra parte! – le urla il parrucchiere.

Ma lei non sente, nei timpani le cresce un rombo metallico mentre il salone, con le poltrone di pelle rossa, gli specchi con gli spot, i prodotti allineati sugli scaffali di cristallo molato, la moquette folta sotto le suole, i paralumi ambrati, scompare e riappare come se la vista non riuscisse a contenerlo. Maria Cristina arriva alla porta, la fotocellula gliela spalanca, esce. Il telefono le frigge nella mano. Si avvicina all'ascensore. Preme il pulsante. I numeri blu dei piani salgono e scendono, nessuno si ferma. La porta di emergenza è nascosta dal velluto blu che riveste le pareti, spinge il maniglione antipanico e si ritrova a correre giú per le scale di servizio. Sotto le luci dei neon i muri dipinti di giallo canarino l'accecano, inciampa, per poco non cade, prosegue la discesa.

Reazione di fuga, la chiamano i neurobiologi. La midollare del surrene secerne ogni sorta di ormone: catecolamine, testosterone e cortisolo, dopamina e serotonina. Gli animali reagiscono cosí alle minacce esterne, producendo droghe endogene che li aiutano a essere piú reattivi.

Un paio di piani sotto Maria Cristina trova un carrello pieno di prodotti da bagno, penne, asciugamani che le ostruisce la strada. Prova a spostarlo, non ci riesce, passargli a lato è impossibile, non c'è spazio, allora cerca di scavalcarlo facendo cadere confezioni di balsamo, di shampoo e pantofole di spugna.

– Scenda giú! Che sta facendo? – le intima attraverso lo spiraglio della porta la voce di una donna russa, polacca, dell'Est insomma. – Scenda giú! – Il carrello, di traverso, la blocca nel corridoio. Comincia a imprecare nella sua lingua.

– Mi scusi… Mi dispiace –. Maria Cristina tenta di raccogliere le cose da terra. – Dovrei passare.

– Perché non ha preso l'ascensore? – La cameriera tenta inutilmente di infilarsi attraverso la fessura.

Maria Cristina prova a spostare il carrello. – Ok. Torno su. Nessun problema. Mi scusi ancora. Ho sbagliato.

– Ferma! – ordina la russa e con un colpo di spalla riesce a farsi largo. – Gesú Santo benedetto. Lei è Pamela.

– Pamela?

– Pamela la cantante.

– No, non sono Pamela la cantante –. Maria Cristina scuote vigorosamente la testa.

La donna delle pulizie non è convinta. – Sicura?

– Lo giuro –. Maria Cristina fa retromarcia e cerca di risalire le scale.

– È famosa, però –. La donna delle pulizie le sbarra la strada.

– Sono… – Maria Cristina sta per scoppiare a piangere. – Sono una…

– Io lo so chi è lei –. Il volto le si illumina. – Lei è la moglie del presidente della Repubblica. E non dica di no.

Maria Cristina si accascia su un gradino e la guarda supplicando un po' di cristiana pietà. – Mi lasci sola. Cinque minuti. Solo cinque minuti.

– D'accordo. Non volevo infastidirla –. La russa ha cambiato tono. – Mi farebbe un autografo per mio figlio? Si chiama Andrej, ha ventidue anni ed è innamorato di lei. Ha la sua foto accanto al letto –. Tira fuori dalla tasca un bloc-notes e una penna e li poggia su un gradino. – Me lo vengo a prendere dopo. Grazie e mi scusi ancora.

Maria Cristina si passa una mano sul collo. La tintura è colata ovunque.

Prende un respiro e schiaccia play.

Nicola Sarti si allunga tra lenzuola sporche, scatole di wafer, magliette appallottolate, costumi bagnati, carte della pizza e vaschette di gelato. Guarda l'obiettivo, non è certo di essere al centro dell'inquadratura, si alza, ruota la camera e torna sulla cuccetta, prende una mezza bottiglia di birra dal comodino e dopo averne bevuto un sorso la offre a Maria Cristina nuda, piatta come una tavola, cotta dal sole, i capelli dritti e secchi di sale, i braccialetti colorati ai polsi. Continuano a passarsi la birra come per infondersi coraggio. Maria Cristina, in ginocchio, la finisce per sbarazzarsene. Le guance si gonfiano e con uno spruzzo annaffia Nicola Sarti, esplode in una risata imbarazzata e coprendosi il viso con le mani fa no con la testa.

Nicola Sarti si mette in ginocchio, la bacia in bocca a lungo e la trascina giú, si rotolano tra le lenzuola continuando a baciarsi in quella penombra asfittica, lei gli passa le dita tra i capelli e lui, frettoloso, gettando sguardi in macchina, le spinge la mano verso l'inguine. Lei la lascia un po' lí, come dimenticata, poi gli prende l'uccello in mano e comincia a masturbarlo. Il pene fatica a crescere e il volto di Nicola Sarti appare e scompare dietro le scapole magre di Maria Cristina, che offre la schiena e le sue intimità all'obiettivo.

Lui le sussurra qualcosa di incomprensibile indicando la telecamera, facendole segno di girarsi. Maria Cristina è scossa da una risatina nervosa, come indecisa, poi si mette in piedi sul materasso, il collo piegato per non sbattere contro la tuga, si gira, pianta per un istante gli occhi dentro la macchina, si abbassa e si accoccola su di lui nascondendolo. Adesso nell'inquadratura ci sono le piante dei piedi sporche di briciole, le cosce e il pene finalmente eretto di Nicola Sarti. Maria Cristina si passa i capelli dietro l'orecchio per non nascondersi all'obiettivo e guardando in macchina glielo prende in bocca.

La moglie del premier con la carta stagnola in testa, seduta sulle scale d'emergenza del *Grand Hotel Battistoni*, spegne lo schermo e si porta una mano al viso. Prova a staccarsi dalla parete contro cui è accasciata, ma non ha la forza. Con i polpastrelli preme sullo spigolo del gradino per controllare che i sensi le funzionino, di non essere dentro un incubo o in uno scherzo di qualche crudele programma televisivo. Si costringe a continuare la visione. È tutta la scopata, non finisce mai, ma quando lui la prende da dietro non ce la fa più e stoppa.

Quella è proprio lei. Non ci sono dubbi. Ma per la miseria, non ricorda di aver girato un porno? Un'amnesia? Possibile? Aveva vent'anni, era un'altra persona, una «scatenata», le ha detto ieri sera Nicola Sarti. Ora capisce che intendeva. Ricorda che le piaceva scopare con Nicola Sarti e che lui voleva farlo sempre, un pischello cronicamente arrapato, ma conoscendosi, pudica com'è, non si sarebbe mai lasciata riprendere. Non è da lei, non è mai stata un'esibizionista.

Poggia la fronte sulle ginocchia mentre un rigurgito acido le urtica la gola.

Doveva essere fatta. Ma lei ha sempre odiato le droghe, avrà fumato tre canne in vita sua. Nicola Sarti potrebbe averle dato la droga dello stupro. Da quanto ne sa, però, quella ti rende incosciente, subisci la volontà degli altri, lei invece era attiva, agiva di propria volontà. Guardava dentro l'obiettivo.

– Non ce la posso fare, – sospira.

La chat è ferma. Dopo il video Nicola Sarti non ha aggiunto nulla.

Ma qui il telefono non prende.

– Mamma mia, – dice con una voce che non le sembra sua.

La cosa è cosí incommensurabile, totale, che non riesce nemmeno a dare un nome a ciò che prova, è intontita, la testa le bolle come una pentola, la tinta le brucia la pelle.

Sua figlia. Suo marito. L'Italia. Il mondo. La fine.

Fissa la macchia bianca del foglietto che le ha lasciato la russa. Lo prende e ci scrive: «Ad Andrej con affetto. Maria Cristina».

Risale le scale.

Un quarto d'ora dopo Maria Cristina è seduta accanto a un motore dell'aria condizionata su una terrazza del tetto del *Grand Hotel Battistoni*. Tiene in mano l'alluce acciaccato e se lo accarezza fissando il cielo di un azzurro troppo intenso. Proprio accanto alla balaustra, un groviglio di antenne e parabole satellitari appese a un traliccio dipinge la sua ombra sul pavimento di graniglia sporco. Alla sua sinistra, una porticina di metallo marrone è spalancata sul locale dove un tempo c'erano i cassoni dell'acqua, ma ora c'è una distesa di escrementi di piccione.

Caterina continua a chiamarla.

Nicola Sarti non ha piú scritto, però è online come in attesa.

Possibile che le abbia mandato un video cosí? Adesso? Dopo vent'anni? Lei è la moglie del premier, cazzo. Questo tipo riappare ieri e oggi, per caso, lo incontra proprio di fronte al centro massaggi?

No, non torna niente.

Quando suo marito si è insediato a Palazzo Chigi le hanno fatto un lungo indottrinamento su come usare cellulari e computer, su attacchi informatici, e-mail sospette, hackeraggi e tutto il resto. Un video del genere Filippo Pottino, il capo della sicurezza, lo tratterebbe come un attacco allo Stato. Deve avvertirlo. E deve mostrarglielo. Al solo pensiero muore di vergogna. Si lascia cadere in ginocchio disperata.

Corre troppo. Deve parlare con Nicola Sarti, sentire che dice, capire.

– Adesso –. Ma con calma, come se non fosse successo nulla. Si alza e fa tre giri su sé stessa inspirando ed espirando. Lo chiama. Suona, ma non risponde. Lo lascia squillare fino a quando parte la segreteria. Attacca. Caccia un urlo, vorrebbe strapparsi i capelli, conficcarsi le unghie nel collo, sradicare le antenne. Richiama. Segreteria. Richiama. Segreteria. Ricomincia a girare su sé stessa, sporca di tinta in faccia, sul collo, il telefonino imbrattato. Si affaccia dal parapetto. Sotto, via Sistina è un tappeto di lamiera strombazzante.

Il cellulare squilla.

Risponde senza guardare. – Pronto!

– Pronto! – sbotta Caterina. – Finalmente. Dove cavolo sei? – Non si tiene. – Sei impazzita, Maria Cristina?

Non è lui. Sta per chiudere, ma si frena. – Sono dal parrucchiere. Mi sto tingendo.

– La scorta ti sta cercando.

– Sono sul tetto. Non mi sentivo bene.

– Che hai? – chiede l'assistente preoccupata.

La moglie del premier afferra un cavo dell'antenna e lo tira. – Nulla, mi mancava l'aria. È passato –. È stupita di riuscire ancora a relazionarsi col prossimo, di essere capace di mentire, segno che non tutti i circuiti mentali sono saltati.

– Sicura?

– Sí. Ora vado giú.

– Li ho avvertiti. Arrivano. Senti, la Reitner ha appena scritto su Twitter che andrai da lei in trasmissione martedí prossimo. È vero?

– Sí –. In sottofondo si sovrappone il suono di una telefonata in arrivo. – Scusa, ne parliamo dopo –. Tronca la conversazione e risponde. – Pronto!

– Eccomi, avevo la suoneria silenziosa, – dice Nicola Sarti.

– Ciao –. Maria Cristina balbetta le prime parole che le vengono. – Come stai?

– Bene. E tu?

– Bene. Tutto a posto. Senti… – Sceglie il tono piú leggero possibile, pura curiosità. – Cos'era quel video?

– Ma come? L'ultimo giorno. Prima che partissi. Aspetta… – Abbassa la voce come se cercasse un posto dove parlare senza essere ascoltato. – Non ricordi? La storia del porno…

Maria Cristina si siede a terra, schiena al parapetto e con violenza strappa il cavo dell'antenna. – No. Che storia del porno?

– Dovevamo fare un porno e diventare ricchi. Cazzeggio scemo da barca. Poi gli altri sono andati a terra e l'abbiamo fatto davvero. Maria Pompina, dài.

Senza aria nei polmoni, la domanda le esce afona. – Maria Pompina?

– Il nome d'arte! Dicevi che quello sarebbe stato il tuo nome da pornostar.

La moglie del premier sta per vomitare. – No, giuro su Dio, non mi ricordo.

A Nicola Sarti esce una risata un po' teatrale. – Ne ero abbastanza sicuro. Eravamo ubriachi.

– E come lo hai registrato? – gli chiede lei svagata,

mentre avanza a piedi nudi, bendata, su dei cocci di vetro. – A quel tempo i cellulari esistevano? Avevano la
telecamera? Non mi pare...

– Ho usato una Sony professionale. Il mio sogno, non
ti ricordi? Diventare regista. Ho tutti i filmini della barca. Pure quello di quando abbiamo pescato il tonno in
traversata. È bellissimo. Te lo devo mandare.

– Quello me lo ricordo. Questo no –. Le esce fuori tutta
l'irritazione. Diana Brinzaglia le suggerisce di calmarsi.
– E perché ce l'hai sul cellulare? Non capisco.

C'è una pausa prima che lui risponda. – Ho convertito
tutti i nastri in digitale. Purtroppo si vedono una merda.

Maria Cristina si alza e comincia a girare in tondo, come
un ronzino al palo. Fa fatica a parlare, ingoia un groppo. – E
spiegami una cosa, com'è che giri con il video nel telefono?

– In realtà l'ho caricato dal pc dopo il nostro pranzo. Li
ho tutti lí –. Si ferma sentendo il respiro affannato di Maria Cristina. – Che c'è? Ti ha sconvolto? Siamo io e te...

Lei solleva gli occhi al cielo. – Mi ha sconvolto?

– Non ti sei divertita?

– No, per niente –. Le trema la voce. – Anzi, se lo vuoi
sapere, sono terrorizzata, sto per svenire –. Poggia il mento
sul collo e scoppia a piangere mentre sente la voce di Nicola Sarti: – Maria Cristina? Maria Cristina, che succede?

Lei tira su con il naso. – Nulla. Scusa.

– Oh, cazzo. Scusami tu. Mi dispiace. Non immaginavo. Scusami, – ripete lui mortificato.

– Come fai a non immaginare? Ti rendi conto cosa succede se qualcuno vede quel video? Sono la moglie del primo ministro.

– Lo so chi sei. Ma perché qualcuno dovrebbe vederlo?

A Maria Cristina non è chiaro se è una recita o se ha
capito di essere stato inopportuno. E comunque o è scemo

o è un gran bastardo. – E poi, perdonami, – si schiarisce
la gola, – chi me lo assicura che non lo mostri a nessuno?
Pensa se esce su Internet.

– Ti faccio notare che ci sono anche io là dentro. Ho una
ex che mi odia e due figli piccoli. Sono passati ventidue
anni e non è mai uscito. Perché dovrei tirarlo fuori adesso?

Maria Cristina si ferma, guarda i gabbiani volare sopra
i tetti, è senza parole.

– Davvero mi spiace, – ripete lui, ammorbidendosi.
– Sono mortificato. Sul serio. Non pensavo la prendes-
si cosí.

– Cancellalo, per favore.

– Cancello. Giuro.

– Deve sparire tutto. Anche la cassetta. Distruggila. Ti
prego, Nicola.

– Ora lo cancello dal cellulare e dal pc e stasera do fuoco alla cassetta. Hai ragione, ho fatto una cazzata. Ho cominciato a mandarti le foto, l'ho trovato lí e mi sono detto: vediamo che effetto le fa.

Maria Cristina si affaccia sulla strada. – Che pensavi,
che mi sarei eccitata?

– Sí, forse, non lo so...

– Sono quasi morta.

– Mi perdoni?

– Sí. Non ne parliamo piú. Cancellalo.

– Giuro. Però non voglio che questa cazzata rovini tutto. Oggi siamo stati cosí bene.

Maria Cristina avverte una stanchezza infinita, il freddo le è penetrato nelle ossa. Sospira un: – Sí.

– Prometti che ci vediamo. Non deludermi.

È estenuata. – Prometto. È che ora... – Non sa come
proseguire e poi col cazzo che lo rivede un coglione del
genere.

Dalla porta delle scale appaiono gli uomini della sicurezza. Si guardano intorno compiendo quello che Maria Cristina chiama il ballo degli scimpanzé. Uno ha addirittura
la pistola in mano. Lei fa segno con il pollice che è tutto a
posto e che è al telefono. I tre rimangono a qualche metro
di distanza, in attesa.
    – Ora devo andare, – conclude Maria Cristina.

7.

    Irene Mascagni gira intorno alla madre che sta cercan-
do di risolvere il problema di matematica. – Allora il fa-
legname quante viti ha comprato… Siediti, per favore.
Sono stanca.
    – Mamma, ti giuro, sei troppo strana. Non sembri tu –.
Le tocca i capelli per sincerarsi che non sia una parrucca.
– Tutta bionda. Perché lo hai fatto?
    – È la decima volta che me lo chiedi, – sbuffa Maria
Cristina.
    – Volevi cambiare. Ma perché?
    – Siediti. Non farmi arrabbiare.
    – Cosí siamo bionde uguali?
    – Ti prego, – la implora. – Ma che ci deve fare il fale-
gname con tutte queste viti?
    Irene finalmente si siede. È alta per i suoi dieci anni,
come Maria Cristina alla sua età è la piú alta della classe,
i capelli le cadono giú lisci e sottili fino a metà della schiena. Rispetto alla madre è piú chiara di carnagione e ha gli
occhi azzurri. Potrebbe esserne la versione nordica.
    Maria Cristina si stropiccia gli occhi. – Fai 'ste frazio-
ni. Forza –. Vuole solo infilarsi a letto e concludere questa giornata orrenda.

– E perché te li sei anche tagliati? Non bastavano biondi? Sembri piú vecchia.

– Senti, signorina, io mi sono stancata –. Maria Cristina
poggia la penna sul tavolo e si osserva nel vetro che copre
il planisfero appeso nella stanza di Irene. Diego Malara è
riuscito in qualche modo a recuperare il disastro che lei ha
combinato lasciandosi seccare la tinta in testa, ma le ha tirato su un muso che non finisce piú. Le ha detto che lo ha
preoccupato a morte e che gli ha rovinato il lavoro. Però
Irene ha ragione, sembra piú vecchia. I lineamenti si sono
affilati, diventando duri, al limite del rifatto.

– Secondo me diranno che sei pazza, – continua Irene
senza pietà, scarabocchiando sul quaderno.

– Per un taglio di capelli? E poi chi lo dirà?

– Quelli che scrivono su Internet.

– E tu che ne sai?

– Clara ha il cellulare e mi fa vedere Instagram. Dove
ci sono tutte le tue foto di quelli che ti ammirano, – fa la
bambina con un tono saputello.

Ecco qua, si è giocata la figlia. Prima o poi doveva suc-
cedere, ma proprio ora no. Non le hanno permesso di guardare la televisione se non un film una volta a settimana e
mai da sola. Niente Internet. Niente telefonino. Greta, la
ragazza alla pari tedesca, la tiene sotto controllo, ma purtroppo a scuola è sola, in balia dei compagni che hanno
tutti cellulare e profili social. Fino a ieri era una ragazzina del secolo scorso, adorava leggere i romanzi fantastici
e accudire gli animali. Per il suo compleanno il padre le ha
regalato un microscopio e lei passava le giornate a guardare
le formiche e le artemie saline in un barattolo e a scattare
fotografie con la sua Polaroid. Domenico, per indispettire
Maria Cristina, la chiama Kasparina, come Kaspar Hauser,
il giovane che all'inizio dell'Ottocento raccontò di essere

cresciuto in una stalla senza vedere essere umano fino alla maggiore età.

Da qualche tempo Irene è cambiata, chiede lo smartphone, vuole guardare le serie tv, fa i capricci. L'adolescente si sta liberando. E ha solo dieci anni, a sedici che combinerà?

– Va bene. Basta. I compiti li finisci da sola.

Maria Cristina si alza e prende il telefono dal tavolo. Il video è sempre lí.

Dopo il parrucchiere, tornando a casa, nascosta dai vetri oscurati dell'auto, stava per eliminarlo, poi ha capito che non doveva.

È una prova.

Dovrebbe dirlo a Domenico, ma la vergogna è troppa. Poi, conoscendo il suo terrore per gli scandali, quello apre una finestra e si butta di sotto.

Comunque, ci mette la mano sul fuoco, Nicola Sarti non ha cancellato il filmino. Ma che interesse avrebbe a renderlo pubblico? Ha controllato su Internet, è un imprenditore di successo. Ha tutto da perdere. E al telefono le è sembrato sinceramente mortificato.

Diana Brinzaglia non è altrettanto ottimista. *Non c'è un bel niente da stare tranquille. Quel fighetto vanesio si scopa la donna piú bella del mondo, che è anche la moglie del presidente del Consiglio, e non lo dice a nessuno? A qualcuno lo avrà fatto vedere. Sicuro.*

Se lo immagina mentre mostra il video negli spogliatoi ai compagni di calcetto. No, non è da lui. Non è cosí stronzo. Però il fatto che glielo abbia inviato insieme alle foto della vacanza, a quelle di suo fratello morto, dimostra che è un rozzo senza alcuna sensibilità.

Con questi pensieri in testa la moglie del premier attraversa il lungo corridoio che unisce l'ala padronale a quel-

la della servitú. Il pavimento è di cotto smaltato bianco
in cui sono inseriti rombi di mattonelle floreali di Vietri.
Sulle pareti si alternano quadri dei macchiaioli a grandi
abat-jour di terracotta azzurra. In cucina Daisy pulisce il
cavolfiore sull'isola di marmo nero. Fuori, oltre la terrazza,
il cielo trattiene un po' di giorno imporporando le facciate
dei palazzi. Piú in alto, nuvole color mercurio si staccano
dallo sfondo piú chiaro del cielo. È l'ora dei gabbiani, vo-
lano a centinaia, in ampi cerchi, predatori metropolitani,
tempestando la città di gridi striduli ed escrementi.

Maria Cristina apre il frigo cercando qualcosa su cui sfo-
gare la propria frustrazione, ma non c'è da divertirsi. Oltre
a una ricottina magra, a degli yogurt di soia, a due avocado
acerbi e a un po' di cicoria lessa, deperiscono i resti di un
pollo bollito. Trova un barattolo di lupini dall'aria lugu-
bre, comincia a sgranocchiarli chiudendo le bucce nella
mano. – Daisy, io stasera non ceno. Fai mangiare Irene e
poi, per favore, mettila a letto. Oggi non c'è Greta.

Prende il portatile. Tra qualche minuto ha una videoconferenza con Domenico, Caterina e Dino Berti, uno
dei responsabili della comunicazione. Non è andata giú a
nessuno che abbia accettato l'intervista.

Accende le luci dello studio, illuminando un lungo parallelepipedo foderato di boiserie e librerie, con due grandi finestre che affacciano sul terrazzo. Su una parete c'è
una specie di cinema, con tanto di schermo e casse acustiche. Un divano di velluto color prugna e un tavolo di legno che somiglia alla plancia di una portaerei completano
l'arredamento. Da quando Domenico è diventato primo
ministro non ci è piú entrato. Aveva questo studio bellissimo, una vita meravigliosa, tempo per stare con sua figlia,
guadagnava un sacco di soldi. Gli è bastato parlare con il
presidente della Repubblica per distruggersi l'esistenza.

Maria Cristina si siede alla scrivania e aspettando l'inizio della riunione cerca altre notizie su Nicola Sarti. La pagina di Wikipedia è scarna. Imprenditore, figlio di un costruttore edile di Como e di una maestra elementare di Pescara, è stato a capo di un gruppo internazionale di hospitality di lusso con sede a Singapore. Da qualche anno ha inaugurato una nuova catena di alberghi. E per non farsi mancare nulla è appassionato di golf, auto e vela. Ha partecipato alla Global Ocean Racer, ma la barca è affondata vicino a Capo Horn. Gli attribuiscono numerose relazioni con attrici e modelle. È stato sposato con Domitilla Dentini da cui ha avuto due figli (cerca Domitilla Dentini: morona, tettona, volgare, proprietaria di una azienda vinicola a Cividale del Friuli). Poche altre notizie e foto. Qualcuna negli alberghi, una con la sindaca di Roma, un paio in barca a vela in una tenuta rosso cardinale durante una regata. Sui social non è presente. Almeno questo.

Il campanello di Skype interrompe le sue indagini.

Si aggiusta i capelli specchiandosi nello schermo e accetta. Il monitor si scompone in quattro. Domenico è in una camera d'albergo. Caterina è in cucina. Pensili di formica bianca, il frigorifero giallo pieno di magneti e la lavagnetta con la lista della spesa. Dino Berti, sulla trentina, occhiali gramsciani e un casco di capelli ricci, è seduto in un'anonima sala riunioni.

Tutti la osservano in silenzio. Lei gira la testa da una parte all'altra per mostrare alla telecamera il carré.

– Che ne dite?

Caterina, per prima, rompe l'imbarazzo. – Mi piacciono. Ti stanno benissimo, – fa con un entusiasmo esagerato, risultando la giuda che è. E imbecca Domenico. – Che ne pensa, presidente? Non è bella?

Il premier si massaggia il mento.

Maria Cristina scrolla le spalle. – Ti fanno schifo.

– No, – risponde Domenico, cosí cupo da risultare poco credibile.

– Dillo. Non c'è problema.

– No, solo non capisco –. Scuote la testa, restio a esprimersi.

– Non capisci cosa?

Costretto, si decide a parlare. – Perché hai fatto un cambiamento cosí radicale? Non è un po' esagerato? Corti. Biondi. Non voglio dire che ti stiano male, però... – Si trattiene. – Comunque, non è il caso di parlarne ora.

– Invece parliamone ora, – insiste Maria Cristina. Una vampata di stizza le fa risalire i lupini fino alla bocca dello stomaco, ma riesce a modulare un tono accettabile. – Scusa, ci sono i tuoi collaboratori, gli esperti di comunicazione. Perché non credo che tu mi stia guardando come tua moglie che si è tagliata i capelli, mi guardi da presidente del Consiglio che si preoccupa che i miei capelli possano, che so, toglierti mezzo punto di gradimento.

Domenico è troppo astuto per cadere nella provocazione. – Per favore. Sono stanco morto. Ho avuto una giornata infernale. Possiamo dire cose sensate?

Maria Cristina sposta il culo in pizzo alla poltrona e si rivolge agli altri. – Che dite, ragazzi? I miei capelli sono un pericolo per la stabilità del governo? Tu, Caterina, non vali, però.

L'assistente si mette una mano sul petto. – Io?

– No. Tu no.

– Perché no?

– Mi vuoi troppo bene. Tu sei la mia amica.

Caterina solleva meccanicamente le spalle, si guarda attorno.

Maria Cristina allarga un sorriso. - E tu, Dino, che ne pensi? Non vanno bene i miei capelli? Sincero, almeno tu.

Dino Berti la scruta in silenzio dietro gli occhialini tondi, la bocca gli pende all'ingiú come a un bulldog francese chiuso in un trasportino. - Io di queste cose... - Farfuglia parole. - Non sono esperto. Forse, ecco, pure prima erano belli. Bisogna solo abituarsi. Un gran cambiamento.

- Io dico che non si deve scherzare su certe cose, - lo interrompe Domenico. - Il tuo taglio di capelli può essere un messaggio. Soprattutto se, come hai deciso, senza consultare nessuno, devi fare questa intervista. Presentandoti in quello studio televisivo con i capelli gialli stai affermando qualcosa di molto preciso.

- E che cosa, di grazia? - lo stuzzica Maria Cristina. Di fronte al grande universo paranoide delle strategie del consenso in cui annaspa il coniuge, le è pure scemata la rabbia.

Domenico la guarda e muove la bocca come se stesse per rivelare una grande verità, poi domanda agli altri. - Che messaggio sta lanciando con questo taglio?

I due, muti, non sanno che rispondere. Berti alla fine si getta in aiuto del capo. - Be', il biondo è patrimonio tradizionale delle donne di destra, quindi potrebbe essere male interpretato come una mano tesa ai partiti sovranisti.

- In effetti, - aggiunge Caterina, e dice quello che tutti vorrebbero sentire. - Dovremmo chiederlo al Bruco.

Il Bruco. L'uomo che gira le viti del mondo. È l'unico che può cogliere il senso di questo taglio e capirne gli effetti a breve, medio e lungo termine.

- Giusto. Chiedetelo a lui. Se non va bene basta saperlo e mi metto una parrucca, - ribatte acida Maria Cristina. - E comunque io l'intervista la faccio. Punto.

- Non avevi il terrore della tv? - domanda Domenico. - Che è successo?

– Il terrore me lo faccio passare. Ci siamo piaciute. È stata gentile.

– E voglio vedere, – sghignazza lui. – Doveva convincerti.

– Ha detto che con me farà una cosa diversa, piú personale, un dialogo tra amiche...

– Ma non siete amiche, – la interrompe il marito, allargando le braccia. – Almeno non mi risulta.

Maria Cristina tace.

– Ascoltami, quella non è amica nemmeno del suo gatto. Ti ha raggirato. Senza dare spiegazioni le dovevi dire che non potevi ed era finita –. Domenico si alza di scatto e prende da un vassoio un bicchiere di birra. – Caterina, scusami, ma non capisco perché le hai fatte incontrare. Non si poteva sbrigare tutto per mail? E ora è un bel casino di merda, se lo volete sapere.

Maria Cristina abbassa la testa, la frustrazione le tappa la gola.

Caterina Gamberini si difende. – In realtà temevamo che un no diretto potesse ripercuotersi su Siniscalchi, che va domani. Già minacciava di chiamare Motica a farle da spalla. Poi si ricordi che c'è la sua, di intervista.

Il premier continua a girare per la stanza. – La sua di chi?

– La sua sua, presidente.

Lui si risiede sul letto e si soffia il naso con un fazzoletto di cotone bianco.

Maria Cristina solleva l'indice. – Posso dire una cosa?

Domenico fa segno di sí tutto ingobbito, fissando il cellulare.

– Allora... – Si schiarisce la voce. – Io credo che invece la mia intervista potrebbe esserti utile. Stai perdendo consensi, questo lo so pure io. Se sarò tranquilla, se... – Non trova la parola. – Se sarò amabile, ecco, potrà aiutarti. Racconterò dei miei dolori passati e delle gioie che tu e Irene mi date. Dirò quanto ti impegni per l'Italia. Mi rivolgerò alle donne, costrette a lavorare e a essere madri, a occuparsi dei figli in un mondo come questo –. Va a braccio, ma non deve fermarsi. – Insomma, cercherò di farmi conoscere. Non ho mai parlato di me. Ti sono stata vicina come un'ombra. La gente è curiosa di sapere quello che penso. Di sicuro riceverò un sacco di insulti, come sempre, ma tanti mi difenderanno. In questi due anni ho fatto nel bene e nel male la mia parte. Ti ho sostenuto perché lo vedo che tu ti impegni giorno e notte per questo Paese e che ci soffri –. Maria Cristina, con la bocca secca, si guarda intorno alla ricerca di un bicchiere d'acqua che non c'è. – Supererò le paure.

– E le correnti gravitazionali, – aggiunge tra sé Domenico.

Maria Cristina finge di non aver sentito. – Posso riuscirci.

I tre rimangono in silenzio.

– Io capisco quello che vuoi fare –. Ora Domenico è piú conciliante. – E ti ringrazio. Sono certo che ti impegneresti con tutta te stessa. C'è un però. Se ti chiede delle politiche sociali o della ristrutturazione del sistema sanitario? Degli sbarchi? Che rispondi? Fai scena muta? Per andare in tv non bisogna sapere le cose, ma bisogna saper svicolare le domande.

– Non mi chiederà niente del genere.

– Chi te lo assicura?

– Me lo ha promesso.

– Ti fidi, – sorride Domenico incassando la testa tra le spalle. – Perfetto.

– Sí, mi fido. E se mi chiede cose che non so, dico che non le so, che non è il mio compito, il mio compito è aiutarti a stare bene, a essere felice, cosí tu governi meglio l'Italia.

– Una crocerossina, praticamente. Non ci crederanno mai. E se insiste? Dino, scusa... – Si rivolge al suo assistente. – Falle una domanda che potrebbe farle la Reitner.

Il giovane si schiarisce la voce e dondola la testa. – Ok, va bene... Tipo... – Mette su un tono da giornalista. – La situazione del rialzo dei prezzi delle fonti energetiche e delle materie prime è un problema per le famiglie italiane, come lei sa. Suo marito, secondo molti analisti, dovrebbe promuovere una politica sui redditi piú incisiva, tagliare le tasse ai lavoratori dipendenti e ai pensionati, ridurre il cuneo fiscale e le aliquote Irpef sotto i trentamila euro e rendere strutturale la detassazione sul salario di produttività. Invece si parla di una possibile tassa patrimoniale, ostacolata da gran parte della coalizione di governo. Forse sarebbe preferibile compiere passi piú discreti, visti i conflitti interni alla maggioranza.

I tre si guardano e fissano il quadratino in cui Maria Cristina deglutisce.

– Io queste cose non le so, ovvio. Risponderei che sono domande che deve fare a te. Ma non me le farà.

– Amore mio, non ne hai la certezza –. Domenico si avvicina alla telecamera. – Io semplicemente non voglio che tu ti trovi in difficoltà, ricordati che è in diretta, non si torna indietro. E se incominci a stare male, a sudare? Non voglio che tu dopo soffra per quello che scriveranno, lo so che sforzo terribile è per te andare in televisione. E se ci tieni ad aiutarmi, cerchiamo il programma piú adatto.

– Magari *Pomeriggio amico*, – suggerisce Caterina. – Lo organizziamo subito. Girardi è uno dei nostri.

Mino Girardi, il conduttore, è un essere adulante e servile e *Pomeriggio amico* un programma cimiteriale dove vanno a parlare i protagonisti dei reality, i vecchi attori, i cantanti di *Sanremo*. Maria Cristina si tiene tutto dentro mentre un velo di tristezza le cala addosso. Ma non gli si può dare torto, hanno ragione, è troppo rischioso, perché vuole complicarsi la vita? Le dispiace un po' per la figura di merda con la Reitner. Glielo aveva promesso. Vabbe'. Passa. – Ok. Basta. Ho capito, – cerca di chiudere.

– Amore mio, se vai in un programma cosí sei libera di dire quello che ti pare, di rivederti e di scegliere i momenti dove ti sei piaciuta di piú. Questo sí che mi può aiutare –. Domenico sta usando lo stesso tono che usa con Irene per convincerla ad andare dal dentista.

– Allora non vado da nessuna parte.

I tre assentono composti e partecipi.

– E adesso come si fa con la Reitner? – domanda il premier fattivo.

– Porti sua moglie con sé a Londra per l'incontro con Meyer, – dice Berti segnandosi qualcosa sull'agenda.

– Ottima idea. Ti va di andare a Londra? – chiede Domenico. – Portiamo pure Irene.

Maria Cristina è sfinita. – Non lo so. Ne parliamo con calma. Scusate, sono stanca. Vi saluto.

Dopo mezz'ora Domenico la richiama. – Ho pensato che se sei spontanea, se racconti come ti senti inadeguata a questo ruolo, se dici cose spiazzanti e che creano divisioni nel pubblico, potrebbe funzionare con la Reitner.

Maria Cristina è sorpresa. – Hai cambiato idea?

– Sí. Mi pare giusto che tu vada e ti impegni in prima linea.

– Hai parlato con il Bruco?

Domenico fa una impercettibile pausa. – Sí –. Altra pausa. – Lui dice che potrebbe essere una mossa a sorpresa. Copriamo l'attenzione dei media e dei social per qualche giorno. Può funzionare. Però ti devi preparare. Vedrai che sarà un successo. Se vuoi ci parlo io con la Reitner.

– No. Non c'è bisogno.

Il potere del Bruco è immenso. Domenico è alla sua mercé e non ha nemmeno piú il pudore di nasconderlo.

Sentendola silenziosa, la incalza. – Contenta? Io molto.

– Sí.

In realtà non le va piú. Finita la videoconferenza la delusione si è trasformata in sollievo. Si è sentita alleggerita. E l'idea di andare a Londra con Irene, di portarla al British, di fare shopping liberamente non le dispiaceva affatto. Ma dopo tutto quello che ha detto, adesso non può tirarsi indietro. In che merdaio si è cacciata?

Domenico ha un piglio propositivo. – Ah, domani non torno. Le cose a Torino vanno per le lunghe. Tu che programmi hai?

– Non lo so, – sbadiglia Maria Cristina. – Voglio dormire. Il dito mi fa male.

– Che dice il medico?

– Non ci ho piú parlato.

– Senti, tesoro, ti ricordi che domani sera dovevamo andare alla prima della *Tosca*? Io non posso. Ci devi andare tu. Sarebbe importante –. Fatica a trovare le parole. – Ci sarà pure la Gilardoni. Questa storia che è la mia amante deve finire. Continuano a parlarne e va bloccata una volta per tutte. Non è bene per te, non è bene per me e soprattutto per nostra figlia. Vi fate vedere assieme, come amiche. E cosí smontiamo questa fake.

Maria Cristina si siede sul letto ripensando alla disinvolta nobiltà con cui sua nonna trattava le questioni di corna. Le pratiche di coppia, le chiamava. – Questa idea è tua o del Bruco? E poi, per conoscenza, vorrei sapere: la Gilardoni è la tua amante? Dimmi la verità, ti prego.

– Sei matta? Ma cosa ti viene in testa?

– Non dirmi bugie, non le merito, – lo incalza. – Se non te ne fossi uscito con questa novità non ti avrei chiesto nulla. Cornuta ok, ma mazziata no.

– Maria Cristina, ascoltami –. Domenico scandisce le parole come alla commemorazione per le Fosse Ardeatine. – Io non ho nessuna storia. Come puoi pensarlo? Io sto con te e basta –. Il tono gli scivola in quello dolente di un Atlante con la cervicale. – E anche volessi, non ho manco il tempo di respirare. Mi vedi come sto? Cazzo, ultimamente non me ne va bene una. Il mio partito si sta disgregando. D'Antonio mi fa una guerra insensata. La gente…

– Fermati, ti scongiuro. L'elenco dei guai no. Ricordati che nessuno ti ha puntato una pistola alla tempia. Hai accettato tu, di tua spontanea volontà, di fare il primo ministro. Io ti ho chiesto solo di dirmi se la Gilardoni è la tua amante. Per regolarmi.

– Non c'è mai stato nulla tra me e la Gilardoni. Non mi piace nemmeno. Vuoi che lo giuri sulla testa di nostra figlia?

– Ti prego, evita.

– Ascoltami, Maria Cristina, come hai sperimentato sulla tua pelle, la cattiveria in questo mondo arriva in particolare da chi ti sta vicino. Questa storia è partita da quel giuda di Siniscalchi, che io ho pure fatto ministro. Nulla ci è risparmiato. Non esistono spazi protetti. Dobbiamo difenderci. Costruirci una corazza impenetrabile. Come i ricci.

Maria Cristina solleva un sopracciglio. – I ricci? Che ricci? Quelli di mare?

– No, no, quelli di terra. Ti appallottoli e cacci fuori le spine. Anche i lupi non possono niente contro i ricci.

Questa storia della Gilardoni è un attacco premeditato per screditarmi. Adorano la favola di Maria Tristina tradita dal marito, la bella statuina cornificata.

– Proprio di questo parlerò con la Reitner. Spiegherò che io e te siamo entità diverse –. Maria Cristina ha un tono vagamente minaccioso che non viene colto dal marito.

– Bene. Però domani sera devi essere una strafiga. Con i capelli nuovi e un vestito esagerato tutti si renderanno conto di che nullità è la Gilardoni al tuo cospetto.

Maria Cristina si stropiccia gli occhi, non è certa di uscire viva da questa giornata. – Tu puoi avere le amanti che vuoi. Non me ne importa delle zoccole che frequenti. Ma nessuno deve saperlo. Ricordati che sei il premier, ti beccano subito. E se ti beccano, io ti lascio il giorno stesso. Lo sai, ti ho avvertito. Non me ne frega nulla che sei il presidente del Consiglio.

– Ti giuro che non mi faccio nessuna storia. E poi con una moglie cosí come potrei. Altro che quella coatta della Gilardoni –. Domenico, senza piú armi, la butta sul cazzeggio. – Ha pure l'ascella importante.

– Piantala.

– Allora, ci vai?

Maria Cristina si prende un paio di secondi prima di rispondere. – Ok.

– E per la pizza con il belga? Ti stai organizzando?

– Sí, – mente.

– Grazie. Ti amo.

– Io pure.

III.

Venerdí 23 febbraio

I.

Che la vita e i suoi meccanismi non abbiano senso Maria Cristina Palma lo ha capito dopo la morte del suo primo marito, Andrea Cerri. Nessun processo razionale o percorso filosofico, ma la naturale conseguenza della ennesima, intollerabile, perdita. Il dolore nell'esistenza di Maria Cristina è ciclico, scompare per consunzione e si rinnova come un bulbo a primavera. Prima e dopo la morte della mamma. Prima e dopo la morte di Alessio. Prima e dopo la morte di Andrea. Un righello che al posto dei centimetri ha i defunti. Non avendo il dono della fede, Maria Cristina lascia che i giorni scorrano limitandosi a viverli con la fatalità del volatile. La vita esiste fino a quando c'è e chissà, forse non termina, ti abbandona e si trasferisce a un altro organismo in una staffetta senza fine. Muore un uomo e nasce una cavalletta, muore una cavalletta e nasce un cerbiatto e tutti, dai virus ai primati piú evoluti, siamo meri astucci, fodere create dal Dna per una ontologica necessità di replicarsi. Per un po', finché non si è risposata con Domenico Mascagni, Maria Cristina ha cercato ristoro negli insegnamenti dei santoni indiani. La reincarnazione induista le andava a genio e ha praticato il rāja yoga ed è diventata vegetariana, ma il disagio di esistere è restato, unito alla sensazione di non aderire completamente alla realtà, non importa quanto forte ci si avviti, è come se le mancasse la guarnizione per sigillarsi. La perseguita un malessere troppo banale o troppo complesso da esprimere. Gli psicoterapeuti a cui si è rivolta gli hanno anche dato un nome, depressione. L'unica certezza di Maria Cristina è che la vita non ha senso. Se avesse un senso, nell'incidente non sarebbe morto Andrea, un uomo pieno di talento, un artista che meritava di campare fino a cento anni. Da quella macchina in fiamme sarebbe dovuto uscire lui e non lei che di talento non ne ha alcuno e non ci sarebbe stata alcuna perdita, anzi, Maria Cristina si sarebbe ricongiunta con la mamma, con Alessio, con i nonni e con Botolo e Pulce, i suoi adorati cani a cui sono stati concessi troppi pochi anni. Perciò la nostra eroina affronta la vita con svagato coraggio, trattando la tristezza come una ferita da cicatrizzare, e a capirla, la vita, non ci prova più. Nulla di ciò che ha fatto fino a oggi le sembra un atto volontario, un reale bisogno, un obiettivo cercato, un desiderio realizzato. Gli uomini la scelgono come un levriero da esposizione. La ingravidano per avere un erede, per vedere se il mix di cromosomi produrrà una genia bella oltre che intelligente. Ma lei è sempre stata uguale a sé stessa. Da bambina felice a orfana, da adolescente in un compound residenziale ad atleta, a stronzetta dei Parioli, a modella, a moglie di, a vedova di, a madre di. Con il passare delle stagioni ha cambiato look seguendo la moda, ha aggiunto le spalline, abbassato la vita ai pantaloni, buttato le pellicce, cambiato la tonalità del fard, ma è sempre la solita Maria Cristina: conformista, noiosa e poco incline ai cambiamenti.

Adesso, però, con il video di Nicola Sarti che giace nella galleria del suo cellulare accanto alle foto di Irene a cavallo, dei vestiti da indossare e dei tramonti in campagna, un'angoscia fisica le intoppa la trachea.

È possibile che quella lí sia proprio lei? Ma com'è che a vent'anni faceva i filmini porno? È lei quella che rideva come una cretina e guardava sfrontata l'obiettivo mentre...? O è un suo doppio tornato dal passato per annientarla e trascinarla nel fango con la sua famiglia e l'Italia intera?

Maria Cristina, la testa sotto al cuscino, precipita in una fossa oscura, l'illusione diurna si è dissolta nel disincanto della notte. Il potenziale distruttivo di quel video ora le è chiaro e giace tremante tra le braccia di un demone che le affonda gli artigli nel petto. Non riesce a muoversi, ha le membra torpide e le coperte le pesano addosso come una lastra di marmo.

«Non deludermi, – le ha detto Nicola Sarti alla fine della telefonata. – Prometti. Non deludermi».

La cinese davanti alla spa era il palo. Quando ha visto Maria Cristina uscire lo ha detto a Nicola Sarti che ha finto di essere lí per caso. E chissà se l'albergo in ristrutturazione era veramente suo. Sente l'alito dell'aguzzino sul collo. Se non è un ricatto, gli somiglia. Cosa vuole? Soldi? Sesso? Oppure riguarda Domenico, il governo?

Si toglie la mascherina dagli occhi, allunga una mano e accende la lampada. Le tre e ventitre. Si alza, ma fatica a poggiare il piede destro, l'alluce è gonfio e fa male. Zoppica fin davanti allo specchio, ha i capelli biondi dritti in testa, il volto disorganizzato dall'insonnia, la pancia gonfia. Sta lí, gobba e sola come mai prima.

Avrebbe bisogno di qualcuno con cui confidarsi, qualcuno che la sorregga e la rincuori. I pochi amici se li è persi quando ha sposato Domenico. Con Andrea frequentava scrittori e editori, ma alla sua morte sono scomparsi. La sua compagna del cuore, Emma Sallok, una modella canadese, è in un rehab in Carolina a disintossicarsi dagli abusi di farmaci. I parenti lasciamoli perdere. Con quel demente di suo padre non parla da quindici anni. Sua cugina Amparo, una mezza suora, fa la spola tra Lourdes e Međugorje. Tutti gli altri, zie e zii, la detestano. Quando Domenico è diventato premier attorno a lui si sono accese luminarie da stadio e chiunque gli stava vicino è stato strappato dalle tenebre dell'anonimato. I media si sono accaniti su zio Livio, su sua cugina Raffaella e il marito dermatologo, che sono finiti al centro di inchieste. Le loro amanti, i loro 740, i loro conti in Svizzera sono stati esposti all'attenzione pubblica. Non hanno torto a odiarla.

La verità è che nessuno, nemmeno un prete, si terrebbe un segreto come quello.

Torna a letto, spegne la luce.

Come fai a dormire cosí? A rimanere te stessa sapendo di essere la protagonista di un video hard che potrebbe essere visto da chiunque? Il portiere del palazzo. La cancelliera tedesca. Tutto il governo. Irene. No, la vergogna è tale che finisci per suicidarti come è successo a tante donne nella stessa situazione. Ci vuole carattere per fottersene. E Maria Cristina sa di non averne.

Chissà che avrebbe fatto sua madre al posto suo. Tutto quello che creava scandalo la eccitava. Prendeva il sole nuda a Mondello. Girava in minigonne striminzite nei vicoli malfamati della Kalsa, era la prima nelle cariche studentesche contro la polizia.

Maria Cristina ricorda quando, non aveva ancora dieci anni, la mamma le aveva detto che l'avrebbe portata a una festa in maschera da suo cugino Edoardo.

A giugno? Le feste in maschera non si fanno a Carnevale?

La mamma le aveva spiegato che no, non è obbligatorio, le feste mascherate si fanno quando si ha voglia. Maria Cristina aveva tirato fuori il vestito da reginetta di cuori usato a febbraio. Le stava già un po' corto. Però era bello, con la gonna di velluto rosso e nero con le file di cuori e la parte di sopra che le lasciava scoperte le spalle e il colletto largo da regina cattiva. La corona purtroppo aveva perso gran parte dei diamanti.

Andando in macchina verso la festa in un palazzo moderno di via della Libertà, aveva chiesto come mai suo fratello portasse jeans, scarpe da ginnastica e felpa.

«È vestito da Gnuzzo». Aveva risposto la mamma senza dargli peso.

«Da Gnuzzo? E chi è?»

Teresa Sangermano aveva parcheggiato la Mini Minor. «È un personaggio che si veste normale».

«Ah. Non lo conosco».

In ascensore Maria Cristina si era messa la corona e impugnando lo scettro si era specchiata. Perfetta. Ma una volta entrata nell'appartamento si era accorta che lei era l'unica travestita, gli altri invitati erano normali.

«Oh, guarda! Mi hanno copiato tutti. Sono tutti vestiti da Gnuzzi», aveva sghignazzato Alessio.

La bambina era scoppiata a piangere ed era scappata via.

L'avevano ritrovata un'ora dopo a piazza Politeama che piangeva disperata su una panchina.

La madre aveva dovuto rincorrere la figlia che continuava a urlare: «Sei cattiva». Solo offrendole un gelato era riuscita a domarla. Si erano sedute a un tavolino di *Caflisch*.

«Perché mi hai fatto travestire?» La bambina aveva affondato la lingua nella panna.

La madre si era accesa una sigaretta. «Dimmi una cosa, sei felice quando ti dicono che sei bella?»

La bambina aveva fatto sí con la testa.

«Ricorda che questa bellezza non te la sei conquistata. È un dono che ti abbiamo fatto io e tuo padre e devi saperla portare, proprio come il vestito da reginetta. Oggi, se fossi stata spiritosa, te ne saresti fregata degli altri e avresti fatto vedere a tutti chi era la regina della festa. La bellezza, senza coraggio, è un guaio. Proprio perché sei bella non verrai presa sul serio e ti dovrai impegnare cento volte di piú delle altre per dimostrare che sei intelligente, profonda, per non essere usata e trattata come una scema dagli uomini. Tuo nonno è il primo che ha portato dall'America il latte detergente in Italia e la nonna sa prendere al lazo i buoi. Tuo fratello sa tuffarsi di testa dallo Zingaro. E tu che sai fare? Sai piangere e scappare come Gina Mangano, la figlia del panettiere? Noi che abbiamo il sangue dei Sangermano, dobbiamo fottercene del giudizio della gente. Persino tuo padre, che è uno stronzo, ha scalato l'Everest. Tu, gioia, non emergi per carattere, ma almeno impara a portare la bellezza come una regina. Capito, amore mio?»

La moglie del premier si infila la mascherina.

Datele del cloroformio.

Ore quattro e quaranta del mattino. Velocità sette. Pendenza otto. Pulsazioni centocinquanta. La moglie del premier fasciata in una tutina nera corre sul tapis roulant cercando di sottrarre combustibile alla centrale termoelettrica che le divora il cervello. Stilettate di dolore le avvolgono il polpaccio ogni volta che poggia l'alluce sulla striscia di gomma che si srotola sotto i suoi piedi. Oltre i vetri della veranda, nel cielo di Roma luminescente come plancton, filano i gabbiani.

Maria Cristina ripensa a quanto poco sia servito il discorso che le aveva fatto la madre. Dopo la sua morte, era stata viziata dai nonni e nessuno si era occupato della sua istruzione. Era ignorante come una zappa, senza interessi e bella, ma di una bellezza priva di sensualità: stretta di bacino, piatta come un maschio, buona per le foto di moda. Lo sport le riusciva, ma mancandole l'agonismo le vittorie non la eccitavano. Poco dopo la maturità, durante una gara si era rotta il crociato e aveva abbandonato l'atletica. Terminata la riabilitazione era andata a stare nell'appartamento del nonno in via Barnaba Oriani con il fratello che era iscritto a Legge ma non dava esami. Nel libero regno di Alessio Palma si festeggiava giorno e notte, si ordinava al telefono risotto agli scampi nei ristoranti stellati di via Denza, si mettevano in conto all'alimentari casse di birra e vodka, mentre i filippini lavavano a terra. L'attico era noto a Roma Nord per essere la base operativa di pariolini figli di papà e pischelle della scuola francese. L'ingresso era consentito ai borgatari se provvisti di fumo e coca. Tutti bivaccavano sui divani di Gae Aulenti, s'immergevano nella jacuzzi del terrazzo con lo stereo a palla mentre la polizia, chiamata dai vicini, chiedeva i documenti alla porta.

Maria Cristina ci aveva messo un attimo a adeguarsi allo stile di vita del fratello. Non aveva passato l'esame di ammissione a Odontoiatria e aveva deciso che lo studio non faceva per lei. Per la ninfetta dei Parioli tutto era una noia, un accollo, un'angoscia. Nulla di serio, di pesante doveva incrinare la fatua superficie sulla quale pattinava. Essere spensierati e non fare un cazzo dalla mattina alla sera era la giusta ricompensa per i dolori inferti dal destino. S'impegnava solo a svuotare la carta di credito del nonno. Al resto ci pensava Alessio, il pazzo, quello che si gettava con il parapendio e impennava a 200 su corso Francia. L'unico uomo che amava e che la faceva divertire.

L'estate del 1996 Alessio affittò una barca a vela, caricò sorella e amici e partirono per una lunga crociera. Di quel viaggio a Maria Cristina sono restate piú sensazioni che ricordi. Il calore asfissiante delle cabine, il puzzo di nafta della sentina, Alessio nel vano motore coperto d'olio e l'odore stomachevole del cessetto chimico. Il coro delle cicale sui pini aggrappati ai costoni di roccia delle Eolie. La brezza sulla randa. La mozzarella rinsecchita nella carta bianca e spessa, macchiata dal rosso dei pomodori. Il porto di Lipari che ribolliva nel lezzo dell'acqua ferma, i parabordi blu, il fondo verdognolo d'alghe solcato dai cefali. Le ore passate nei bar, i tavolini di plastica bianca, l'asfalto cosí caldo che ustionava le piante dei piedi. Le pizzette rancide e le arancine vecchie.

Nicola Sarti è parte del quadro, nulla di piú. Uno che ricorda di aver baciato sotto le stelle di San Lorenzo.

«Eccola. Era grandissima, – avrà detto lui puntando il firmamento. – L'hai vista?»

«No. Hai espresso un desiderio?» avrà chiesto lei.

«Sí».

«Non dirlo se no non si avvera».

«Ok. Allora vediamo se si avvera».

E si sono baciati. Roba da adolescenti. Ma da lí come è finita in quel video nella cabina?

Maria Cristina spegne il tapis roulant e con il fiatone, nel silenzio della casa che dorme, va nello studio.

Seduta sul divano, la fronte lucida di sudore che riflette lo schermo del portatile poggiato sulle ginocchia, la moglie del premier digita «porno» sul motore di ricerca. Apre il primo link e si trova di fronte a una scacchiera di fotogrammi colorati. Nella gran parte ci sono donne bianche con ragazzi neri, in altri agglomerati umani, fruste e falli di dimensioni ragguardevoli. Migliaia di atti sessuali catalogati con precisione per etnia, età, genere, orientamento, perversione, parte del corpo, luogo, qualità dell'immagine. Sotto i video, i titoli tradotti in un italiano improbabile: la mia stepsister nel mio ufficio vuole solo sesso anale, la fidanzata tettona ti fa una handjob colorata, adorate il cazzo lentamente e cosí via. Clicca su celebrity. È un fiorire di donne famose. Scarlett Johansson, Eva Mendes, Madonna, Nicole Kidman. Molti sono spezzoni di film in cui si vedono innocenti nudità o scene di sesso. Poi ci sono i video con le sosia delle attrici, alcune simili e altre che non c'entrano nulla. Vagando ne trova un paio in cui hanno attaccato digitalmente la testa della celebrità sul corpo di una pornostar. L'effetto è meccanico, poco realistico, posticcio. Se questo è il risultato, non ci sono dubbi che quella con Nicola Sarti è lei. Digita sul motore di ricerca del sito il suo nome e preme invio chiudendo gli occhi, quando li riapre si trova di fronte a tanti quadratini. Il primo s'intitola *Maria Cristina Palma sex tape*.

Pronta all'apocalisse clicca play. Il nero dei primi fotogrammi si trasforma in un corridoio di un hotel. Due ragazzi di colore, decorati con tatuaggi e scritte che nemmeno un vagone della metropolitana, conversano avanzando verso la macchina da presa, bussano a una porta e scoprendo che è accostata sghignazzano complici. Un sorriso si schiude sulle labbra di Maria Cristina. All'interno la stanza è buia e loro sguainano le torce dei telefonini. Una ragazza nuda ma con gli stivali fino alle ginocchia li aspetta mangiando una lunga baguette. In effetti un po' le somiglia. È magra, alta, ha qualcosa del suo viso, pure i capelli lunghi e castani ricordano i suoi. Maria Cristina resta ipnotizzata a guardare quell'amplesso macchinoso. Si domanda cosa può aver portato una ragazza cosí bella e giovane a entrare nel mondo del porno. Soldi? Piacere? Droga? Guai?

– Maria Cristina.

Il cuore le salta in gola, schizza in piedi cacciando un
verso strozzato e il portatile le cade, batte sul bordo del
tavolino e finisce a terra.

– Oddio… Perdonami… – Sulla porta dello studio c'è
Greta, la ragazza alla pari che la fissa. – Scusa. Ho sentito delle voci. Ho creduto…

– Cosa? Cosa hai creduto? – le risponde Maria Cristina
avvampando d'imbarazzo. – Vuoi farmi morire?

– Mi dispiace. Scusa. Scusa, – ripete la ragazza mortificata. – Ho pensato ai ladri. A quest'ora… – Ha ancora
il cappotto addosso, un cappello di lana calato sulla fronte
e un mazzo di garofani rosa in mano.

– A quest'ora torni? Non puoi fare cosí tardi, Greta.
Domani devi lavorare. Dove sei stata? – La riempie di
domande cercando di metabolizzare l'idea che la ragazza
l'ha beccata a guardare i porno. Il portatile nonostante lo
schermo chiuso continua ad ansimare. È tentata di saltar-
ci sopra per zittirlo, ma se lo impedisce.

– Sono uscita con un mio amico. Mi ha portato al pub. I
garofani me li ha regalati lui. Poi siamo andati al Gianicolo.
Abbiamo fatti tardi, lo so, – risponde Greta con il suo lieve accento tedesco, come se fosse interrogata dalla polizia.

– Fila a dormire, – le ordina Maria Cristina con un tono materno.

La ragazza scompare nel corridoio. Penserà quello che
deve pensare. Almeno il buio ha nascosto la vergogna
che le infiamma il volto.

2.

Con la scusa del dito ha di nuovo annullato l'allenamen-
to con Mirco Tonik. È cotta, non è piú riuscita a prendere
sonno e il terrore non s'è dissolto all'alba.

Daisy sta passando il reattore di un Boeing 747 sui tappeti del salotto. In mutande e maglietta, il dito che pulsa, Maria Cristina si trascina per casa senza sapere che fare di sé stessa. La giornata si annuncia faticosa da attraversare come il deserto del Sinai. Dovrebbe prepararsi per l'intervista, ma non ne ha voglia, meglio pensare alla pizza del ministro belga e a cosa mettersi stasera all'Opera.

Esce sul terrazzo. Il freddo le punge le gambe. Il sole è avvolto in un panno grigio. Si affaccia dalla balaustra. La vita brulica indifferente nel frastuono delle auto sul lungotevere, nelle sbuffate degli autobus, nei flessibili che tagliano il ferro sulle impalcature e nelle vibrazioni piú sommesse dei lavori stradali.

– Cri. Scusami. Mi puoi aiutare?

Maria Cristina si gira tirandosi giú la maglietta per nascondere il sedere.

Sopra la veranda c'è Luciano a quattro zampe. – Mi reggi la scala, per favore? Ho un bustone pieno di foglie e ho paura che mi cadano.

Lei si avvicina alla scala di alluminio e la blocca.

Luciano gattona impacciato fino al bordo del tetto. – Bisognava togliere le foglie dalle grondaie, erano tutte intasate. E poi visto che mi trovavo ho rimesso a posto le tegole, un sacco erano spostate, i gabbiani, sempre loro –. Ruota su sé stesso offrendole la visione di una striscia di chiappe bianche e pelose. – Qua devo stare attento, che la grondaia è delicata –. Allunga un piede alla cieca fino a quando con la punta dello scarpone da lavoro non sente il piolo. – Ecco. Fatto. Un attimo –. E portandosi dietro l'enorme bustone scende. – Su ho visto un paio di coppi rotti. Oggi passo dallo smorzo, spero di trovarli. Sennò vado a Torvaianica dal calabrese che ha i coppi antichi e ha pure i pavimenti di cotto originale, quello ottocentesco,

che secondo me lo porta via alle chiese –. Le parole gli salgono impetuose, schiumano nella bocca e sgorgano fuori
come da una fonte. Può andare avanti ore raccontando di
marmisti rumeni indolenti, maioliche difettate, cappotti
termici, bonus ecologici e smalti per pavimenti. L'universo fai da te di Luciano è regolato dai prezzi al grossista,
dalla qualità dei materiali e dai tempi di posa. Parlando
si smarrisce nel grande Bricofer che è la sua mente, spie-
gandoti con l'entusiasmo di un bambino che i tasselli per
il cartongesso sono diversi da quelli per il muro di mattoni e difficili da trovare se non dai grandi rivenditori sul
raccordo. È un almanacco di serrature che si aprono con
le lastre radiologiche, di guarnizioni per caldaie difettose,
di certi crostini mozzarella e alici al bar di un centro commerciale sull'Ardeatina. Storie senza fine che tutte insieme formano la sostanza di quest'uomo dalle spalle cadenti
e dalla scorza dura.

Lui è ancora accanto alla scala. – Capito? Non bisogna
mai fidarsi dei colori...

Maria Cristina annuisce, un piede sull'altro, le braccia
incrociate sul petto, gli occhi spersi.

– Pensa che una volta su delle mattonelle ho trovato
la cera delle candele, quindi che vuol dire? Chiesa. Ovvio. I preti si sono venduti tutto. Il problema del cotto
antico è che le pianelle sono alte due centimetri e mezzo, bellissime, ma bisogna segare le porte. E a te va di
segare le porte?

Maria Cristina indica la veranda. – Scusa, Luciano, ho
freddo, vado in casa.

– Scusami, hai ragione. Si gela. Vai dentro. Veloce. Io
parlo troppo –. La incita. – Corri. Corri.

Maria Cristina rientra nel calore della veranda seguita
da Luciano, che chiude la vetrata e le sfrega le manone sul-

le spalle come fosse una figlia appena uscita dalla piscina.
– Però pure tu che esci cosí, Cri. Sei matta.

Lei si gode quell'abbraccio fraterno.

– Allora, Cri, Tati ti ha preparato una busta di carciofi, cime di rapa e cavolo nero. Li ho dati a Daisy. Li puoi cucinare tutti insieme, ci viene fuori un minestrone... Se poi ci aggiungi il guanciale e l'olio di Fara Sabina che ti ho portato, piace pure a Irene.

Tatiana Lomidze, la moglie georgiana di Luciano, è un elfo smilzo e silenzioso con due occhietti che brillano come gocce di petrolio. Maria Cristina ha cercato di invitarla a casa, ma Luciano dice che è timida e si vergogna. Vivono nel bilocale di Cesano e affittano un pezzetto di terra dove coltivano un orto. Luciano una volta si è lasciato scappare che hanno provato ad avere un figlio, ma nulla. La fecondazione assistita non piace a sua moglie e hanno lasciato perdere.

– Tu la sai fare la pizza? – gli domanda Maria Cristina.

– So fare la pizza georgiana. Il *khachapuri*.

– Cos'è?

– È una pizza ripiena di un formaggio, il Sulguni, che in pratica è tipo provola affumicata. Ci si mette l'uovo. Buonissima. Te la faccio...

– No. Io devo fare la pizza beneventana.

Luciano è perplesso. – Beneventana?

– La conosci?

– Mai sentita. Conosco la cosacca. Con il pecorino e il piccante. Ottima.

– E la pizza normale, la margherita, la sai fare?

– Certo. Ci vuole tempo, otto ore se fai la lievitazione veloce. O sennò si compra l'impasto. Io la prendo al *Disco Volante*, il pizzettaro è amico mio...

Lo ferma. – La sai cuocere nel forno a legna?

Lui si mette le mani sui fianchi. – Be', sí, ci vogliono le fascine. La legna buona. Il faggio. Dovrei anche avere una pala da qualche parte. Quella di...

Maria Cristina gli stringe le mani e sfodera il suo miglior sguardo orfano e sexy, quello capace di far crollare pure le statue dell'isola di Pasqua. – Verresti domani in campagna ad aiutarmi? Bisogna pure pulire la canna fumaria del forno. Puoi?

Luciano balbetta. – Ehm... Ecco... Dovevo andare a pescare il coregone con un mio amico a Bolsena... Va bene, gli dico che andiamo il prossimo weekend. Trovo tutto io.

– Veramente?

– E certo. Che problema c'è?

Maria Cristina gli poggia la fronte su una spalla e un groppo, come un masso che si stacca da un costone, le frana dentro, sotto i piedi le si spalanca una voragine, cosí s'aggrappa all'omone affondando le unghie nella maglia sintetica e si ritrova a singhiozzare, travolta dal pianto.

– Cri! Cri! Ohi? Che succede? Perché piangi? Ho detto qualcosa di sbagliato?

Lei si nasconde con le mani il volto impiastricciato dalle lacrime. – Niente. Non è niente. È che tu sei cosí buono. Pensi sempre a me.

– Ma non c'è bisogno di piangere. Ti prego, Cri... – Luciano allarga le gambe e se la stacca di dosso. – Per favore, mi fai piangere pure a me. Che hai?

Maria Cristina fa un passo indietro, gli occhi immersi nelle lacrime, tira su con il naso. – Nulla. Scusami.

– Non è vero. Che c'è?

– Ora mi passa –. Si asciuga le guance.

Luciano le cerca lo sguardo. – Almeno posso fare qualcosa?

– No, purtroppo no.

– Ah –. Lui deglutisce. – Perché?

– Perché no. E poi mi vergogno a parlarne.

– Cri, tu non potresti mai fare nulla di cui vergognarti.

Lei lo rivede com'era a quindici anni, quando, beccati a fare sega, si prendeva le mazzate dal padre per coprirla.

– Ho un guaio tremendo.

– Non me lo dire se non puoi, ma dimmi almeno come aiutarti.

Maria Cristina si avvicina alla vetrata, poi torna da lui. – Giura.

– Cosa?

– Giura che non lo dirai a nessuno.

La testa di Luciano, come quella di una testuggine, rientra nelle spalle. – A chi lo devo dire? Io non conosco nessuno.

– Non importa. Giuralo su di me che sono tua sorella.

– Su di te?

– Se lo dici a qualcuno io muoio.

Luciano s'inginocchia a terra, mano sul petto. – Giuro. Non lo dirò a nessuno. Morissi in questo istante.

Maria Cristina si siede, si schiarisce la voce e gli racconta senza una pausa del Circolo Canottieri, della cinese, del parrucchiere, del video, di lei sul tetto dell'albergo che parla con quello e della scorta che la cerca. – Hai capito?

Luciano scuote la testa. Allora glielo rispiega meglio, questa volta facendo ricorso a soggetto, verbo e complemento.

Luciano la fissa con l'immobilità di una gallina faraona. – Ma perché hai fatto il video?

– Per divertimento. Sai come sono i ragazzi. Ero ubriaca. Io nemmeno me lo ricordavo –. Senza rendersene conto si stringe un seno sentendo la consistenza della protesi. – Ho una paura terribile.

– Di cosa?

– Come di cosa, Luciano? Se lo fa vedere a qualcuno, se lo mette in rete, sono finita.

– Ma lo vuole fare?

Maria Cristina solleva le spalle.

– Te l'ha detto? – chiede Luciano.

– Ha detto che lo cancella. Ma non lo so, forse lo usa per ricattarmi. Non si manda un video cosí alla moglie del presidente del Consiglio. Potrebbe chiedermi tutto. Soldi, favori...

– Ma che si vede?

– Tutto, Luciano. Tutto. Hai presente i porno? Uguale –. A Maria Cristina cala la voce mentre si domanda quali immagini stiano passando nella mente dell'uomo.

– Non lo pubblicherà, vedrai. È una cosa vostra. Si vergognerà pure lui.

– Può essere. Ma sono nelle sue mani. Sai quante donne sono state rovinate dai filmini messi online?

Luciano s'illumina. – Bisogna andare dalla polizia.

– Non si può. Dovrei mostrarglielo. E non mi fido.

Lui si gratta la nuca. – Parlane con Domenico, allora.

– Sei pazzo? Quello ci resta secco.

Luciano prova a rassicurarla. – Vedrai che lo cancella.

– E chi ci garantisce che lo farà veramente? – Maria Cristina sta perdendo la pazienza.

Lui è ammutolito, consapevole dei suoi limiti. Si sente in colpa perché non sa come aiutarla e ciondola per la veranda spostando il peso da una gamba all'altra.

– Scusa, hai ragione, la cosa si rimetterà a posto, devo solo stare tranquilla –. Maria Cristina poggia i gomiti sulle ginocchia e si copre il volto con le mani. Come diavolo le è venuto in testa di confidarsi con Luciano? Di tutti i possibili confessori ha scelto il piú inutile. E lo ha pure stravolto e mortificato.

– Ci parlo io con quello.

Maria Cristina solleva lo sguardo. Luciano è davanti a lei, pugni stretti, cosí congestionato che sembra sul punto di esplodere.

– Ci parli tu? E che gli dici?

– Che se prova a farlo vedere a qualcuno lo ammazzo. Quanto è vero Iddio lo ammazzo, non scherzo. A te non deve farti male nessuno. Nessuno si deve permettere.

Maria Cristina si alza stirandosi la schiena. – No. Non è possibile. Vuoi finire in galera? – Gli prende le guance tra le mani. – Tu aiutami con la pizza che devo fare bella figura con un ministro belga. Ti voglio bene.

– Io pure, – risponde Luciano con la voce sconfitta.

3.

Maria Cristina è seduta accanto alla figlia dentro una Mercedes che odora del profumo miscelato per la sua pelle da un famoso laboratorio francese e di caramelle alla cannella di Irene. Sono in fila da mezz'ora sotto il temporale, aspettando il loro turno per entrare all'Opera. La pioggia cade fitta e bianca sotto i riflettori della facciata del teatro allagando i sampietrini in cui si specchiano i neon del ristorante *Matriciana* e della pizzeria *Jerry 1*. La piazza è presidiata dalle camionette della polizia e dai pulmini delle televisioni. Un cordone di agenti in tenuta antisommossa è schierato di fronte a un gruppo di lavoratori petrolchimici che si accalcano contro le transenne urlando, ma all'interno dell'auto filtra solo il ticchettio della pioggia, il resto è un'animazione silenziosa. Il traffico. I volti esausti degli operai. I flash dei fotografi.

Dalla coda di auto nere sbarcano le signore che, come coccinelle, nascondono sotto i cappotti le ali dei vestiti, mariti e compagni le trascinano a braccetto sulla guida di panno rosso zuppa d'acqua. Le hostess fanno del loro meglio per riparare gli invitati con ombrelli gialli sponsorizzati da una marca di pasta.

– Tra poco tocca a noi. Preparati, tesoro –. Maria Cristina tira su il collo del cappotto.

Irene, con la coda di cavallo, la gomma in bocca e un vestito di velluto nero, le siede accanto stringendo *Il Piccolo Principe* tra le mani. Lo porta con sé ovunque. È sgualcito e ha la copertina stinta. – Preferisco aspettarti in macchina con Davide.

– Preferisci, ma non puoi. Mettiti l'impermeabile, su. E quando scendi attenta a non bagnarti i piedi. Caterina ti aspetta. Io ti raggiungo dopo nel palco.

Irene infila il romanzo in tasca mentre la madre si dà un'ultima occhiata al trucco nello specchietto. Controlla di avere i capelli in ordine e scruta per l'ennesima volta i messaggi sul cellulare prima di infilarlo nella borsetta.

Nicola Sarti è scomparso. È spesso online su WhatsApp. Forse è un buon segno, se avesse voluto qualcosa si sarebbe fatto sentire.

L'auto si ferma davanti alla passerella. Maria Cristina prende un respiro e il cuore, sensibile alle occasioni pubbliche, sale di ritmo. Si copre la testa con un foulard dorato, la portiera si spalanca e Caterina con un loden verde tirolese, sotto un ombrello, di corsa prende per mano Irene.

– Mi raccomando, non rispondere alle domande dei giornalisti, – sussurra alla madre prima di portarsi via la figlia.

Appena Maria Cristina Palma esce dall'auto la piazza esplode in urla, fischi, applausi, insulti al governo, a suo marito, ai politici attaccati alle poltrone e a lei, ovviamente, che è la regina dei merdoni. Abbagliata dai flash Maria Cristina intravede oltre i contestatori le immancabili ragazzine che la seguono ovunque con i cellulari, nemmeno fosse una cantante o una star di Instagram, sono bagnate fradice ma non mollano. Le saluta mentre due ali di hostess e uomini della sicurezza le si stringono intorno. Attraverso la grande vetrata appannata intravede la ressa nel foyer. È quasi fatta. Le resta da superare la mandria di giornalisti che le arriva addosso.

– Maria Cristina, che pensa della dichiarazione che ha fatto oggi suo marito sulla legge patrimoniale? A pagare saranno proprio i grandi patrimoni come il suo. È pronta a sacrificarsi per gli italiani? – urla una piccoletta riccioluta e ostinata che si aggrappa come un macaco a due colleghi maschi.

Maria Cristina riesce, senza dire una parola, a scappare all'interno del teatro dove il calore dell'umanità le leva il respiro. Non ha nemmeno il tempo di ambientarsi che le aprono un varco tra gli invitati e la spingono su un tappeto azzurro che la conduce al muro dei fotografi. Le assistenti le tolgono il cappotto e il foulard e la gettano in pasto agli obiettivi nel suo nuovo splendore di bionda.

Questa serata è fondamentale. Deve risplendere come una madonna bizantina e rispedire a calci in culo la sottosegretaria alla Pubblica amministrazione a Fossanova Scalo nell'Agro Pontino, con le vesti stracciate a chiedere pietà a santa Maria Goretti, patrona di Latina. Deve risultare evidente anche ai ciechi che solo un malato di mente può preferire una tamarra come la Gilardoni a sua maestà Maria Cristina Palma, che per di piú oggi ha l'asso nella manica. Il nuovo taglio. Già con questo ha vinto. Per l'abito ha avuto un inconveniente. La sua stylist, Amelianna Lo Sardo, è alle Maldive e lei si è dovuta arrangiare da sola. Ha tirato fuori tutti i vestiti dal guardaroba. È partita da un golfino di cachemire e pantaloni alla caviglia neri, semplicissimi ed è passata a un vestito di Capucci che sembrava un'istallazione d'arte contemporanea. Tra mille dubbi e ripensamenti, dopo aver mandato le foto al Bruco, ne ha scelto uno usato una volta a Cannes con Andrea, quando il romanzo *La casa di stelle* era stato adattato per il cinema da un famoso regista francese. Qualcuno lo noterà, ma chi se ne frega. L'abito firmato da Hiro Itoki, stilista giapponese che adesso si diletta nell'arredamento di acquari piantumati, è decisamente troppo per l'occasione, ne è consapevole. Il tessuto è una garza dorata trasparente. Ha le maniche lunghe, lo scollo a *v* le taglia in due il seno passando audacemente accanto alle areole e si avventura oltre lo sterno aderendo come una seconda pelle alla vita, ai fianchi, al sedere e alle cosce fino alle ginocchia e lí si apre in una girandola di petali che le nascondono i piedi. Come non bastasse è ricoperto da piccole borchie dorate, ma dalle ginocchia in giú le borchie lasciano spazio a una selva di nastrini anch'essi dorati. Intorno al collo le gira una collana di fili e piccole sfere, ovviamente d'oro.

L'apparizione della moglie del premier cosí addobbata e con quel caschetto biondo è una epifania per i fotografi che emettono bagliori come lucciole urlando a me, qui, per favore qui, a me, guardami, guardami, Maria Cristina. Lei ruota su sé stessa, inarcando la schiena. La natura da manichino su cui posare abiti prende il sopravvento, ma la timidezza continua a guizzare argentina come un banco di acciughe nel suo celebre sguardo malinconico.

All'improvviso due mani la girano e si ritrova faccia a faccia con la sottosegretaria alla Pubblica amministrazione che l'abbraccia e la bacia a favore dei fotografi come fossero migliori amiche. Maria Cristina ci mette qualche istante a realizzare che tutta 'sta baraonda è stata organizzata perché l'incontro tra la moglie e l'amante avvenga lí, di fronte alla stampa.

Il Bruco. Quell'essere infido ha messo a confronto le donne del premier per elemosinare un po' d'attenzione.

Maria Cristina si sforza di essere piú statuaria ed elegante possibile, di allungarsi come una gazzella, ricambia le effusioni con grazia, i muscoli tesi a marcare la differenza di altezza e portamento.

Purtroppo per lei la Dani, come la chiama Domenico, conosciuta in parlamento con il nome di battaglia di Too Much, ha ventinove anni e questa sera è in una forma strabiliante.

Per ognuno di noi esiste nella vita un momento preciso e irripetibile che dura settimane, a volte giorni, in cui offriamo al meglio la nostra bellezza al mondo. Capita a tutti, perfino ai piú disgraziati, ai disarmonici, ai deformi, a Efialte di Trachis e al gobbo di Notre-Dame. Ci svegliamo una mattina e siamo belli. I nostri difetti, per miracolo, s'intersecano tra loro e s'annullano producendo un effimero stato di grazia e armonia. La bellezza ci pervade come un fluido e ci ammanta la pelle, la profuma, s'insinua nelle radici dei capelli lucenti e sani. Anche i piú distratti, anche i nostri detrattori, se ne accorgono e ci guardano con gli occhi dell'amore. Tutte le cellule che ci compongono, trentamila miliardi, un universo intero, per un tempo infinitesimale onorano la perfezione del creato raccontando la mirabile evoluzione che da aminoacidi ci ha portati, come dice il sommo Shakespeare, a quel capolavoro che è l'uomo, un angelo allorché opera.

E proprio stasera la sottosegretaria alla Pubblica amministrazione per un capriccio del fato è in questo stato di grazia. È la stella che illumina il foyer dell'Opera e risveglia dal letargo pure i vecchi fotografi, che si sentono riportati ai tempi della Loren e della Mangano. La pelle elastica e ambrata, come se fosse appena tornata dai Tropici, è tesa a contenere il petto che esplode di salute. La criniera crespa, color grafite, degna di una principessa abissina, complotta con gli occhi scuri e infidi come il fondo di un pozzo limaccioso in cui chiunque, uomo o donna non importa, si getterebbe fino a farsi esplodere i polmoni. Quest'aura che la circonda si offuscherà presto, ma ora sta mettendo in difficoltà la nostra eroina. D'accordo, le mancano l'eleganza, la presenza, l'altera freddezza da top model ma in uno scontro tribale, nude e armate di scudi e lance, la sottosegretaria trionferebbe con i suoi polpacci pieni e quelle chiappe adatte a twerkare. Anche i tatuaggi che le ornano le spalle e le braccia di edera, piccoli insetti e rondini svolazzanti, incutono timore nell'avversaria.

Maria Cristina, con un sorriso cucito sulle labbra, è annichilita. La Gilardoni è pure vestita bene. Un top bianco, una stola di seta color zafferano e una lunga gonna nera, semplicissima, che rende ancora piú inappropriata e parossistica la confezione che incarta come un torrone Sperlari la moglie del premier.

Sono queste beffarde capriole dell'esistenza che rendono Maria Cristina Palma inadatta a sostenere le sfide del presente. Non ha la furbizia e la noncuranza necessarie a non farsi spiazzare da un improvviso cambio di look di una contendente al trono. Cui si aggiunge l'incapacità congenita a mettersi nei panni del prossimo e a intuirne le mosse. Come un dinosauro fatica a cambiare strategia mentre gli altri, al contrario, sono serpenti in grado di mutare pelle e trasformarsi: da destra a sinistra, da buoni a cattivi, da cafoni a eleganti. È questo il bello della vita, cambiare.

La sottosegretaria, bisogna riconoscerlo, sarà pure una coatta come dice Domenico, con la pronuncia distorta dall'accento ciociaro, una che in infradito e mutande vota la legge sull'eutanasia e rivendica su Instagram la gioia di mangiare a crudo le salsicce fatte da zio Tato, però arriva all'Opera e con un colpo ben assestato mette al tappeto la vecchia regina con la freschezza irresistibile della debuttante.

Maria Cristina, cosciente di aver perso il match al primo round e con le palle che le girano, si fa scortare nel buio misericordioso dei palchi.

Primo atto della *Tosca*. Il palco galleggia nel buio della sala e Cavaradossi, un cantante nero con il fisico da centometrista, intona la famosa aria *Recondita armonia* nella cappella degli Attavanti.

Il pubblico, stipato in platea e nelle gallerie, si è quietato e gode della voce del tenore. L'orchestra nella buca colma di musica il teatro.

Alle donne del premier è stato riservato il palco reale dove hanno trovato salatini, olive rinsecchite e uno spumante scadente. La sottosegretaria non ha toccato niente perché pratica l'autofagia. – Cioè, mi mangio da sola. Le mie cellule sane si mangiano quelle vecchie e danneggiate. Mi autocannibalizzo. Mi nutro durante una finestra di sei ore. Una fame, non sai cosa sono capace di ingurgitare in quelle ore. Tu, Maria Cristina, sei fortunata a essere cosí magra. Io esplodo da tutti i pizzi.

La moglie del premier non capisce perché la Gilardoni faccia tanto l'amica. Si sono incontrate quattro volte in croce e ogni volta ha voluto renderle palese l'intimità che ha con Domenico. Frasi bisbigliate all'orecchio, pacche sulle spalle e risatine.

Per fortuna tace quando si spalanca il sipario e la chiesa di Sant'Andrea della Valle appare tagliata dalle caravaggesche luci di scena.

Maria Cristina chiude gli occhi.

Uno degli ultimi ricordi che ha di sua madre è legato alla *Tosca*. Nella villa di Mondello, d'estate, sulla terrazza coperta di maioliche azzurre facevano colazione con le brioche e i cannoli, i cani che dormivano allungati al sole. Mamma aveva perso i capelli per la chemioterapia e le ricresceva una spazzola grigia, cosí strana per lei che aveva una massa di capelli rossastri che acciuffava in code disordinate. Il corpo, senza piú carne, traspariva tra le garze sottili del chimono color pesca. Le avevano portato in terrazzo una poltrona e lei ci sprofondava dentro. La bombola grigia sul carrello, il tubicino trasparente che si srotolava fino alle narici, il bicchierino in cui gorgogliava l'ossigeno, lo stereo portatile sul tavolo con la Callas che cantava insieme alle cicale, alle marmitte delle vespette truccate oltre il cancello, allo sciabordio lontano del mare e alle grida dei bambini sulla spiaggia. Le sembra di rivederla che sorride, esausta e dignitosa, a lei bambina, con il costume pieno di sabbia, i sandali di cuoio che ti fanno la vescica sul tallone e il materassino sbiancato dal sale sotto il braccio mentre Cavaradossi canta: «Tosca ha l'occhio nero. L'arte nel suo mistero le diverse bellezze insiem confonde».

Quanto le sarebbe piaciuto che sua madre avesse conosciuto Irene. L'avrebbe adorata, è una ragazzina cosí gentile, speciale, amante degli animali. Si gira a guardarla.

Troppo stanca per seguire, si è accoccolata a terra e con le sedie e i cappotti si è costruita una capanna da cui trapela la luce della sua immancabile torcetta, il naso ne *Il Piccolo Principe*, legge muovendo le labbra. Deve preservarla, deve essere certa che non vedrà mai quel video. Che non arriverà un compagno di classe a mostrarle come si divertiva la mamma. Mai. Nemmeno quando sarà grande.

Maria Cristina si porta una mano alla bocca e la fronte le cade sul parapetto del palco mentre Tosca canta: «Vissi d'arte, vissi d'amore. Non feci mai male ad anima viva. Con man furtiva quante miserie conobbi».

La Gilardoni le sussurra. – Tutto a posto?

Si tira subito su. – Sono molto legata a quest'opera. E quando Tosca dice «vissi d'amore» mi commuovo.

– Come sei dolce –. La Gilardoni ha il tono che si usa con un cucciolo. – Non ero mai stata all'Opera in vita mia e non ho capito se mi piace. Quando recitano, meno –. Si fa piú vicina. – Senti. Ti volevo dire che mi dispiace per questa storia di Domenico. Sono mortificata, ma io non c'entro niente.

– Non ti preoccupare. Lo so, – cerca di bloccarla Maria Cristina, indicandole che c'è una *Tosca* in corso.

La sottosegretaria se ne frega. – Era nell'aria da subito questo gossip, appena mi ha scelta. Ma so che tu non dubiti di lui, lui ti ama da morire, me lo ha detto mille volte e soprattutto non devi dubitare di me, ho tutti i difetti del mondo, ma non quello di farmi storie con gli uomini altrui –. Scuote la testa in un sorriso divertito. – Poi con i bordelli che ho in questo momento e Piperno che mi fa la guerra ci manca una storia con il premier. La verità è che io mi diverto tanto con tuo marito. È un uomo spiritosissimo, ironico da morire.

Maria Cristina solleva un sopracciglio. – Davvero?

– Mi spacco. È uno spiscio.

Domenico avrà tanti pregi, ma farti spaccare dalle risate proprio no. O è Dottor Jekyll e Mister Hyde oppure la Gilardoni ha uno strano senso dell'umorismo.

– L'altra sera mi ha raccontato che a Berlino ha mangiato la tempura mentre stava con la cancelliera e ha avuto il cacarone e per poco non l'ha fatta nel samovar regalato da zar Nicola II. Ma te l'avrà detto.

– No.

La Gilardoni è perplessa. – No?

– No.

– Forse si vergognava. Tu sei...

Maria Cristina sta per perdere la pazienza. – Io sono cosa?

Il verde delle luci di sicurezza e il giallo dei ceri della scenografia si riflettono negli occhioni scuri della sottosegretaria. – Be'... sei cosí elegante, cosí chic, sei, non ce lo scordiamo, la donna piú bella del mondo e parlare di cacca con te non sta bene. Non so, sto buttando lí, tuo marito è... – Improvvisa, tirando fuori tutta la sua inflessione basso-laziale. – Veramente, come si fa a parlare di cose schifose con una come te? Tu sei divina, secondo me tu non fai la cacca, fai praline al cioccolato.

Maria Cristina non si diverte. – Che strana idea hai di me.

– Non io. Tutti. Quando parlano di te è come se parlassero di una dea greca, che ne so, Afrodite, Elena –. Daniela Gilardoni schiude un sorriso. – Ti dico la verità. Io ci ho pensato. Per stare con te un uomo deve essere superficiale. Anche Domenico, spero non ti arrabbi, è un po' superficiale.

Maria Cristina sgrana gli occhi, curiosa.

– Aspetta, questa è una mia teoria personale. Non vuol dire che sia giusta. Io penso che una bellezza come la tua metta soggezione. Non so spiegartelo. C'è qualcosa di assoluto che ti sovrasta e quando uno ti sta vicino fa fatica a essere sé stesso. Tu non sei sullo stesso piano del resto dell'umanità. Io, vicino a te, mi sento impacciata, giudicata, fuori luogo, ecco, mi gira la testa quando ti guardo negli occhi.

– Non mi pare proprio.

– Te lo giuro. È come la sindrome di non mi ricordo, quella che svieni al museo quando stai davanti a Michelangelo o a Leonardo...

– Stendhal?

– Brava, quella. Fuggono tutti come moscerini di fronte a te. Per farti un esempio, quando c'è stata la visita del presidente polacco, la moglie, la grassona simpatica, non ti si voleva avvicinare perché era intimorita.

Maria Cristina non replica.

– Questo però non succede ai superficiali, – continua convinta la Gilardoni. – No, ho sbagliato, non ai superficiali, ai narcisisti. A quelli a cui tutto gira intorno, quelli presi da sé stessi e dal proprio successo, quelli che usano le donne come una cosa da mostrare, come un trofeo o la Ferrari da parcheggiare sotto casa. A quelli, se vuoi sapere la verità, la tua bellezza non fa né caldo né freddo, non gli importa nulla di chi sei, dei tuoi sentimenti, ti usano per essere piú fighi loro, ti indossano come un vestito di marca fino a quando gli vai bene. Quelli sensibili, invece, non ti si avvicinano, come se... si sentono in difetto, piccoli. La timidezza e l'intelligenza vanno spesso d'accordo. Per questo le donne belle, speciali come te, sono le piú tristi del mondo e di solito stanno insieme a dei coglioni. Però non è il caso di tuo mar...

In quel momento preciso un clarinetto solitario e malinconico introduce Cavaradossi che attacca *E lucevan le stelle*.

Maria Cristina afferra la mano della Gilardoni indicando il palco. – Ascolta. È bellissimo.

Il teatro intero trattiene il fiato, estasiato dal canto del tenore che dice che muore disperato e non ha mai amato tanto la vita.

Maria Cristina stringe forte le dita della sottosegretaria alla Pubblica amministrazione mentre una scheggia affilata di malinconia le dilania il petto.

Per un attimo ha pensato di avere accanto Diana Brinzaglia.

IV.

Sabato 24 febbraio

1.

Questa notte la moglie del premier ha dormito. Era
cosí stanca che si è portata nel letto Irene, ha aspettato
che si addormentasse (un minuto e mezzo), ha spento la
luce, l'ha abbracciata ed è sprofondata in un sonno senza
sogni, fino a quando Daisy non le ha svegliate.

Ora Davide, l'autista, guida in silenzio mentre la porta in campagna. Maria Cristina ha davanti una giornata
piena. Con Luciano devono controllare la canna fumaria,
accendere il forno e preparare l'impasto per la pizza. In
serata arriveranno Irene, Greta e Domenico e dall'aeroporto il ministro belga. Caterina non l'ha voluta.

L'assistente non ci credeva. – Sicura? E la pizza per il
ministro?

– Non c'è bisogno. Viene Luciano.

– E l'intervista? Guarda che è martedí.

– Riposiamoci.

Caterina, molto frustrata, le ha consegnato un elenco
di domande che la Reitner potrebbe farle e sono rimaste
d'accordo che domenica sera si troveranno su Skype e si-
muleranno l'intervista con l'assistente nella parte della
giornalista.

Maria Cristina non ha intenzione di fare alcuna prova.
Piú ci pensa e piú è sicura che deve improvvisare ed essere sé stessa.

La campagna scivola oltre il guardrail. Sulla terra disso-
data dei campi, scura di pioggia, dormono colonie di gabbiani. Piú in basso, il litorale si distende sul mare opaco
che sfuma in un cielo piatto e lattiginoso. Il sole è il tuorlo
di un uovo in camicia. Maria Cristina si specchia nel finestrino, comincia ad apprezzare il nuovo taglio. Indossa un
vestito di maglina verde petrolio, stretto in vita e accollato
abbinato a dei collant di un tono piú scuro. Un paio di occhiali neri e squadrati dall'aria rétro le nascondono il viso.
Le arriva un messaggio sul cellulare.

LUCIANO
Girati.

Una vecchia Panda azzurra insegue la berlina. Oltre il
parabrezza impolverato, Luciano le fa ciao con la mano.
Maria Cristina allora ne sventola due.

MARIA CRISTINA
Preso tutto?

Le torna un vocale. «Cri, scusami, non posso scrivere,
sto guidando. Ho preso tutto: la farina, il lievito, la pala
per infornare e per sicurezza la pasta cresciuta. Ho portato pure il fior di latte di Agerola. Mi sono informato, la
beneventana che piace al ministro non esiste, quindi ho
preso il salamino piccante per la diavola. Ho conosciuto
un magazziniere belga che mangiava sempre la diavola,
che è una pizza molto comune a Bruxelles...» Lo stoppa.
Controlla la chat con Nicola Sarti.
Sparito.
Che sia finita cosí un po' le dispiace. In fondo era simpatico. Peccato che abbia rovinato tutto mandandole il video.

Certo, come i ragazzini. Che per sedurti ti mandano la foto del cazzo e se non apprezzi la mandano a qualcun'altra.

Scorre la mail con la rassegna stampa della serata
all'Opera. Ci sono decine di foto di lei e della Gilardoni. Un sito di gossip noto per la sua cattiveria intitola il
servizio *Mogli & Amanti.*

La sottosegretaria è parecchio bona ma è lei, con il nuovo taglio, ad aver attirato l'attenzione. È in tendenza su
Twitter. #Nuovotaglio. Il dibattito si è infuocato fra i tra-
dizionalisti, gli entusiasti e quelli che la odiano a prescinde-
re. Ovviamente hanno subito beccato l'ispirazione da *Gone
Girl* e le foto di Maria Cristina e di Rosamund Pike sono
ovunque. Ce n'è una in cui sta particolarmente bene. La salva, torna alla chat con Nicola Sarti, la fissa a lungo e scrive:

> MARIA CRISTINA
> Ciao buongiorno. Come va? Mi sono
> tagliata i capelli. Che dici?

Corregge.

> MARIA CRISTINA
> Mi sono tagliata i capelli. Che dici?

Allega la foto.

Sei sicura?, si chiede senza rispondersi.

È una cazzata che pagherà, eppure le va di farla, ha bisogno di capire se può derubricare questa storia a un segreto che non fa male e non pensarci piú.

Vado?

Vai, le risponde la voce del coraggio frettoloso.

Le due spunte grigie. Gli è arrivato.

È accaldata. Chiede all'autista di abbassare un po' la
temperatura.

L'auto, superato Montalto di Castro, esce dall'Aurelia e imbocca la provinciale che taglia una piana di campi sbiaditi e punta dritta verso una catena di colline basse e brulle. Superano una pompa di benzina che vende gas e bomboloni e una fila di serre di fragole coperte di pvc trasparente. Una fattoria malmessa affaccia sulla strada e vende patate e carciofi. Il limite è novanta all'ora, ma nessuno lo rispetta e se ne vedono gli effetti sulla carreggiata. Resti di gatti, tassi e volpi costellano l'asfalto. Dopo una curva da cui si scorge la ciminiera bianca e rossa dell'ex centrale nucleare svoltano verso l'interno.

Da qui Maria Cristina comincia a sentirsi a casa, si lascia alle spalle il litorale con le spiagge di sabbia e il mare troppo basso, gli stabilimenti degli intellettuali romani, le alici fritte, i Moscow mule all'imbrunire, Capalbio e la sua geriatrica vita mondana, le ville di Ansedonia nascoste dietro muri ricoperti di bougainville.

La strada comincia a inerpicarsi tra le alture coperte di querce, lecci e sughere, la roccia grigia e aguzza forma forre e valloni in cui prosperano cinghiali, caprioli, vipere e istrici. E dove i boschi finiscono si allargano i pascoli, regno di mucche e buoi maremmani. Maria Cristina apre il finestrino e si riempie i polmoni di aria gelida che sa di terra bagnata, funghi e muschio. Se il video dovesse un giorno diventare pubblico e il mondo intero dovesse ammirare le gesta erotiche di Maria Cristina Palma, lei si barricherà nella sua terra, tagliando i ponti con tutto.

Dopo altri cinque chilometri di curve, tra lame di sole e la penombra dei cerri che allungano le braccia sulla strada, svoltano di fronte a un cancello di ferro grigio con su scritto «Tenuta Bastoni» che si spalanca lasciando passare la Mercedes e la Panda. Attraversano un bosco di querce centenarie che crescono tra montagne di ciottoli ricoperti di muschio. Lí dove c'è un po' di spazio attecchiscono specie vegetali rare e protette, molte spinose, che rendono la selva impenetrabile. Superato il bosco di pietra emergono su distese di campi di fieno che digradano fino all'orizzonte di un bianco accecante. Lontano, una mandria di buoi maremmani convive con gli aironi che le volteggiano attorno. Continuano per una strada dritta tra due file di pini romani alti e curvi, le radici, sotto il pietrisco bianco, creano dossi e avvallamenti. In una nuvola di polvere appare un trattore verde e giallo che traina un carro carico di fieno. Con lentezza lascia spazio all'auto, al volante c'è Amidou, un contadino del Burkina Faso che si tocca la visiera del cappellino da baseball sdrucito.

A portare avanti un'azienda di cinquecento ettari sono rimaste una quindicina di persone, qualche anno fa erano quasi cento. E quando c'era la nonna ancora di piú. Famiglie intere occupavano un borghetto non lontano dai fienili.

La proprietà si estende tra boschi secolari e guglie che si affacciano su canyon in cui d'inverno, quando ancora pioveva, scorrevano torrenti impetuosi. Resiste un laghetto, dove tra le canne si riproducono i rari tritoni dorati e una comunità di nutrie. Oltre i pascoli, i campi sono coltivati a frumento, girasole e orzo a seconda delle annate, e un uliveto di quasi mille piante cresce sul fianco di una collina accanto alle vigne che producevano Morellino, Cabernet Sauvignon e Vermentino. Dalla tenuta Bastoni uscivano ogni giorno carne, uova, olio, conserve, vino e formaggi pregiati per rifornire le migliori botteghe della capitale.

Quando Maria Cristina ha preso in mano l'azienda la situazione era già critica per via di annate infelici e per i furti di un amministratore disonesto a cui ha fatto causa. Ma il colpo di grazia lo ha dato l'entrata in politica di Do-

menico. La proprietà è finita sotto gli occhi della guardia
di finanza, degli ispettori del lavoro, degli ecologisti, dei
Nas, dell'Arci, delle associazioni contro la caccia, di quelle
per la liberalizzazione della Cannabis (volevano trasformare i campi in coltivazioni di marijuana), di un gruppo fon-
damentalista neofrancescano che ritiene che le persone al
governo di un Paese si debbano spogliare dei propri beni.
Davanti al cancello hanno bivaccato attivisti dei partiti
green, un paio di ambientaliste tedesche si sono arrampi-
cate su una quercia e una delle due, una notte, si è addor-
mentata ed è precipitata rompendosi il femore.

Due studi legali sono impegnati trecentosessantacinque
giorni l'anno per difendere la tenuta da cause, ricorsi, ver-
tenze e multe. Il risultato è che oggi l'azienda è in deficit e
gran parte dei lavoratori è stata licenziata. Il bosco avanza
mangiandosi i campi, i pochi capi di bestiame si sono in-
selvatichiti e le famose vigne sono sparite tra le erbacce.

Le auto, superati i capannoni vuoti, il vecchio silo stinto
dal tempo, le stalle senza piú animali e una chiesetta con
un portale di marmo bianco, si fermano di fronte a un au-
stero parallelepipedo di pietra grigia che ricorda un monastero medievale, sormontato da un tetto di coppi sbiancati
dai licheni. Le finestre al primo e al secondo piano sono
serrate dietro persiane grigie. Solo quelle del piano terra
sono spalancate.

Intorno, per espressa volontà del bisnonno di Maria
Cristina, non ci sono alberi, forse temeva l'attacco di
qualche esercito straniero o di squadroni di contadini in-
ferociti. L'altro fronte della casa domina un pianoro che
si prolunga come una rampa gialla su pendii di castagni
selvatici e felci seccate dal freddo che a primavera torna-
no a verdeggiare. Nei giorni puliti, dopo le piogge, dalle
finestre del secondo piano si vedono il mare, il Giglio e

alcuni, dotati di buon occhio o fantasia, sostengono di scorgere la Corsica.

Maria Cristina scende dall'auto con il cellulare in pugno. Le spunte di Nicola Sarti sono ancora grigie.

Dalla Panda smonta Luciano che si sgranchisce guardandosi attorno. – Sai quanti anni erano che non venivo?

Maria Cristina scuote la testa mentre l'autista le consegna il trolley.

– Dal battesimo di Irene. Quasi dieci anni. Sembra un po'... – Non trova le parole.

– Abbandonato? – gli suggerisce lei. – Se continua cosí dovrò vendere.

Si presentano Emma e Italo, la coppia di custodi che si occupa della casa. Lui prende la valigia senza salutare e lei domanda cosa desiderino per pranzo.

– A me bastano insalata e un po' di formaggio. Luciano, tu vuoi della pasta? – chiede Maria Cristina.

– Magari. Tiro fuori le cose dalla macchina e comincio a prepararmi.

– Ti raggiungo tra dieci minuti, – gli fa lei, dirigendosi verso la villa.

Dentro fa freddo. Maria Cristina tocca i termosifoni, sono tiepidi. Emma sa da tre giorni che sarebbero arrivati sabato, ma per dispetto o menefreghismo li ha appena accesi.

La moglie del premier attraversa un lungo corridoio con la volta a botte e i muri color salvia che dà su stanze spoglie di ogni arredamento. Nelle camere solo letti messi al centro, e nei saloni un tavolo con intorno poche sedie. Null'altro.

2.

La ragione per cui la villa è spoglia, senza arredamenti, merita un capitolo a sé.

Tutti i mobili di famiglia, l'argenteria, i tappeti e la collezione di quadri accumulati nel corso dei lustri dalla famiglia Salimbene sono stati venduti all'epoca in cui Maria Cristina era sposata con Andrea Cerri.

I due, dopo il viaggio di nozze nell'Artide sulla *Fortitude*, una rompighiacci, si erano trasferiti nella tenuta Bastoni decisi a passare il resto della loro esistenza in campagna. Lui aveva affittato il suo pied-à-terre al Colosseo e lei venduto la casa a Parioli.

La sposa novella si era messa in testa che andando a vivere nella natura il marito avrebbe ritrovato la serenità e la concentrazione necessarie per ricominciare a scrivere. Erano anni che non pubblicava piú niente. Da quando lo frequentava lo aveva visto scrivere solo articoli per giornali, cosa che detestava, ma che s'imponeva di fare per non scomparire. L'esagerato successo del suo romanzo *La casa di stelle*, le traduzioni in tutto il mondo, la trasposizione cinematografica e i premi letterari lo avevano reso abulico, dubitava di avere ancora qualcosa da dire. Abbozzava storie e le buttava via sostenendo che il presente non è degno di essere raccontato, il passato è già stato raccontato da autori piú grandi di lui e il futuro è buono per le mezze pippe.

Maria Cristina era affascinata e intimorita dal superpotere di Andrea di tirare fuori storie dal nulla, di costruire castelli mentali abitati da personaggi immaginari e trasferirli su carta rendendoli vivi e amati dai lettori. Un potere flebile come una fiammella che può spegnersi al primo soffio. Da qualche tempo, diceva lui, non c'era verso di ravvivarla. Ci provava senza convinzione, un giorno era felice, le sei righe che aveva buttato giú erano promettenti, ma il giorno dopo erano una merda. A volte lo sentiva nello studio che prendeva a pugni il tavolo bestemmiando. Non osava chiedergli di leggere qualcosa, di parlargliene, lei che ne poteva capire? Avendo letto tre libri in croce (il suo preferito restava sempre *Madame Bovary*), di letteratura non sapeva nulla. Doveva solo metterlo nella condizione di stare tranquillo, passeggiare con i cani, mangiare cose sane, dormire tanto e non sentire il peso dei lettori che pretendevano un nuovo romanzo. Per farlo tornare creativo era pronta a tutto, aveva abbandonato le passerelle, tanto non ne poteva piú di viaggiare come una trottola e temeva che da solo in quella grande casa Andrea potesse deprimersi. Maria Cristina si sarebbe occupata della tenuta e avrebbero cercato di avere un figlio. Purtroppo, niente andò per il verso giusto. Si scoprí che Andrea aveva problemi di fertilità e i guadagni dell'azienda non erano sufficienti a mantenere il loro stile di vita. Maria Cristina riprese a sfilare diventando anche testimonial di una crema per il viso e di una tinta per capelli. Andrea, chiuso in casa, non si lavava, non si tagliava la barba e usciva solo per andare nei ristoranti dove beveva e prendeva peso. La depressione lo rendeva un vampiro. Di notte non dormiva e di giorno, intontito, si chiudeva nel suo studio a giocare a *Fifa* sulla PlayStation.

Cercando su Internet una soluzione, Maria Cristina scoprí che negli Stati Uniti esistono persone capaci di aiutare gli artisti in crisi. I famosi exit counselor o deprogrammatori. Non era chiaro cosa facessero. Delle specie di psicoterapeuti che rompono i percorsi mentali stereotipati nell'ar-

tista depresso. Con particolari sedute psicoanalitiche au-
mentano il conflitto interiore del paziente esasperandone
le incongruenze esistenziali e introducendo nuovi valori.
Tutto ciò per aiutarlo a riconquistare fiducia in sé stesso
e nei propri mezzi.

Il piú famoso era un certo Michael Mantler che si diceva avesse seguito Mariah Carey, i Metallica, David Foster
Wallace (che tra parentesi si era suicidato) e il rapper San-
te Mariani.

Il percorso curativo durava cinque settimane e costava
una cifra esagerata. Maria Cristina convocò il counselor
da Taos, New Mexico, dove con l'aiuto di medici indiani
Pueblo dirigeva una comunità terapeutica. Ovviamente il
deprogrammatore si muoveva solo in first class accompagnato dalla famiglia composta da Angeni, la giovane consorte
sioux, e tre figli gemelli di nove anni, Akule, Elan e Milap.

Michael Mantler si presentò a gennaio inoltrato con
addosso una maglietta della Juventus tesa sullo stomaco
gonfio di birra, un pantaloncino da mare da cui spuntava-
no due polpacci tondi e glabri e un paio di infradito. La
barba arruffata gli arrivava al petto e ai lati del cranio cal-
vo e abbronzato gli pendevano dei lunghi capelli bianchi
che lo facevano somigliare a Osho o a un poeta della beat
generation. Non aveva mai freddo e andava pazzo per le
pappardelle al tartufo e il cinghiale al buglione. Appena
arrivato si chiuse nello studio con Andrea per indagare i
suoi comportamenti aberranti. Maria Cristina invece era
costretta a portare tutti i giorni la famiglia di nativi ameri-
cani alle terme di Saturnia dove passavano ore in ammollo.
Tornava la sera, lessata, sperando che almeno il suo sacri-
ficio fosse valso a qualcosa.

Ma l'unico risultato fu che il deprogrammatore riuscí
a battere suo marito a *Fifa*. Ci vollero due settimane per-

ché fosse pronto il percorso terapeutico per far tornare lo scrittore agli antichi fasti.

Primo, sbarazzarsi di tutti i mobili della casa. Ogni oggetto che riempiva la villa era pregno della memoria di chi lo aveva costruito, venduto, scelto e acquistato e questo accumulo di memoria interferiva con le capacità artistiche di Andrea, che dovevano agire in uno spazio libero, neutro, senza storia. Andava tutto sbaraccato. In ogni stanza era ammesso un solo mobile, nuovo, da assemblare senza istruzioni. Un divano nel soggiorno. Un materasso nella camera da letto. Il tavolo e le sedie nel salone. I restanti ambienti dovevano essere completamente vuoti. Uniche eccezioni, bagno e cucina. Per quanto riguardava l'illuminazione, doveva essere rossa, di una frequenza precisa, 490 Hz, che si accorda con i ritmi circadiani del sonno.

Maria Cristina, un po' a malincuore, fece riempire tre camion di mobili e mise tutto all'asta.

Secondo, Andrea doveva procacciarsi il cibo da solo come fa un giovane Pueblo nel rito di passaggio all'età adulta. Con arco e frecce (non erano ammesse armi da fuoco), estate e inverno, doveva cacciare i cinghiali, i caprioli e i fagiani che popolavano la proprietà. Poi scuoiarli e mangiarne il fegato ancora caldo.

E cosí per tre mesi, dopo che Michael Mantler se n'era tornato a Taos, Andrea, armato di un tecnologico arco in carbonio e con i pantaloncini mimetici, si aggirò tra boschi e pietraie a caccia di fegato caldo. Tornava la sera infreddolito, graffiato dai rovi e afflitto dai dolori articolari. Il bottino erano un po' di more e qualche volta porcini e cicoria di campo. L'umore gli era migliorato, non scriveva lo stesso, ma Maria Cristina contava che il vecchio Rambo avrebbe presto ripreso la penna in mano.

All'improvviso, lo scrittore, imbrattato di sangue, coperto di grasso e con gli occhi spiritati, cominciò a riportare a casa quarti di cinghiale, viscere e cuori di caprioli. Diceva di aver capito come mimetizzarsi, come diventare tutt'uno con i boschi, annusava l'odore della preda portato dal vento e si trasformava nello spirito del grande lupo, il cacciatore per eccellenza, secondo i pellerossa.

Peccato che Maria Cristina, insospettita dall'alito alcolico di suo marito, scoprí che comprava di nascosto la selvaggina dai bracconieri della zona e durante il giorno si nascondeva in un agriturismo a bere e a dormire. Ma non aveva il cuore di smascherarlo. E cosí ogni sera andava in scena la farsa del ritorno del cacciatore. Di scrivere non se ne parlava piú, Andrea raccontava di aver compreso nelle ore di appostamento che la scrittura era stata un grande equivoco, la vita da selvaggio era la vera via.

Poi la farsa scivolò in tragedia. Andando a Roma per un'ennesima analisi dello sperma la coppia finí dritta a centoquaranta all'ora contro un'autocisterna che aveva perso del combustibile sull'autostrada. L'auto si accartocciò come un foglio di stagnola prendendo fuoco e Andrea Cerri morí arso vivo. Maria Cristina riuscí a liberarsi dalla cintura e a salvarsi, riportando ustioni di terzo grado su un fianco.

Ecco spiegata l'assenza dei mobili nella villa.

Tutto è rimasto uguale ad allora, nulla è stato aggiunto, ma qualcosa si è perso e non tornerà piú, lo spirito del grande lupo.

3.

Maria Cristina attraversa le stanze, entra in bagno, si siede sulla tavoletta gelata e fa pipí. È furiosa con Emma e Italo.

L'hanno salutata appena. Pretendono continui aumenti ma
non fanno piú nulla. E si comportano da padroni. La colpa
ovviamente è sua. Se trascuri un'azienda, come minimo i dipendenti prendono il potere. Se ci fosse stata la nonna tutto
ciò non sarebbe accaduto, lei sapeva farsi rispettare. Maria
Cristina dovrà prendere coraggio e licenziarli. E poi chi si
occuperà della tenuta? Per non parlare della liquidazione.
   Il telefono vibra.

NICOLA SARTI
Sei super, bionda. La nuova Maria Cristina Palma. Giusta per l'intervista. Sembri
piú seria ma nello stesso tempo piú ragazzina. Hai fatto benissimo. Brava!

   Si osserva nello specchio inarcandosi sul water.

                    MARIA CRISTINA
                    Grazie. Sei gentile.

NICOLA SARTI
Dove sei? Che fai?

                    MARIA CRISTINA
                    In Maremma. Appena arrivata.

NICOLA SARTI
Ma dài! Io a Cala Galera. Ho i meccanici che riparano il motore della barca. La
giornata non è granché ma vorrei andare
al Giglio. Vieni?

   Cala Galera è a mezz'ora di auto dalla tenuta Bastoni.
Ma la sta pedinando?
   Maria Cristina spalanca la bocca fissando lo schermo
del cellulare, il terrore non se n'era andato, si era nasco-

sto come una vipera in qualche anfratto della mente per poi cacciare fuori la testa all'improvviso. Maria Cristina cerca di inspirare, si tira su i collant e si guarda gli occhi sgranati nello specchio. Non deve farsi prendere dal panico. Cala Galera è vicina, ma non è lí. I romani ricchi il week-end vanno al Circeo o all'Argentario. Se fosse stato a Manciano, il paese accanto alla tenuta, c'era da preoccuparsi. E in piú le belle barche stanno ormeggiate a Cala Galera.

Si bagna la faccia con un po' di acqua e gli scrive:

> MARIA CRISTINA
> Non posso purtroppo.

> NICOLA SARTI
> Dài, partiamo stasera. E domani ci svegliamo al Giglio. Dànno bel tempo.

O ci è o ci fa. La tratta come una che può fare quello che vuole. E di nuovo in barca? C'è qualcosa di cosí poco premeditato in questi messaggi che la spinge a credere nella sua buona fede.

> MARIA CRISTINA
> Stasera abbiamo un ministro belga da noi.

> NICOLA SARTI
> Peccato. Ci sta pure una coppia simpatica. Mauro e Rosella Singolare.
> Conoscendoti, ti piacerebbero molto. Vedi se riesci a liberarti.

Conoscendomi? Poi non vuole proprio considerare che lei è la moglie del primo ministro italiano e non può andarsene al Giglio insieme ai coniugi Singolare. Comincia quasi a divertirsi.

MARIA CRISTINA
Buon viaggio a voi.

NICOLA SARTI
Grazie.

Maria Cristina si lava i denti, si sciacqua la bocca con il collutorio, si ripassa il rossetto e infine raggiunge Luciano che vuole entrare in azione. Lo accompagna alla vecchia cucina, in un'ala della villa abbandonata. Oltre un portone di legno c'è una rimessa polverosa dove un tempo il nonno parcheggiava la Maserati e che ora contiene sacchi di iuta, fusti per le olive, pile di cassette di plastica bianca. Attraverso un arco passano nell'enorme anticucina, buia e con il soffitto altissimo sostenuto da travi nere di fuliggine e poi nella cucina vera e propria, uno stanzone gelido, illuminato da una finestrella messa troppo in alto, rivestito di mattonelle a quadretti bianchi e neri. Sul lato un lungo piano di ferro nero con i cerchi per i fuochi, gli sportelli di ghisa e i tubi di rame e in fondo uno sgraziato forno a cupola chiuso da uno sportello arrugginito che un tempo forniva il pane a tutta la proprietà.

– Ma è enorme, Cri. Questo ci mettiamo due giorni a scaldarlo, – fa sconsolato Luciano con le mani sui fianchi.

– Dici?

– Dico. Dobbiamo caricarlo tantissimo. Per fare le pizze bisogna arrivare a quattrocentocinquanta gradi.

– Sono tanti?

– Tantissimi. Considera che il forno di casa non arriva a piú di duecentocinquanta –. L'uomo apre lo sportello

sollevando una nuvola di cenere che brilla nel controluce. Con la torcia del telefonino illumina l'interno. – Da
quanto non è usato?

– L'ultima volta che mi ricordo io, ero ancora una bambina.

Luciano scuote la testa, poi prende un giornale e gli dà
fuoco all'interno della bocca del forno.

Maria Cristina osserva senza fiatare il fumo riempire
la stanza.

– La canna è ostruita. Mi sa che la pizza salta –. Luciano ha il tono drammatico di un dottore che preannuncia
l'inevitabile decesso del paziente.

Lei gli afferra la mano. – Luciano, ti prego. Ho il ministro. Che figura faccio?

– Prendile al paese.

– Fanno schifo. E poi Domenico gli ha raccontato che
sono pizzaiola. Non chiedermi perché. Ma non posso de-
luderlo.

Luciano le sorride con gli occhi buoni. – Allora devo
andare sul tetto. Italo mi può aiutare?

Oggi è il giorno libero del custode che ha pure un problema a una gamba. Ci sarebbe Davide, l'autista, ma è capace solo di guidare e guardare le partite sul tablet, non se
la sente di mandarlo sul tetto.

– Ti accompagno io. Che problema c'è? – fa lei con un
entusiasmo esagerato.

– È pericoloso. E se cadi?

– Non cado. Mi metto un paio di scarpe da ginnastica
e sono pronta.

Luciano è poco convinto.

– Fidati, – lo ammalia con occhi da maga Circe. – Sai su
quanti tetti sono salita in vita mia?

– Mi immagino –. Luciano solleva le tre dita che gli restano sulla mano e con voce pratica comanda: – Devi prendere una corda, una torcia e un secchio, sennò niente da fare.

Ed eccoli lí, il tuttofare e la moglie del premier, in equilibrio precario sul colmo del tetto, lui avanti, vacillante come un orso bruno, attento a non rompere i coppi, in una mano un secchio e lei, poco dietro, legata a lui, nel suo vestito verde da cavalletta e le Adidas bianche ai piedi. Il comignolo è sul lato opposto della casa.

– Come va? – fa Luciano senza voltarsi neanche fosse un capocordata su una cengia del Lagazuoi.

– Bene.

Da lí sopra il panorama si allarga tutto intorno a Maria Cristina. A sud, oltre una distesa di alberi che rivestono valli e colline trafitte da lame e costoni aguzzi di roccia, si vede la costa piatta e pastosa che si bagna nel mare scuro e piú lontano il profilo denso del monte Argentario che nasconde piú sfumato il parco dell'Uccellina, Talamone e l'isola del Giglio. A nord, sparso su una collina come granella su un pasticcino, il paese di Manciano, sul pizzo la torre antica e poi una colata di case sempre piú moderne e squadrate. Gli occhi le si riempiono di tutto ciò che è ancora suo, la proprietà di Bastoni con il silo color sangue di bue, le stalle con i tetti di lamiera, i recinti vuoti, i magazzini chiusi e una stradina bianca che, serpeggiando, porta al laghetto invaso dalle canne.

– Non soffri di vertigini? – le domanda Luciano.

– Non dimenticare che saltavo con l'asta. E se cado ci sei tu che mi tieni.

– Non scherzare. Procediamo.

Arrivano al comignolo che è alto e imponente come quello di una fabbrica. All'interno la luce muore e non si vede nulla, se non il nero del fumo incrostato sulle pareti nei secoli dei secoli.

– E ora?

– E ora ci caliamo dentro il secchio e scopriamo se è ostruito –. Luciano si scioglie la corda dai fianchi, l'attacca al manico del secchio e sta per calarlo quando un cellulare gli vibra nella tasca dei pantaloni. Lo tira fuori, è quello di Maria Cristina. Glielo passa.

Messaggio di Nicola Sarti.

NICOLA SARTI
I meccanici non riescono ad aggiustare il motore. Quindi niente Giglio. Ci
vediamo domani? Sarebbe bello se ve-
nissi a Cala Galera. Oppure vengo io
dalle tue parti. Come sei messa?

– Che palle! – sbuffa Maria Cristina abbracciata al comignolo.

È uno stalker.

Oh! Gli hai scritto tu un'ora fa, le ricorda Diana Brinza-glia, che fa il suo mestiere e non la fotti mai. *Pure la foto gli hai mandato. Che ti aspettavi?*

Luciano la vede cambiare espressione. – Che succede? È quello del video?

Maria Cristina fa sí con la testa.

– E che vuole?

– Vedermi.

– Perché?

– Mi tratta come se fossimo amici. Che devo fare, Luciano?

– Digli di no.

– Non posso.

– Perché?

– E se s'incazza e pubblica il video?

– Quindi ti ricatta? Se non lo vedi, lui lo mette su Internet?

Lo sguardo di Maria Cristina scivola sul tuttofare e si perde nell'immensità del cielo. – Non credo. Ma se ce l'ho davanti, forse capisco che intenzioni ha e se lo ha cancellato davvero.

– Dàgli un appuntamento domani. Ti accompagno io.

– No. Devo andare da sola.

Luciano si stropiccia una palpebra e riflette. – Registralo. Cosí hai le prove.

Maria Cristina sgrana gli occhi stupita da quel colpo di genio. – Giusto. E come?

– Con il cellulare. Esistono dei programmi. Lo poggi sul tavolo e schiacci. *Tac*, registri tutto, beccato.

– Perfetto. Domani a pranzo. Non c'è nemmeno Domenico –. Maria Cristina si appoggia sul camino e sta per rispondere quando un rumore vivo, fremente, accompagnato da sibili e soffi riempie l'aria. Solleva lo sguardo e una creatura bianca e piumata sbuca dal camino dispiegando ali leggere come neve che la schiaffeggiano in pieno volto. Maria Cristina caccia un urlo e fa un passo indietro, inciampando in una tegola mentre l'uccello le sbatte contro e per un istante sembra perdere il dominio dell'aria, poi si chiude in una *u* e con un colpo d'ali si trasforma in una *n*, la supera e prende il volo e lei, impaurita, quasi volesse imitarlo, agita le braccia per ritrovare l'equilibrio e il telefonino le sfugge di mano e roteando come la tibia di *2001: Odissea nello spazio* scompare nella canna fumaria.

Il tutto dura cosí poco che Maria Cristina e Luciano non ci capiscono niente.

– Per caso un uccello è uscito dal camino? – fa lui.

– Era un uccello? – chiede lei.

– Credo un barbagianni.

Poi, perfettamente in sincrono, si mettono lei le mani sulla bocca e lui nei capelli. – Il telefono! – urlano e si gettano sul comignolo cozzando le teste.

– Ommioddio. Ommioddio. Ommioddio, – ripete Maria Cristina.

– Porca puttana zozza, – aggiunge Luciano.

– Là dentro c'è il video.

– Sarà finito giú nel forno.

– Si sarà rotto.

– Ha fatto un bel volo. Bisogna scendere giú a vedere.

Maria Cristina si poggia il palmo sulla fronte. – Chiama Davide e digli di controllare, ma non lo deve toccare. Lo deve lasciare lí.

Cinque minuti dopo arriva la risposta. All'interno del forno non c'è nulla.

Maria Cristina guarda nella canna fumaria. – Com'è possibile? È scomparso?

– È rimasto incastrato da qualche parte. Lo dicevo che era tappata.

– E ora come lo prendiamo?

– Non con un secchio. Bisogna chiamare una ditta specializzata.

– Tu sei matto? Quel telefono non lo deve toccare nessuno. E oggi è sabato, chi viene?

– Forse i pompieri di Manciano, se gli spieghi chi sei.

– Mai e poi mai. Questa storia esce su tutti i giornali –. Maria Cristina si batte i palmi sulle tempie. – Ma che ho fatto di male?

Luciano gonfia il petto. – Vado io.

– Tu?

– Sí –. Solleva in alto le braccia. – Scendo cosí, di testa. A siluro –. E goffamente prova a montare sul parallelepipedo di mattoni.

Maria Cristina osserva perplessa l'operazione, non sa bene come dirglielo, là dentro gli entra a malapena la zucca. E se pure ci riuscisse, rimarrebbe incastrato per l'eternità.

– Aspetta. Tu non puoi andare. Non ci passi –. Lo blocca mentre lui è in bilico sulla bocca del comignolo a quindici metri da terra.

– A siluro, no. Ma di piedi, sí. A candela –. Luciano, sprezzante del pericolo, si posiziona come un tuffatore sulla pedana.

Maria Cristina gli si attacca alla caviglia. – No, ti prego, non farlo.

Luciano infila una gamba, ma arrivato al cavallo è costretto ad ammettere: – Impossibile.

La moglie del premier è appesa a una corda a testa in giú, braccia tese, la torcia elettrica tra i denti, che cala nella canna fumaria. Le pareti incrostate di fuliggine inghiottono la luce come l'antimateria di un buco nero. Oltre alla claustrofobia Maria Cristina ha un altro problema, il vestito le si sta arrotolando intorno ai fianchi in un salsicciotto, sigillandola a quel cunicolo stretto e senza fondo. E non ha modo di sfilarselo. L'unica cosa che muove in libertà sono le dita che le brancolano davanti.

– Come va? Tutto bene? – La voce di Luciano le arriva da un mondo lontano.

Se risponde le cade la torcia, quindi mugugna un no mentre la corda le sega le caviglie. Questo buco non finisce mai e la cenere, l'intonaco che si sgretola e si polverizza la stanno soffocando. Li sente amari in bocca, le impastano la lingua e i denti. In quelle tenebre mortali Maria Cristina Palma ha però un'illuminazione, il video non è una priorità della sua vita. Preferisce che l'intero arco parlamentare, il Consiglio dei ministri, tutta Bruxelles e la Nato la vedano trombare con Nicola Sarti piuttosto che spegnersi cosí, sola, in quell'atroce budello. Luciano deve tirarla su, subito, ma continua a dare corda e lei a sprofondare nell'abisso di quel pozzo che le si sta restringendo addosso, la stritola, e infatti poco dopo s'incastra. Impaurita rilassa un secondo la mascella e la lampadina le scivola dalla bocca, ma con un riflesso da camaleonte riesce ad afferrarla prima che il buio la inghiotta. Lamentandosi, sbuffando, snodandosi, strisciando, il sangue che le gonfia i bulbi oculari, le protesi mammarie che le premono sulle costole, piange, il vestito si allunga, si stira ma lei non molla, di piú, ancora, dài, spinge con le braccia contro il muro e finalmente la maglia cede e Maria Cristina ne sguscia fuori come un crotalo dalla pelle e ricomincia a scendere, testa in avanti, centimetro dopo centimetro. Il fascio di luce rivela qualcosa, due puntini luminosi che si allargano in enormi globi, gli occhi di un demone pronto a sbranarle la faccia. A poco a poco dalle tenebre appare un nido fatto di rami, penne, ci sono delle uova e tra le uova il suo cellulare e un barbagianni, la mamma forse, che la osserva con quella corona di piume color crema che gli incorona la testa e non c'è modo di fermarsi, quel deficiente di Luciano continua a dare corda, l'impatto è inevitabile. Maria Cristina arriva sopra il volatile che si chiude in sé stesso a proteggere la covata e tutto, nido, uova, torcia, uccello, donna, precipita giú per la canna. Luciano ha mollato ma poi blocca, il contraccolpo scorre come un'onda lungo la corda e sulle trentatre vertebre della colonna fino alla c1 della moglie del premier che chiude gli occhi e urla e quando li riapre penzola a testa in giú dentro al forno. Con la punta delle dita sfiora la cenere sparsa sui mattoni, attraverso lo sportello aperto filtra la luce scialba della cucina. Il barbagianni, mezzo frastornato, sbattendo le ali, riesce a uscire, la corda cede e Maria Cristina con il vestito lacero, le caviglie legate, si adagia sul piano di cottura.

La spazzacamino ha il suo cellulare in mano.

È restata una buona mezz'ora sotto la doccia bollente, sfregandosi con la spazzola per togliersi la fuliggine finita ovunque. I capelli se li è lavati tre volte. Ma ora il forno brucia che è un piacere. Il tuttofare, come il dio Vulcano, lo alimenta di legna e ogni cinque minuti controlla la temperatura con la termopistola. Sale piano, ma costante. Il ministro mangerà la sua pizza ben cotta. Purtroppo non c'è tempo per fare la pasta e hanno deciso di fingere che quella che ha portato Luciano l'abbia impastata lei.

– Se ti chiede come hai fatto, gli dici che l'hai lasciata crescere ventiquattro ore in frigo e sei ore a temperatura ambiente. E che hai usato un sessantacinque per cento d'idratazione…

– È un ministro, Luciano. Non me lo chiederà.

– No, io lo dicevo solo per sicurezza. Non si sa mai –. L'uomo aggiunge un ciocco al fuoco. – Hai scritto a quello?

– Sí. Gli ho detto di venire qui.

– A casa?

– Sei matto? In una trattoria qui vicino.

– Com'è?

– Non male, si mangia bene. Ed è poco frequentata e conosco i proprietari, che possono testimoniare, aiutarmi, fare qualcosa in caso…

– In caso?

– Non lo so, – chiude Maria Cristina.

– Sei sicura che sia la cosa giusta?

– Questa rogna va risolta una volta per sempre. Se ha intenzione di chiedermi qualcosa lo farà domani. Lo registro e lo inchiodo.

Maria Cristina deve organizzare la cena, ha chiamato delle ragazze dal paese a darle una mano, faranno tutto loro, cucinare, apparecchiare, servire. E per fortuna le hanno comunicato che il ministro ha al seguito solo tre persone ed è una cena informale.

Attraversa il cortile. Ma i cani dove sono? Quando lei è via, Italo li chiude, cosa che lei detesta, e quando sa che sta arrivando li libera. Va al recinto, apre, uno stuolo di bastardini abbandonati dai cacciatori e un paio di grossi maremmani l'assaltano riempiendola di feste.

Quanto ama la sua scorta puzzolente e gioiosa. Si accorge che Pippo, un buffo incrocio tra un bassotto, uno spinone e una iena, zoppica vistosamente. Ha una zampa gonfia e tra le dita la pelle è rossa e tumefatta, segno di un'infezione.

Maria Cristina si dirige a passo spedito verso una casetta illuminata. Bussa alla portafinestra e non ricevendo risposta apre.

Il custode è allungato su una sedia a sdraio di fronte alla televisione. Sul grembo ha un piatto con dei resti di fegato alla veneziana e broccoletti. A terra una mezza bottiglia di vino rosso. La moglie lava i piatti nell'acquaio.

La stanza, dove convivono soggiorno, sala da pranzo e cucina, è un deposito di cibo in scatola che i due comprano ai magazzini della Metro a Roma. Nella luce impietosa dei led del lampadario di Murano scintillano i pensili di formica bianca. C'è odore di umido, cipolla, broccoli e sapone per i piatti. Italo, instupidito dall'alcol, si gira e la fissa in silenzio. Emma, piú sorpresa, le concede un semi-sorriso asciugandosi le mani nello strofinaccio.

Non essendo invitata a entrare, Maria Cristina rimane sull'uscio. – Emma, hai preparato le camere per gli ospiti?

– Sí, quelle al primo piano. Ho messo i piumoni e gli asciugamani.

– Perfetto –. Resta un attimo in silenzio e si rivolge all'uomo. – Pippo non sta bene. Ha una zampa infetta. È venuto il veterinario?

Il guardiano scuote la testa. – Non è niente di grave.

Ecco come ragiona certa gente di campagna con gli animali, pensa Maria Cristina. Le bestie fanno le bestie, i cristiani i cristiani. Questo è l'insopportabile motto della zona.

– Il veterinario ha detto che non poteva passare. Verrà nei prossimi giorni, – aggiunge Italo cercando di rimediare.

È sempre stato un po' bugiardo, ma ora le palle sono cosí palesi che le sembra un deliberato atto di sfida.

Emma viene in aiuto al marito. – E comunque quello è un furbacchione. Domani starà benissimo. Non si deve preoccupare.

Maria Cristina stira un sorriso. Chiamerà lei il veterinario, ma poi sbotta. – Comunque, non è possibile tenere cosí i cani, Italo. Bisogna pulire il recinto tutti i giorni. Non lasciare il cibo a marcire. È normale che si ammalino. E lo sai che li voglio liberi –. Chiude la porta evitando di sbatterla, ma attraverso il vetro li vede confabulare animatamente allora la riapre. – Domani mattina quel porcile deve essere pulito.

Lui la fissa e le dà le spalle borbottando.

– Che dici? Parla in faccia.

Il contadino scuote la testa, come a dire, meglio che te ne vai.

– Che problemi hai, Italo? Parla, su. Non hai coraggio?

Questo, una donna specialmente, non lo può dire a un maremmano doc, a uno che ammazza le vipere con il tacco e bolle le pecore intere nei barili. Gli puoi dire che è un ladro, ma non che non ha coraggio. Il contadino si gonfia come un rospo, il volto avvinazzato sembra una stufa elettrica. Si mette una mano su un fianco, porta un piede avanti, piega l'altra gamba come un arco e solleva il mento in una postura mussoliniana. – Questi lavori non toccano a noi. Noi non siamo i servi.

Perché questi due, si domanda Maria Cristina, sono diventati cosí sgradevoli e prepotenti? Di sicuro non hanno preso bene la riduzione del personale, ora sono costretti a lavorare invece di comandare i braccianti extracomunitari come caporali. Ogni anno, puntuali come una tassa, chiedono l'aumento e lei glielo concede, ma loro continuano a sentirsi sfruttati e a minacciare di andarsene a Pieve di Cadore dai figli che hanno un negozio di bomboniere e oggetti d'arte in ceramica.

– E di grazia, a chi toccherebbero? – La moglie del premier si meraviglia del suo tono pacato.

Il contadino solleva le spalle. È un uomo di poche e confuse parole che, se stuzzicato, è pure capace di metterti le mani addosso. Ma oggi, purtroppo per lui, non ha di fronte la solita Maria Cristina Palma. In questi tre giorni ne ha passate troppe e il video che le pende sulla testa, capace di polverizzarle l'esistenza, le dà l'audacia del fante in prima linea. – Siete voi due che vi dovete occupare della casa. O sbaglio?

Emma emerge come dalla tana delle streghe del *Macbeth*. – Esatto, della casa. I cani non sono casa.

Cosí come lui è ruvido e consumato, lei è minuta, nervosa e i capelli color paglierino hanno la consistenza di una parrucca di cattiva qualità. Soffrendo di diverticolite è stizzosa, il fastidio le ha flesso le linee della bocca che ha una forma all'ingiú e sopra ci alberga un'espressione di disgusto, come se avesse mangiato un piatto di totani avariati.

– Quindi non ve ne occupate?

– Quindi ce ne occupiamo, ma di regola non spetterebbe a noi –. E mani nelle mani Emma si accosta al suo uomo, che se impugnasse un forcone sembrerebbero i due del quadro di Grant Wood.

– Soprattutto raccogliere la merda. Lei prende i randagi in mezzo alla strada perché le fanno pena, ma poi chi pulisce siamo noi, – conclude lui, calcando merda quasi con soddisfazione.

– E chi lo dovrebbe fare?

– Non so. È lei la padrona. Niladri, Nikihil, gli indiani o Amidou, uno dei neri. O il suo amico.

Maria Cristina per un attimo pensa a Nicola Sarti. – Di chi parli?

– Quello che ha acceso il forno.

– Luciano? Che dici? Sei impazzito?

– Io? Lei… – mugugna l'uomo.

Maria Cristina gli fa segno di tacere. – Troverò chi si occuperà dei cani. E della casa.

I due la fissano, non sono certi di aver compreso, si cercano con lo sguardo e scoprono uno negli occhi dell'altro la verità.

È possibile che Maria Cristina Palma, la bambolina d'Italia, cosí la chiamano tra di loro, li abbia licenziati?

Maria Cristina trascina un tubo verde che spruzza acqua gelata e si avvia nell'incerto territorio tra giorno e notte.

È euforica. Li ha licenziati. Ce l'ha fatta. È stato facile. Fa freddo, ma il cuore le pompa sangue caldo nelle arterie. Arriva ansimante alle cucce e comincia ad annaffiare tutto intorno, spingendo gli stronzi e gli orrendi papponi di pane, la carne trita e le crocchette sfatte verso il canale di scolo, mentre i cani, eccitati, abbaiano tentando di mordere il getto d'acqua. Pippo si è affacciato alla porticina della cuccia, ma non si muove.

Basta, si dice Maria Cristina, il suo posto è lí con i suoi cani e la sua terra. Basta con questa farsa della moglie del premier. Ha cose piú importanti da fare. Deve riprendere in mano l'azienda. Ne parlerà con Domenico. Iscriverà Irene alla scuola di Manciano cosí tornerà a essere la ragazzina solare, amante degli animali, sana e non una viziata figlia di papà.

Una fila di fari avanza verso la villa, Maria Cristina chiude il rubinetto, le auto si fermano nel piazzale. Dalla prima scendono gli uomini della scorta, dalla seconda l'autista, Greta e Irene e dalla terza Domenico, Marina e…

Caterina.

Si è presentata nonostante lei le avesse espressamente chiesto di non venire.

La rabbia le gorgoglia sotto il diaframma come idrolitina. Le sembra di sdoppiarsi, una Maria Cristina osserva l'altra caricare a testa bassa. Gli uomini della scorta la vedono arrivare come la regina del grande inverno seguita dai suoi maremmani. La madre prima di scatenare l'inferno si avvicina alla figlia e la bacia, ignora il marito e si avventa su Caterina. – Che ci fai qui?

La giovane sfodera il suo trito sorriso estatico, c'è emo-

zione fanciullesca e gioia, è cosí fortunata a essere lí nel
castello delle favole e ci mette qualche attimo di troppo a
rinfoderarlo. Chiusa nel suo cappottino, il cappello di lana
con il pompon rosso e la pashmina, indietreggia. – Ciao
Maria Cristina. Ecco, ho pensato che ti facesse piacere...

Maria Cristina la incenerisce dall'alto del suo metro
e settantotto. – No, non mi fa piacere. Ti avevo detto
di no. Ma niente, sei dovuta venire.

– Lo so... È che... – La giovane si guarda intorno in
cerca di aiuto.

– È che, cosa? – Maria Cristina è cieca e implacabile come Dike, la dea della giustizia. – Perché non mi rispetti?

L'assistente va in tilt, riesce solo a fare spallucce come
se fosse stata pizzicata a rubare in una merceria.

La moglie del premier si volta verso gli uomini della
scorta che si sono accesi una sigaretta e si godono la scena. Mirtillo, uno dei maremmani, un orso bianco, tuona
un boato accanto al timpano destro di Caterina Gamberini, che si contorce in una smorfia di terrore.

Maria Cristina, senza nemmeno guardarlo, afferra il cane
per la collottola e lo spinge via. – Voi, signori, lo sapete?

Silenzio. Imbarazzo. Tra quelli che fumano in debito
di nicotina c'è anche Domenico, che prima d'intervenire
dà un'ultima boccata. – Calmati, tesoro. Che ti prende?
Ti è utile per preparare l'intervista.

Maria Cristina, in guardia come un pugile sul ring, fatica a staccare lo sguardo da Caterina. – Mi prende che se
chiedo una cosa voglio essere ubbidita.

– Lei non c'entra. Sono stato io a dirle di venire.

– È vero, – balbetta l'assistente, la segretaria, Trilli,
quello che diavolo è.

Maria Cristina la indica. – E comunque per la pizza non
sono necessarie quarantotto ore di lievitazione.

Caterina si guarda attorno strabuzzando gli occhi, come a dire, vedete, è uscita fuori di senno.

La moglie del premier agita l'indice. – Non fare la finta tonta. È inutile. Ti ho sentita nelle toilette, l'altra sera, alla festa. Hai detto che ti faccio pena, che sono scema. Frivola.

– Io? Io non l'ho mai detto. Devi esserti confusa con qualcun'altra. Giuro –. Trilli, voce querula, s'infiamma portandosi una mano al petto. – Come puoi pensare una cosa del genere?

– Non la penso, l'ho sentita.

Lo sguardo del primo ministro rimbalza tra moglie e assistente.

Maria Cristina non è soddisfatta, gira intorno alla ragazza, leggera di gamba, sorridendo e scuotendo il capo, deve assestarle il colpo finale.

Dàlle un cazzotto sul naso, le suggerisce Diana Brinzaglia. *Se lo fai ti stimo.*

– Possiamo parlarne con calma, in casa –. Domenico è imbarazzato. – Non c'è bisogno di fare questa scena qui, davanti a tutti. Per favore. C'è Irene.

– Meglio. Deve capire in che covo di scorpioni vive –. Maria Cristina non si controlla piú. – Voglio che qualcuno, per cortesia, riaccompagni questa signorina a Roma. Non ce la voglio in casa mia –. E poi a Domenico: – Ricordati che questa è ancora casa mia.

Il marito fa un ultimo tentativo. – Sei sicura? Dài…

– Mai stata piú sicura.

Caterina Gamberini ha lo sguardo pietoso di chi sta subendo un'ingiustizia. – Non c'è problema, presidente. Mi dispiace. È tutta colpa mia. Maria Cristina mi aveva detto che voleva stare da sola e io non dovevo venire…

La moglie del premier incrocia le braccia. – Ecco, brava. E quindi vedi di andartene.

– Sí, è meglio, – fa quel mediatore scarso di suo marito. – Michele, portala tu.

L'autista spalanca la portiera con un ghigno.

Maria Cristina è avvolta come un supereroe da una sfera di energia. – Vieni, Irene. C'è zio Luciano, andiamo a salutarlo.

Mamma e figlia, mano nella mano, s'incamminano verso il forno.

– Mamma, che ti è preso? – le chiede Irene.

– Niente. È che quella andava rimessa a posto. Ogni tanto bisogna farlo.

– Io te l'avevo detto.

– Cosa?

– Che sei diversa con questi capelli.

Maria Cristina inclina la testa. – Dici?

– Sí. Sei piú… Non lo so. Piú tipo le mogli dei politici dei film. Hai fatto bene. A me poi Caterina non mi piace. Una volta lo sai che ha fatto? È andata in bagno e si è rubata un profumo.

– Non è possibile.

– Sí! Te lo giuro! Sai che ha fatto? – Irene le si piazza davanti, sbarrandole il passo. – Lo sai che ha fatto? Ha svuotato il profumo e lo ha messo in una bottiglietta di tè freddo e il tè freddo lo ha messo nella bottiglia del profumo. Li ha scambiati, hai capito? Lo so perché una volta mi volevo mettere il profumo, in realtà non ero io che me lo volevo mettere, a me il profumo mi fa venire il mal di testa, era Erica e lo abbiamo preso e lei si è messa addosso il tè freddo e diceva che era strano. E certo che era strano,

era tè freddo. Che poi lo zucchero si appiccica alla pelle –.
Racconta tutto a una velocità supersonica per arrivare il
prima possibile al finale. Irene è cosí, ed è anche per questo
che Maria Cristina la adora, sta sempre muta ma quando
attacca a parlare non la smette piú. E le sue storie sono
troppo complicate e assurde da seguire.

Arrivano da Luciano che sta sonnecchiando accanto al
forno, sprofondato su una sedia, braccia incrociate, testa
sul petto. La cucina è tutta pulita. Il bancone è pronto con
le vaschette di pomodoro, mozzarella, parmigiano, i pa-
netti sono nei contenitori di plastica.

– Shhh… Non lo svegliamo, – sussurra Maria Cristina
alla figlia.

– Ma fai tu le pizze? – bisbiglia la ragazzina.

– Certo. E pure tu.

Irene saltella, non trattenendo un gridolino di gioia che
desta il tuttofare.

I due si abbracciano come se non si vedessero da mesi.

La temperatura nella vecchia cucina è salita e fa un
bel calduccio. Se Luciano aggiunge qualche luce e candela, possono mangiare tutti lí, sul lungo tavolo di marmo.
È molto scenografico, familiare ed è certa che il ministro
apprezzerà.

Spiega tutto a Luciano.

– E quando ti insegno a stendere? – fa lui, preoccupato.

– Ho visto un video su YouTube, tranquillo.

– Tranquillo un corno.

– Mamma, vieni dentro?

Maria Cristina è in ginocchio di fronte alla vasca e sta
lavando la schiena alla figlia. – No, è tardi.

– Dài, due minuti.

– Non posso. Tra poco arriva il ministro.

– Dài, mamma. Un minuto solo. Un attimo. Come quando ero piccola.

Maria Cristina, estenuata, si spoglia lasciando i vestiti a terra e si infila nella vasca. L'acqua le scalda i piedi e le membra infreddolite. – Che bellezza... – sospira. – Ci voleva, hai ragione.

– Hai l'unghia tutta nera. Si sta staccando –. La tocca. – Posso tirarla?

– No.

– Allora facciamo la gara a chi resiste di piú sott'acqua.

– Non mi posso bagnare i capelli.

– Allora conta –. La bambina si tappa le narici e s'immerge a faccia in su, dopo poco riemerge sgranando gli occhi e con il fiatone. – Quanto?

– Trentasei.

– È tanto?

– Tantissimo. Adesso però vatti a vestire. Fila.

Irene esce dalla vasca e lei sprofonda nell'acqua chiudendo gli occhi, sente la figlia che rabbrividisce sfregandosi con l'asciugamano, i piedi bagnati sulle mattonelle.

– Mettiti le pantofole. E fatti asciugare i capelli da Greta.

La porta si chiude e finalmente c'è silenzio. Aggiunge un po' di acqua bollente e con un lungo sospiro scivola fino alle spalle, ma nulla, è una congiura, bussano alla porta.

– Che c'è? – chiede Maria Cristina.

– Sono io –. La voce di Domenico.

– Sto facendo il bagno.

– Ti volevo parlare.

– Adesso esco.

– Posso entrare?

– Dammi cinque minuti. Arrivo.

Domenico fa capolino. – Ho bisogno di parlarti. Io e te da soli. Permetti?

Maria Cristina tenta di affondare in quei trenta centimetri d'acqua. Le viene naturale serrare le gambe e vorrebbe coprirsi il seno con le braccia, ma si trattiene, è pur sempre suo marito.

Lui, discreto, evita di guardarla. – Il belga è in ritardo. L'aereo è partito dopo.

– Bene. Almeno faccio con calma.

Domenico si siede sul water allentandosi il nodo della cravatta. – Mi spieghi che è successo con Caterina? Ha chiamato la Cafiero e la Cafiero ha chiamato me. Le ha detto che si sente maltrattata. Piange. Ha bisogno di un confronto con te.

Maria Cristina solleva gli occhi al soffitto. – Poverina.

– Potevi evitare di aggredirla davanti alla scorta. L'hai umiliata.

– No, non potevo. E se lo vuoi sapere ha detto pure che le faccio pena perché sto con te che hai le amanti. E quindi non la voglio piú vedere. Va licenziata. Fine.

Domenico si alza e si specchia fissandosi i bulbi gonfi e controllandosi le gengive anemiche. – Va promossa.

– Promossa?

Domenico incrocia le braccia, si appoggia al lavandino. – Una cosí, se la licenzi, ti si rivolta contro. Può scrivere, raccontare qualsiasi cosa. Se la retrocedi di posizione è pure peggio. Va promossa.

– Una fa male il proprio lavoro e viene promossa? Cosí funziona?

– Esatto, il contrario di come dovrebbe essere. Se ci tieni la licenzio. Ma non ti stupire se poi trovi la sua merda sparsa ovunque. Siamo sotto attacco. Io ho imparato.

Non parlo, non esprimo giudizi su nessuno, sono un Budda –. Si tocca il ventre gonfio. – Ci vorrà del tempo per trovarle una nuova sistemazione. Devi portare pazienza e conviverci un altro po'.

– L'asciugamano.

Domenico lo prende dalla mensola, glielo porge e si risiede sul water.

– Puoi uscire per favore?

– Che c'è? Ti vergogni? – Il premier lascia scivolare lo sguardo sui seni di sua moglie.

Lei li nasconde con le mani. – Bravo. Vedi che se ti impegni ci arrivi.

– E perché ti vergogni?

– Che vuoi che ti dica? Mi sento vecchia e brutta.

Domenico si poggia un indice sulla tempia. – Tu sei pazza. Sei uno spettacolo, sei una figa spaziale. Fai palestra tutti i giorni, sei uno schianto. Sai quanti uomini vorrebbero stare qui al mio posto in questo momento?

Maria Cristina esce dalla vasca e si avvolge con l'asciugamano. – Ma come parli? Sei uno spettacolo, sei una figa spaziale... Quanti anni hai? Ti esprimi cosí con la Gilardoni?

Lui registra solo il nome Gilardoni. – A proposito, com'è andata? – le chiede svagato.

Maria Cristina, avvertendo tensione, ci mette un po' piú del necessario a rispondere. – Bene.

Domenico prende il rotolo di filo interdentale e ne taglia un pezzo. – Di che avete parlato?

– C'era l'opera.

Il premier si avvolge il filo intorno agli indici. – È stata gentile?

– Perché non doveva esserlo? – Maria Cristina lo sposta dal lavandino e si pettina i capelli. – Abbiamo parlato di te.

– Di me? E che vi siete dette?

Le antenne di Maria Cristina lo sentono fremere in attesa della risposta. – Dice che la fai tanto ridere. Pare che
tu sia un comico. Mi ha sorpreso. Con me sei sempre serio. E invece dice che con lei scherzi tantissimo. Ha detto
che la fai spaccare. Proprio così.

– Che scema... – Sul viso di Domenico si schiude un
sorrisetto vanitoso.

Maria Cristina resta in silenzio, pettinandosi e fissan-
dolo attraverso lo specchio.

Ma quanto si diverte con la sua maschietta? Maschiette,
così chiamava il nonno le sue amanti occasionali. Poggia il
pettine. Raccoglie i vestiti, il cellulare...

Dov'è?

Era accanto alla vasca.

Si guarda intorno, cerca a terra, sugli scaffali, tra gli
asciugamani.

– Che hai perso? – bofonchia Domenico, il filo interdentale tra i molari.

– Oddio Irene –. Con uno slancio Maria Cristina si
precipita fuori dal bagno, sbatte la spalla contro lo stipite
della porta, un piede bagnato slitta sul cotto, riesce a non
cadere ma il telo finisce a terra, nuda lo afferra, supera il
corridoio con la stessa energia di quando faceva atletica,
attraversa il salotto come un ghepardo, taglia per l'ingresso e si trova davanti i ragazzi della scorta, non prova nemmeno a coprirsi mentre quelli fanno partire un applauso.
Sale le scale quattro gradini alla volta, supera una rampa,
un pianerottolo e imbocca il corridoio delle stanze da letto. Si stampa senza fiato contro la porta, in qualche modo
si copre con l'asciugamano e apre.

Irene è seduta sul letto impassibile, sembra l'infanta di
Spagna e Greta l'ancella che le asciuga i capelli.

– Il... cel... lu... la... re, – sillaba Maria Cristina.

La figlia, per nulla stupita, lo indica. È poggiato sul tavolino. – Hai cambiato il pin? Volevo giocare a Candy Crush.

4.

Il ministro è arrivato.

Questa sera Italia e Belgio devono confrontarsi, domani hanno una riunione importante, ma per fortuna Domenico ha deciso che prima si mangia. Quindi, se Dio vuole, sarà una cosa rapida.

Mentre suo marito è al telefono Maria Cristina cerca di intrattenere il ministro, ma non è facile, quello gira per la cucina come un licaone in gabbia.

Wim Claes sembra sbucato da un ministero sovietico degli anni Settanta, ha degli scopettoni appesi davanti alle orecchie, i capelli scuri appiccicati con qualche porcheria sulla fronte lucida. Porta degli occhiali con la montatura pesante, cosí fuori moda da essere di moda. Le lenti gli fanno gli occhi piccoli. Le labbra carnose e femminili si sollevano a mostrare la dentatura forte, giallognola. Indossa un completo carta da zucchero liso che porta con disinvoltura, una camicia bianca con un colletto striminzito da outlet stretto da una cravattona a strisce oblique nere e grigie.

Si veste perché deve, ma potrebbe tranquillamente coprirsi di pelli. È impaziente, educato sotto la sufficienza e non ha alcun riguardo né per Domenico né per lei, di cui dice di essere un grande fan. Le ricorda qualcuno, ma non capisce chi.

In attesa delle pizze il belga si è divorato il salame, il formaggio e due chili di porchetta.

– Come ci siamo conosciuti? – fa lei aggrappandosi al primo argomento che le viene in testa.

– A Parigi. Facevo l'autista. L'ho portata alle sfilate –.
Parla un pessimo inglese.

– Davvero? E poi è diventato ministro?

– Mi sono fatto conoscere. Avevo le idee chiare, – dice
addentando una fetta di lonza.

Domenico le ha raccontato che è il leader di un partito di destra. Lotta contro gli immigrati, il Belgio fuori
dall'Unione europea, tassa unica. La solita tiritera.

– Ha tinto i capelli? – le chiede lui riempiendosi il bicchiere al tavolo del buffet.

– Che ne dice?

– Le stanno bene. Ma prima, se mi permette, stava meglio, piú siciliana –. Per un attimo le caccia gli occhietti nei
suoi. – Ma lei deve essere abituata ai complimenti. Non
ne potrà piú di essere la donna piú bella del mondo –. Lo
afferma con la noncuranza di chi ha a che fare tutti i giorni con le donne piú belle del mondo.

Maria Cristina risponde con un sorriso. – Invece, si stu-
pirà, mi fanno ancora piacere.

Ecco chi le ricorda.

Il professor M.

Il professor M., primario di ortopedia, santo patrono
degli atleti infranti, era amico del nonno. Aveva operato
grandi tennisti, calciatori e Maria Cristina quando si era
rotta il crociato anteriore destro.

Dopo l'intervento il chirurgo le aveva comunicato senza
giri di parole che poteva scordarsi l'attività agonistica. La
ragazza l'aveva presa bene. Soffriva la competizione e i risul-
tati erano discreti ma non eccellenti. L'infortunio era un'ottima scusa per abbandonare le gare con dignità. Il professore
l'avrebbe seguita personalmente nella lunga riabilitazione.

«Ci penso io a questa bella ragazza, – aveva detto al nonno osservando le lastre radiologiche. – Le rimettiamo a nuovo la gamba».

E cosí, ogni settimana, Maria Cristina si recava in una bella clinica su una collina di pini affacciata sull'Olimpica. Entrava nello studio e il chirurgo comunicava alla segretaria che non voleva essere disturbato. La ragazza si spogliava dietro un paravento e in mutande e reggiseno si sdraiava sul lettino.

M. aveva mani fortissime e senza pietà. Mani adatte a cambiare le gomme alle auto o a intonacare i muri, non a operare un cristiano. Eppure, a detta di tutti, era il migliore. Le piegava sempre di piú il ginocchio rigido e legnoso come la zampa di una sedia, facendola lacrimare di dolore. All'inizio Maria Cristina non se n'era resa conto ma, seduta dopo seduta, aveva notato che il professore avvicinava sempre di piú le mani al suo inguine. L'ex atleta aveva le gambe lunghe, ma anche queste a un certo punto terminavano ed era lí che la mano del professore sembrava puntare. Un giorno, come se si fosse stufato, con la scusa di un nuovo esercizio le aveva strusciato le dita proprio lí, avanti e indietro.

Maria Cristina si era pietrificata. Non poteva pensare che quella mossa non avesse a che fare con la terapia. Si era chiesta se dirgli qualcosa, se ritrarsi, ma non osava, se quello poi si offendeva? Se si stava sbagliando? Cercava, per quel che poteva, di stringere le cosce.

Dopo un altro paio di sedute il professore le aveva chiesto con lo stesso tono impersonale con cui le diceva di contrarre il polpaccio: «Spalanca le gambe, per favore. Non fare resistenza. Chiudi gli occhi e non pensare a niente. Lasciati andare. Ti faccio una manovra che dovrebbe eliminare le aderenze. Ti tengo una mano sulla gola cosí stai piú ferma».

La giovane non aveva fiatato.

«Apri, apri ancora le gambe, su, non fa male».

A quel punto le aveva infilato la mano di taglio e aveva cominciato a strofinare il cotone delle mutandine e lei, a occhi chiusi, con la trachea stretta in una morsa, fiatava appena, rigida come un nasello congelato, labbra e palpebre serrate, aveva atteso la fine della seduta sentendo il medico che tirava e cacciava aria dal naso come una pompa per canotti e ogni tanto emetteva un verso come se del pulviscolo gli grattasse la gola.

Stessa storia agli appuntamenti successivi.

Maria Cristina non ne parlava con nessuno, troppa vergogna, troppo imbarazzo, e quando il nonno le chiedeva come procedeva la terapia, rispondeva a monosillabi.

La riabilitazione del ginocchio era dolorosa e quello sfregamento finale, seduta dopo seduta, aveva acceso un fuochino dispettoso, come il calore fiacco di una stufetta in una chiesa gelata, che le s'intrufolava nella carne e che non aveva nulla di bello.

Maria Cristina, a occhi chiusi, cercava di immaginarsi che a toccarla fosse Dario, il ragazzo biondo con l'orecchino che stava nella guardiola all'ingresso del comprensorio dell'Olgiata e assomigliava a Kurt Cobain, ma subito Kurt Cobain si trasformava in un'enorme aragosta in piedi sulle sue zampe arancioni accanto al lettino, le grandi antenne che sfioravano il soffitto dello studio e il carapace pieno di spine appuntite e i bulbi oculari sopra i peduncoli. Affondava la chela tra le sue gambe e se si fosse mossa l'avrebbe decapitata come un pollo.

Maria Cristina usciva dallo studio con lo sguardo basso, disgustata da sé, paonazza, sicura che la segretaria, gli infermieri e i pazienti nella sala d'attesa sapessero tutto e sghignazzassero appena lei era fuori di lí.

Un giorno il professore aveva accolto Maria Cristina con un mazzo di rose scure come sangue e le aveva comunicato che quella sarebbe stata la loro ultima seduta, il ginocchio stava meglio e d'ora in poi di lei si sarebbe occupata la sua fisioterapista di fiducia.

«Ma oggi, cara, devi fare di piú. Sei stata brava, però puoi fare meglio, – le aveva detto serio. – Stenditi e chiudi gli occhi che ti sblocco». Aveva cominciato a toccarla, la solita mano lí e questa volta l'altra premuta sullo sterno come se volesse fermarle il cuore. «Devi essere ancora piú brava. Fammi vedere che sai fare». Lei aveva annuito e l'aragosta con le sue chele aveva cominciato la lenta e implacabile manovra.

Maria Cristina sapeva che il dottore non si sarebbe fermato e si sarebbe spinto dove il suo corpo le chiedeva di arrivare, dove non erano arrivati i suoi fidanzati del liceo. La fiammella si era trasformata in un fuoco che le avvampava nel ventre e le fletteva il bacino come un ramoscello che brucia, la schiena inarcata sulla plastica nera del lettino, le cosce che ci sbatacchiavano sopra, e giú, impietoso, fino ai piedi e alle dita contratte, mentre l'aria le turbinava tra bocca e petto e in un tempo che le si scuciva e ricuciva intorno la fine non arrivava mai (come quando attraversi il traforo del San Bernardo e quel bagliore argentato in fondo non diventa mai luce). Maria Cristina, disperata, la agognava fra le dita di M. che le scavavano dentro senza pietà fino a quando le avevano tirato fuori, come un polpo dalla tana, l'orgasmo che metteva fine a tutto. Maria Cristina, i lineamenti stropicciati, si era torta intorno al polso dell'uomo, lo aveva afferrato forte, affondandogli le unghie nella carne, disperata, implorando Dio, ti prego, ti prego, basta, gli aveva morso il polso e tutta la tensione di quei mesi orribili accumulata nei muscoli l'aveva allungata fremente, proprio come un polpo sul banco di una pescheria. Era restata lí, scossa dalle scariche postume di quella tormenta elettrica.

«Apri gli occhi».

No. Troppa la vergogna.

«Maria Cristina cara, per favore, apri gli occhi», aveva detto M.

Lei si era coperta la faccia con le braccia e aveva fatto no.

«Ho detto apri gli occhi!» Era bastato che la voce del dottore salisse di un'ottava per farglieli schiudere. Di fronte non c'era l'aragosta, ma l'amico del nonno, il genio del bisturi, con dei mocassini squadrati come mattoni, compatto come un bambolotto di lattice, i lineamenti ottusi e lo sguardo che le indugiava addosso. Tra il lettino e sé stesso il dottore frapponeva il ventre gonfio, i pantaloni di velluto verde marcio a costine slacciati, i boxer a rigoni grigi e rosa abbassati e il coso scuro e tozzo come una cicala di mare.

«Apri la bocca».

La testa di Maria Cristina dondolava tra il cazzo e il volto dell'ortopedico.

«Tu hai goduto, stronzetta, ora tocca a me. Apri». Le aveva stretto di nuovo la gola e lei aveva schiuso le labbra e glielo aveva ingoiato lasciandolo fare.

Il nostro organismo non tollera intrusioni. Quando una spina, una scheggia, la mandibola di una zecca penetrano l'epidermide, il nostro sistema immunitario le riconosce come estranee e le attacca per eliminarle, se non ci riesce, ci crea intorno una barriera fibrosa, una cisti, per isolarle e proteggerci. Anche le chele del professor M. con il tempo sono state incapsulate e rese inoffensive, relegate a una brutta esperienza giovanile a cui Maria Cristina pensa ra ramente, chiedendosi come mai non lo ha detto a nessuno, non lo ha denunciato, o semplicemente perché non ha smesso di andare da lui. Cosa è stato? Uno stupro? Un abuso? Un atto consensuale?

Una risposta non se l'è data.

È tornata puntuale da M. ogni settimana e ancora oggi, vent'anni dopo, quell'orgasmo primigenio risuona potente perché ignobile.

Fatto sta che, dopo M., Maria Cristina ha sempre faticato a raggiungere il piacere. Quando sta per venire è come se perdesse concentrazione, si scollasse, come un volantino da un muro. Conosce il significato del sesso in una coppia felice, lo ritiene essenziale per legarsi al suo compagno e dimostrargli il suo amore, indispensabile per generare la prole, ma non la eccita, a dirla tutta l'annoia e quando deve è maestra a fingere. Le rare volte che ha goduto è stato il frutto di un incontro occasionale con uomini che l'hanno schiacciata contro il muro del bagno di una discoteca o presa senza cura in un'auto nelle tenebre di una strada alberata.

Maria Cristina segue con lo sguardo il ministro belga che si aggira intorno al buffet con quel modo di fare impunito, sicuro, da padreterno. È indifferente al fascino della villa e della cucina illuminata con eleganza, alla tavola apparecchiata con i colori della campagna maremmana. Non ha salutato né le cameriere, né Luciano, né Greta, ha elargito una carezza in testa a Irene solo perché è la figlia del premier.

Maria Cristina sa di essere desiderabile nel suo tubino nero che le nasconde appena le gambe. Sente su di sé gli sguardi dello staff del ministro, due giovani uomini sulla trentina, bellocci, e una rossa prosperosa e un po' consumata, ma il loro capo non la degna di un'occhiata. Il predatore da buffet si muove a scatti come un velociraptor, parla a voce troppo alta con quella lingua piena di consonanti, comandando ai suoi chissà cosa e questo, a essere franchi, la irrita.

– Maria Cristina?

La moglie del premier si gira. – Sí?

– Non dovevi fare la pizza? – le chiede Luciano impaziente. – Ho preparato tutto.

– Giusto –. Maria Cristina si alza. – Hai ragione –. Si avvicina al ministro che ora sta parlando con Domenico seduto al tavolo. – Ma noi due non dovevamo fare la pizza?

Wim Claes la guarda, finge di non ricordare, ma poi risponde. – Giusto.

Domenico indica il forno. – Vi accompagno.

Il ministro segue Maria Cristina al bancone. – Come me la fa?

– Come la vuole lei. Ho cercato la pizza beneventana, ma non sono riuscita a trovare gli ingredienti. Se mi dice com'è fatta, forse riesco a prepararla.

– La beneventana... Piccante. Con il salame.

– La diavola?

– Esatto. L'ho mangiata a Benevento.

Maria Cristina lancia un'occhiata d'intesa a Luciano e si infila il grembiule. – La facciamo insieme?

– Posso? – Lui le annoda i lacci dietro la schiena, si toglie la giacca e si arrotola le maniche della camicia scoprendo dei tatuaggi sbiaditi e disordinati. – Lei comanda, io eseguo.

I due staff si radunano intorno al bancone armati di cellulari, pronti a riprendere e a postare. Irene è risorta dal sonno e continua a dire che lei la vuole con il prosciutto cotto.

– Bene. Prendiamo il panetto. E lo stendiamo –. Maria Cristina usa il tono degli chef della tv. – Va spianato e allargato, spingendo l'aria verso i bordi –. Solleva la pasta e la sbatte con una mano. – La pizza è dispettosa, va schiaffeggiata sennò non viene buona.

Il ministro la imita, sculacciando il panetto e facendo lo sguardo cattivo, poi ride di gusto. È un trionfo. Tutti applaudono.

Luciano, pala in mano, divorato dall'ansia controlla l'esecuzione. Domenico, oltre il bancone, inebetito dalla stanchezza sorride alla moglie.

Spargono il pomodoro, la mozzarella, il basilico e l'olio. E ovviamente fette di salamino piccante per quella del belga.

Luciano inforna dichiarando: – Un minuto e mezzo.

Tutti controllano gli orologi. Alla fine quella del ministro esce fuori piú tonda di quella di Maria Cristina, che sembra l'Africa.

Wim Claes le siede accanto, la pizza gli ha cambiato l'umore, continua a ripetere a bocca piena che è la migliore della sua vita.

In effetti sono croccanti e lievitate, con il cornicione alto e maculato.

– Fa sempre cosí? – Il ministro indica Domenico che è di nuovo al telefono in un angolo della cucina, accanto alla segretaria che gli sta mostrando qualcosa sul tablet.

– Capita spesso.

– Io quando mangio non parlo mai al telefono.

– Buon per la sua digestione.

– La chiamano *Maria Tristina* –. Lo dice in un pessimo italiano. – Che significa Maria triste, giusto?

– Sí.

– E perché?

La moglie del premier lo fissa. – Ho gli occhi malinconici.

– La malinconia è la felicità di essere tristi, ha detto Victor Hugo –. Indica la mezza pizza di Maria Cristina ancora nel piatto. – Dammela, se non la mangi.

– Non ne vuole un'altra? Gliela faccio fare subito.

– No, voglio la tua.

Maria Cristina lo fissa poi gli passa il piatto.

– O forse sei triste perché fai una vita che non ti piace? Tuo marito gode piú a comandare che a stare con te –. Piega la pizza con le mani e la addenta.

– Cumannari è megghiu ca futtiri, – gli dice Maria Cristina in siciliano. E glielo traduce.

Il ministro quasi si strozza dalle risate.

– E sua moglie?

– Non ho una moglie, – dice Wim Claes masticando. – La tua non è tristezza, è noia.

– Guarda, la verità è che mi annoio a parlarne, – ribatte lei, irritata per non essere abbastanza arguta da rimetterlo a posto con una battuta migliore.

Questa voglia che il belga ha di parlarle dopo che non l'ha degnata di uno sguardo tutta la sera, questo tentativo spiccio di psicoanalizzarla, di pretendere il resto della sua pizza, non è che un ennesimo, infantile, maschile modo di corteggiarla.

Il velociraptor ha ceduto.

E come la notte precedente Maria Cristina dorme sodo. Con la lucidità che emerge a volte dal sonno piú pesante, si dice che domani con Nicola Sarti sarà tranquilla, non avrà paura e chiuderà per sempre questa storia. E se non sarà cosí, lo dirà a suo marito.

V.

Domenica 25 febbraio

I.

– Maria Cristina… Maria…

La moglie del premier emerge di colpo dal sonno e si sfila la mascherina. – Sí? Che c'è?

La stanza è buia. L'alba s'intrufola appena tra i tendaggi che tappano le finestre. Una bava di luce si insinua dalla porta socchiusa del corridoio.

– Ti volevo salutare, – sussurra Domenico. – Sto partendo.

– Oddio… – È ancora immersa nel sogno, sente sui polpastrelli la pelle fredda delle ali di pollo che cuciva con un filo per farne una collana per Irene. – Ma che ore sono?

– Le cinque e quaranta. Ci vediamo a Roma, domani non ci sono. Martedí sono a Londra.

Maria Cristina intuisce il profilo del marito seduto sul letto, il profumo di dopobarba, il fumo e il caffè nell'alito.

– Va bene. Ci sentiamo piú tardi? – taglia corto lei senza lasciar trapelare il fastidio per essere stata svegliata.

– Sí. Certo –. Pausa. – Tutto bene?

Maria Cristina si tira un po' su. – Stavo dormendo. Che c'è?

– Italo e Emma mi hanno detto che li hai licenziati.

Maria Cristina si stropiccia un occhio. – Sí. Non li voglio piú. Troverò qualcun altro –. La mano di lui scivola sulla coperta e le accarezza una spalla.

– Ma stai bene? Ieri ti ho vista strana.

– Perché?

– Be', per fare un esempio, sei corsa nuda per casa. Hai anche cacciato Caterina in quel modo.

– No. È che... – Non sa che dire. – Sono solo un po'... – La frase muore lí.

– Mi sembri un po' esaurita.

– Devo riprendere in mano la proprietà. Sta andando in rovina. Dobbiamo parlarne con calma.

– Ricordati che Emma e Italo te la possono far pagare.

– Va bene, pagherò, ma non subisco ricatti da quei due.

Domenico annuisce, poi come se l'argomento fosse chiuso le dice: – La pizza era buonissima.

– Io non ho fatto niente. È stato Luciano.

– Ho visto che parlavi con il belga. Che impressione ti ha fatto?

Niente, deve chiacchierare. – Uno stronzo. E non è un mio grande fan. E nemmeno tuo.

– Di che avete parlato?

– Stupidaggini. Lasciami dormire, ti prego, sennò non riesco piú a prendere sonno.

– Sí, scusami. Ci sentiamo dopo, allora. Dormi.

Maria Cristina sente le sue labbra fredde sulla fronte, ma non si alza dal letto.

– Che hai deciso per l'intervista? – le domanda.

– In che senso?

– Sei sicura di volerla fare?

– Avevi detto che dovevo. Ora non vuoi piú? Il Bruco ha cambiato idea? Vi prego, ditemi che devo fare.

– È che mi sembra che questa intervista ti destabilizzi. E non voglio che ti senta responsabilizzata, il governo non è in mano tua, hai sempre detto che non vuoi entrarci. Stai tranquilla, non mi devi aiutare per forza. Se preferisci rinunciare, dimmelo, capito?

C'è un lungo silenzio in cui Maria Cristina sente le auto della scorta accese nel cortile. – Capito. No, non rinuncio. Ho dato la mia parola alla Reitner.

– Be', per quello troviamo una scusa.

– Se non vuoi che la faccia, parla chiaro.

– Ma sei pazza? Io voglio che tu la faccia. Scherzi? Va bene, dài. Io vado.

– Tirami le tende, per favore –. Lui esegue e si chiude la porta alle spalle.

Maria Cristina sente i passi di suo marito sul pavimento del corridoio, gli sportelli che sbattono, le auto che partono scricchiolando sul pietrisco e finalmente silenzio.

Si rinfila la mascherina. Per la prima volta da quando sono sposati ha la sensazione di avere suo marito in pugno, è terrorizzato dall'intervista, ma non ha i coglioni per ordinarle di non farla.

Come ha potuto pensare di parlargli del video?

La mattina scorre lenta, avviluppata in una cappa di nuvole fumose. La natura è ferma, sfiatata, la terra è nuda e intirizzita in attesa di un segnale per risvegliarsi. I cani, dopo l'eccitazione della sera prima, sonnecchiano sparsi lungo i muri della villa. Irene dorme. Greta dorme.

Luciano è partito, ma era pronto a restare. Le ha chiesto ancora se volesse essere accompagnata al pranzo con Nicola Sarti.

– Quando ho finito ti chiamo, – gli ha promesso lei.

Ora deve solo aspettare l'ora di pranzo, non riesce a svagare la mente. Nicola Sarti, il dio della paranoia, le tiene compagnia.

Esce a cercare Pippo. Lo squadrone di cani la segue abbaiando, ma Pippo non c'è. Lo trova nella rimessa fra le ruote del trattore, acciambellato sopra la paglia.

– Pippo…

Il cane la fissa, testa bassa e coda tra le gambe.

– Fammi vedere, buono.

L'animale trema, ha la zampa gonfia, le dita rosse e calde. Respira veloce, la lingua gli ciondola al lato della bocca. Lo prende tra le braccia e lo porta in casa, ma non ci vuole stare, si acquatta davanti alla porta. Lo fa uscire. Chiama il veterinario. È domenica, non risponde.

In bagno, di fronte allo specchio, rossetto in mano, si vede decrepita ed è incapace di nasconderlo con polveri e colori. Il veleno che Nicola Sarti le ha iniettato comincia a trasudare all'esterno, la pelle ha perso elasticità, gli occhi sono sbattuti, nota nuove rughe che scorrono dal naso alle labbra. E detesta quei capelli biondi.

2.

Sulla provinciale per Manciano, dopo una curva a gomito appare all'improvviso l'insegna della *Trattoria La Quinta Stagione*, un tavolaccio scurito dalla pioggia con le lettere impresse a fuoco, come d'ordinanza in campagna.

La stradina bianca che porta al ristorante attraversa filari di viti e costeggia un lungo recinto dove tre rottweiler inseguono guaendo le auto che passano. In fondo, il parcheggio è attorniato da sculture di legno ricavate da tronchi. L'opera estrosa della motosega di qualche artista locale. La cascina è stata rimodernata. L'intonaco sintetico color pesca, gli infissi di plastica bianca e una lunga veranda di vetro e alluminio hanno tolto ogni grazia alla costruzione.

Il Defender beige che di solito si usa solo all'interno della proprietà Bastoni si ferma in una nuvola di fumo. La portiera mangiata dalla ruggine si spalanca e ne esce una donna nascosta da un foulard e da un paio di occhiali da sole, il travestimento che nella zona identifica la moglie del premier in incognito.

Non ci sono altre macchine, Nicola Sarti non è arrivato. Ma manca ancora un quarto d'ora alle tredici. Maria Cristina a casa non resisteva piú.

Nella locanda la luce che filtra dalle finestrelle non basta a rischiarare i muri di pietra grigia. Come sperava, non c'è nessuno.

Maria Cristina supera l'irrinunciabile macina di mulino su cui sono adagiati barattoli di sottolio, cosce pelose di suino, bottiglie di amaro, pasta di farro. Sui muri una sfilata di teste di cinghiale mangiate dai tarli, i tavoli sono apparecchiati con le tovaglie a quadri, dentro un camino di pietra arde un fuoco allegro e scoppiettante e sotto la griglia un tappeto di brace viva è pronto ad accogliere salsicce e costate. In un imponente frigorifero vetrato sono disposti tagli di bistecche da tutto il mondo, argentine, danesi, brasiliane, mongole e locali. La carne passa dal nero al bianco del grasso, al rosso sanguigno, al rosa pallido.

L'accoglie il figlio del padrone, un tipo cerimonioso dalla dentatura importante. Oggi è vestito in completo blu con collettone rigido, le chiede, se non è troppo, una foto, per lui, ovviamente, non da postare e Maria Cristina è costretta a togliersi gli occhiali da sole e a sorridere.

– Ho bisogno di un po' di privacy. Come le ho detto al telefono.

– Tutta la veranda è per lei, signora. Nessuno la disturberà –. Il ristoratore si poggia una mano sul petto come se fosse una questione d'onore. – L'accompagna Dana. Prego. Nell'attesa le faccio arrivare un bouquet di salumi.

Va lí da vent'anni, ma non hanno ancora imparato che è vegetariana.

Una giovane cameriera con la pelle bianco latte e tinta di nero corvino, intimidita dalla sua presenza, la fa accomodare al tavolo piú freddo ma appartato della veranda.

– Le porto un po' di vino? – domanda con un'inflessione dell'Est.

Maria Cristina guarda l'orologio. L'una meno cinque. Non dovrebbe, ma un po' di alcol può darle coraggio. – Va bene. Poco. Mezzo litro.

Apre il cellulare e scrive a Caterina.

> MARIA CRISTINA
> Ho parlato con il presidente. Ci sentiamo piú tardi.

Poi cerca di studiare il programma di registrazione. È semplice, basta spingere il tasto rosso. Solo che deve farlo mentre lui non la vede e oscurare subito lo schermo.

Arrivano il vino, il pane e il bouquet. Su steli di grissini sono avvolti petali di prosciutto, lonza, salame, speck e grappoli di salsiccette.

Si riempie il bicchiere e a sorsetti beve il rosso pastoso e alcolico che le sale subito in testa alleggerendo la morsa dell'ansia.

L'una e cinque.

Nicola Sarti è già in ritardo. Sicuro si farà aspettare. Fissa il parcheggio come se potesse farlo materializzare. Il ristorante poi non è facile da trovare. È stato un errore vederlo qui. Attorno a lei tutto è pregno di carne, gronda grasso animale e odora di morte.

L'una e dieci.

Ricontrolla il messaggio sul cellulare. Sí, l'appuntamento era oggi, proprio all'una. Avrà trovato traffico sull'Aurelia.

Beve un altro bicchiere. E siamo a due. Prende un pezzo

di pane per riempirsi lo stomaco. È sciapo e lei è abituata a quello siciliano sapido e umido.

Guarda l'ora. I minuti si srotolano con estenuante lentezza, la veranda resta vuota e gelata nonostante la pompa di calore, chiude gli occhi concentrandosi sul rumore delle auto che sfrecciano sulla provinciale. Nessuna rallenta.

L'una e dodici.

È inammissibile, lei che aspetta lí come una stronza, nemmeno il presidente della Commissione europea l'ha fatta aspettare tanto.

Chiama la cameriera, ordina un altro mezzo litro, prende un fiore di finocchiona e se lo caccia in bocca. Il salame si scioglie sprigionando il gusto di finocchio, il pepe le stuzzica la lingua con un effetto psicotropo, la trascina indietro nel tempo, alla nonna, ai panini dei picnic nel bosco con Alessio.

– Miseria, quant'è buona, – ammette in un sussurro, ma un istante dopo si irrita. Per colpa di questo figlio di puttana ha rotto la sua inflessibile dieta vegetariana. A una cena di gala il presidente della Turchia ha fatto arrivare apposta per lei del caviale grigio, lo faceva lui con le sue mani spremendo gli storioni e lei, soffrendo, non ha accettato creando un incidente diplomatico e ora, per Nicola Sarti, si è fatta fuori in un boccone un fiore di finocchiona. Prende una fetta di speck e la ingoia praticamente senza masticarla.

Si versa un altro bicchiere di vino cercando di scacciare il gelo della veranda e affonda gli incisivi in una salsiccetta di cinghiale. Basta, se lo stronzo non arriva entro un minuto si fa fuori il tagliere e ordina una Black Angus al sangue.

All'una e un quarto scatta in piedi.

Nicola Sarti ha vinto. L'ha umiliata. Con la mente annebbiata dal grasso animale e dall'alcol si rinfila la giacca e si lascia scivolare sulla sedia, allargando le gambe.

– Sí. Basta, – si dice, eppure qualcosa la trattiene.

L'una e venti.

Prende il cellulare e gli scrive.

> MARIA CRISTINA
> Hai avuto dei problemi? Io purtroppo devo andare. Scusami. Un abbraccio.

Un rombo basso fa vibrare i vetri della veranda e una macchina si ferma nel parcheggio in uno scricchiolio di ghiaia.

Maria Cristina si solleva sulle punte e vede un pick-up nero con enormi pneumatici, sul pianale posteriore sono montati un argano e un cavalletto a cui è avvitato un motore fuoribordo. Lo sportello si spalanca e ne esce Nicola Sarti.

Maria Cristina se lo aspettava con una Ferrari, una Lamborghini, su Internet dicono che ama le macchine veloci. E si presenta con il camioncino?

Tutto studiato per sorprenderla.

L'uomo tira fuori dall'auto un cubo di polistirolo con un nastro dorato.

E che ha portato? Maria Cristina cancella il messaggio, si sfila la giacca e si aggiusta il golf mentre il cuore le sale di giri.

– Scusami, Secca, – dice Nicola Sarti entrando nella veranda. – Perdonami!

Maria Cristina si alza in piedi.

Nicola Sarti poggia la misteriosa scatola sulla tavola. – Non riuscivo a trovare il ristorante. Un incubo. Il cellulare non prendeva, il Gps impazzito. Tutto storto.

– Non importa. Sei arrivato. Io ho cominciato a bere –.
Lei stira un sorriso allungando la mano.

Lui gliela afferra e la tira a sé mollandole due baci sulle
guance. – Per farmi perdonare ho un regalo –. Slaccia il
fiocco e apre il contenitore. – Guarda.

All'interno, sopra un letto di ghiaccio e lattuga di mare,
ci sono ricci, gamberi, mazzancolle e due aragoste.

– Che meraviglia... – esclama Maria Cristina. Non ricorda se all'albergo gli ha detto di essere vegetariana. Probabilmente no, visto il regalo.

– Allora, questo è parte del pesce in stiva per il giro in
barca. Ma visto che la barca si è rotta, è rimasto. È fre-
schissimo, me lo faccio arrivare direttamente da Mazara
del Vallo. I ricci poi sono la fine del mondo.

– Grazie. Buonissimi, – dice lei con troppo entusiasmo.

– Tutto crudo o bollito con un po' di maionese fatta
in casa. I ricci, mi raccomando, vanno mangiati appena
aperti, con il pane.

– A Irene piaceranno.

– Ne ero sicuro. È figlia di sua madre –. Nicola prende la scatola, la sposta sul tavolo accanto e si siede. – Che
beviamo?

È un Nicola Sarti diverso da quello dell'*Hotel Piccola
Britannia*. È piú teso, nervoso, sembra pippato. Sarà per
il nuovo tête-à-tête o forse è solo l'imbarazzo per il ritardo. Non smette di parlare, cerca di impressionarla con la
sua esistenza afflitta dagli impegni, dai rompicoglioni,
dai figli, dagli chef brasiliani e dalla ex. Lui, poverino,
non chiede altro che leggerezza e divertimento. Almeno
le ha fatto i complimenti per il nuovo taglio. – Strepitosi.
Ti stanno da Dio. Questa è una vera rivoluzione. È una

Maria Cristina Palma versione dark lady. Non oso immaginare quando andrai in tv. Quando hai l'intervista?

– Dopodomani –. Maria Cristina tira un respirone. – Non mi ci far pensare. Mi tremano le gambe.

– Tranquilla. Non ti ascolteranno nemmeno, si fisseranno sui capelli. Vedrai i social.

– Irene, mia figlia, mi ripete che cosí sono diversa. Non le piaccio.

Lui scuote il capo. – Ma no, sono perfetti.

Ha schifato il vino della casa e ha ordinato una bottiglia di Sassicaia, una costata della zona, patatine fritte e cicoria ripassata. Maria Cristina verdure alla griglia e zuppa di funghi.

Ora il vero cruccio di questo uomo è la barca rotta. Ha un motore elettrico alimentato dalle vele che sono enormi pannelli solari, è un progetto ecosostenibile, super sponsorizzato, ha intenzione di farci il giro del mondo senza usare un litro di carburante. In ogni tratta oceanica ci sarà un cantante che si esibirà in diretta su Instagram. Tra Cuba e gli Stati Uniti ci dovrebbe essere Tiziano Ferro. Ma chissà se è vero.

– Non vedo l'ora di partire. Tanto anche in pieno oceano con il satellitare posso fare riunioni in remoto e tenere sotto controllo gli alberghi. E poi c'è Catherine, una ragazza pazzesca, che fa sia da skipper che da segretaria. Un genio totale –. S'interrompe, qualcosa gli si è acceso nel cervello. – Secca, dài, vieni pure tu! Sarebbe un bel segno, promuoveresti un progetto eco. Ti fai la tratta tra l'Italia e le Baleari.

– Mi piacerebbe… – risponde Maria Cristina perplessa.

– E allora vieni, dài!

– Ma come faccio? Ricordati chi sono, – è costretta ad aggiungere.

Nicola Sarti si versa un bicchiere di vino e se ne fa fuori metà, poggia un gomito sul tavolo. – Sei la moglie del premier, ok. Ma non sei il premier, giusto? Quando il presidente della Repubblica ha dato l'incarico a tuo marito ha per caso incaricato pure te?

Lei ci pensa e poi ammette: – No.

– E allora che doveri hai? Non mi pare che tu muoia dalla voglia di fare la moglie del primo ministro. Non esiste un ruolo meno paritario, più sessista, più antiquato di quello della moglie officiante. Ti pagano, almeno?

– Ovvio che no.

– Però non sei libera di farti una vacanza e di venire in barca con me. Non è giusto, tu sei la prima donna e devi fare quello che vuoi.

Sentendosi sotto pressione Maria Cristina replica piccata. – Guarda che nessuno mi costringe. Ho scelto io di sostenere mio marito. Lui me lo ha chiesto e io ho accettato. E sono onorata di rappresentare l'Italia.

Nicola Sarti non insiste e passa a parlare dell'inaugurazione del nuovo resort, uno spazio lavorativo con regole umane per i dipendenti, tutti giovani, si fida dei giovani, i giovani vedono, i vecchi come lui al massimo ci possono mettere i soldi e un po' d'esperienza. Il problema è che nessuno vuole andare a Pomezia, troppo lontano da Roma, nemmeno al doppio della paga. I giovani sono demotivati e preferiscono stare a casa.

Maria Cristina non fiata. Quante migliaia di volte ha sentito 'sta storia? Non riesce a inquadrarlo. È un ricattatore o è solo uno dei tanti fanfaroni che devono contornarsi di celebrità per avere rispetto di sé? Il suo show non la smuove. Come può pensare che a lei freghi qualcosa della sua barca elettrica, dei suoi soldi, dei suoi cantanti e dei suoi alberghi cafoni.

È delusa. Dalla sera al circolo non è passato minuto che
non abbia pensato a lui, chiedendosi se fosse una minaccia, un corteggiatore temerario, un fimminaro infoiato, un
ex ancora innamorato, un amico. Mentre guidava per raggiungere il ristorante si è fatta un film a luci rosse. Nicola
Sarti le propone un patto. Lei deve essere sempre disponibile a soddisfare i suoi desideri sessuali perché se no lui
mette il video in rete. E le è balenata l'idea che durante il
pranzo lui le avrebbe ordinato di farsi scopare in bagno. E
questa fantasia, a essere sinceri, un po' l'ha eccitata. Ma
non è cosí. Ha di fronte l'ennesimo narcisista che cerca
di impressionarla come farebbe con un'igienista dentale.
È un bell'uomo, ma oggi è piú ciancicato e sembra che si
lavi poco. La stempiatura gli si allunga oltre la fronte. Un
filo di barba gli sale in alto sulle guance. È un misto tra
un hippie di Formentera e un dirigente della Vodafone. Si
trascina ancora dietro gli anni Novanta. I Guns N' Roses
devono avergli affondato gli artigli nel cuore, lo dimostra
l'abbigliamento di marca sdrucito ad arte, la chincaglieria
sui polsi, il Rolex, il pacchetto di Lucky Strike sul tavolo
a cinquant'anni suonati.

– Tutto bene? – fa lui come se si fosse reso conto che
la sta perdendo.

– Sí. Tutto bene, – si affretta a rispondere lei.

– Sicura?

Maria Cristina sorride, è ora di arrivare al punto e capire che intenzioni ha. Prende il cellulare dal tavolo e se
lo poggia sulle gambe, pronta ad azionare il registratore.

Ma come in una scena di uno spettacolo di cabaret, avvolto in una nuvola di fumo appare il figlio del padrone
che regge tra le mani una piastra di ghisa spessa quanto
la corazza di un carro armato su cui sfrigola un quarto di
bovino sanguinolento.

Anche Nicola Sarti è sorpreso. – È enorme. Siamo sicuri che è un chilo?

– È un po' piú grande. Ma è un pezzo straordinario, lo chef non se l'è sentita di rovinarlo. E cosí lo può gustare pure la first lady, – fa il padrone tutto soddisfatto.

– No, grazie –. Maria Cristina tira istintivamente indietro la sedia.

Con un gesto coreografico il ristoratore poggia il vassoio sul tavolo. – È caldissimo! Non toccate la piastra per nessuna ragione. Mi raccomando. Un dermatologo di Frosinone ci ha quasi perso un dito.

Il fumo ha invaso la veranda e tutto, i vestiti, i capelli, la pelle, odora di carne bruciata. Nicola Sarti, dall'altra parte del tavolo, non è che una sagoma nella nebbia densa e calda. Del padrone resta la voce con l'accento maremmano che attacca a elencare i pregi di quella carne marezzata.

Maria Cristina approfitta della nebbia per accendere il registratore del cellulare, tenta di far partire l'app ma una raffica di banner pubblicitari, come in una scatola cinese, riempie lo schermo. Tosaerba, scarpe da ginnastica, integratori, rompicapo, giochini da scaricare. Ne chiudi uno e se ne apre un altro e ti ritrovi come per magia nello store. Infuriata, avvampando di calore, sbatte il cellulare sul tavolo. Si guarda attorno e nei lembi di fumo si accorge che il proprietario si è allontanato e Nicola Sarti, come un cacciatore neolitico, sta affilando la lama del suo pugnale su una pietra fornita insieme al vassoio.

– Lo hai fatto solo con me o anche con altre? – gli domanda con una voce stonata.

Lui solleva un sopracciglio.

– Sono l'unica o i video hard li hai fatti anche con altre?

Nicola Sarti, che sta decidendo dove attaccare la spoglia bovina, è colto di sorpresa. La fissa, non è certo di aver capito bene, depone l'arma sul tavolo. – Sí. Solo con te –. La voce gli è scesa di un'ottava. – Anzi no, ne ho fatto un altro. Parecchi anni fa. Con la mia ex moglie. Un mezzo disastro.

– Perché? – lo incalza lei.

– Mi vergogno un po' a raccontarlo.

Maria Cristina incrocia le braccia. – Se non vuoi, non importa.

Lui afferra il coltello e taglia un grosso boccone di polpa cruda grondante sangue e lo mastica lentamente. Il pomo di Adamo sale e scende sulla trachea. Quando finalmente ingoia parla. – Eravamo in Tanzania. Avevamo preso una jeep per vedere i parchi nazionali. Io guidavo la carovana di fuoristrada in una savana sterminata, eravamo sposati da pochi giorni, erano ore che guidavo e io... Lei mi ha... – Esita, si guarda attorno e abbassa la voce: – Fatto un pompino. Mentre me lo faceva io ho tirato fuori il cellulare pensando a Pamela Anderson, ti ricordi? Troppe cose assieme, guidare a sinistra, girare il video, per fartela breve, a un certo punto appare un elefante con il piccolino, i primi che vedevamo. Caccio un urlo: «Sarah guarda, c'è un elefante!» Freno per riprenderlo con il cellulare e l'auto dietro ci tampona.

Maria Cristina si poggia una mano sulla bocca. – Ti sei fatto male?

– No, nulla. Sarah invece ha avuto un risentimento cervicale. Per il resto del viaggio ha portato un collare ortopedico. Quando eravamo nel safari la dovevo girare come un burattino per mostrarle gli animali. Ancora oggi me lo rinfaccia –. Nicola Sarti fa una risatina, ma Maria Cristina resta seria.

– Se a me racconti questa storia di tua moglie cosí, sereno, avrai raccontato anche di noi ad altri –. Lo squadra. – Lo hai fatto vedere a qualcuno?

Una nuvola minacciosa attraversa gli occhi di Nicola Sarti, li abbassa sulla costata e si passa una mano sulla fronte senza proferire parola.

Maria Cristina lo incalza. – Dimmelo, su, forza. Devo saperlo. È importante –. Sta alzando la voce. – Io sono la cazzo di moglie del primo ministro d'Italia. Tu, secondo me, hai un problema grave, non ti rendi conto con chi hai a che fare –. E poi, strizzando le labbra: – Non sai con chi stai parlando.

Lo hai detto!, sghignazza Diana Brinzaglia.

– Porca troia! – sbotta Maria Cristina maledicendosi. Chi si è impossessato della sua lingua? A lungo trattenute, ora parlano l'angoscia e la paura. Calmati, si dice. Doveva arrivarci per gradi e con un minimo di astuzia.

Nicola Sarti ripete tra sé con un sorriso. – Non sai con chi stai parlando… Hai detto cosí? Hai proprio ragione. Non lo so. Non sei la persona che ho conosciuto. Tu non stai bene. Sei talmente spaventata che tremi. Guardati.

Maria Cristina si accorge che le mani le vibrano.

– Io non voglio proprio niente da te. Sei stata tu a invitarmi qui –. Il tono dell'uomo si accende, si sta riprendendo dal cazzotto ricevuto. – Quanto ho sbagliato a mandarti quel video. È stato un gesto idiota, tu mi sembravi quella dei tempi andati. Ti ho mandato foto di noi, di Alessio. Era come se non ci fossimo mai persi davvero.

– Nicola, sono passati vent'anni. Non ci siamo piú sentiti. Io ho una figlia. Scusa se insisto. Io non sono una tua amichetta a cui mandi i video hard, io sono una madre, oltre ad avere un piccolo ruolo istituzionale.

Lui la interrompe. – Scusami tanto, io non ti ho stuprata, non ti ho tramortita, tu sei responsabile di quel video quanto me. E per quello che riguarda la tua domanda, la

mia ex lo racconta ridendone. Non è un problema per lei.
E no, il video della Tanzania non l'ho fatto vedere a nessuno. Come il tuo. Ne sto parlando perché tu me lo hai chiesto. Che devo fare? Devo giurartelo sui miei figli? Sono un gentiluomo e non mi faccio bello per essermi scopato Maria Cristina Palma. Non ne ho bisogno. Poi, se non mi credi, a questo punto non sono affari miei –. Ha lo sguardo cosí feroce che Maria Cristina teme la possa picchiare.

– Lo hai cancellato? – deglutisce.

– Come ti ho promesso.

– Dimostramelo.

Lui getta il cellulare sul tavolo. – Guarda tu. 2123. Forza.

Lei rimane immobile.

Nicola Sarti sposta la carne da una parte. – Non c'è modo di dimostrartelo. Potrei averlo cancellato sul telefono ma custodito in una pennetta Usb, su un hard disk. Oppure sul cloud. Ovunque. E la cassetta averla interrata in un bosco. Purtroppo, ti devi fidare di me –. Allarga un sorriso perfido. – E tu, l'hai cancellato?

Maria Cristina rimane in silenzio.

– Allora?

Lei fa no con il capo.

– E perché?

– È una prova. Non posso cancellarla.

– Prova di cosa?

Maria Cristina deve ingoiare una pallina da golf per rispondere. – Nel caso mi volessi ricattare.

È come se gli avesse infilato un ferro arroventato in un fianco. Nicola Sarti si alza di scatto e butta il tovagliolo sul tavolo. – Cazzo, Maria Cristina… – La guarda piú deluso che arrabbiato. – Tu non stai bene. Veramente. Mi dispiace dirtelo. Fallo vedere a tuo marito. Io non ho problemi. Tu ne hai? Se lo vede tuo marito che succede?

Lei balbetta. – Perché fai questi video?

Nicola Sarti si riprende il cellulare e s'infila il cappotto. – Io non faccio questi video. È capitato due volte. E poi allora mi sembravi piuttosto entusiasta, passami il termine. Sicura di non ricordare com'è nato quel video? Eri una ragazza spiritosa e disinvolta, dicevi che ti piaceva il mio cazzo e che me lo volevi succhiare tutto il giorno. Ricordi o no? – Ha alzato la voce.

Maria Cristina arrossisce, si guarda attorno, poi abbassa gli occhi sul tavolo.

– Ora sei una donna paranoica e cattiva. Riscoprirti in quelle immagini mi ha fatto tornare indietro a quei tempi liberi. Punto. Io al contrario di te sono un libro aperto. Non ti ho cercata, non ti ho rotto i coglioni, non ti ho chiesto niente. Anzi ti ho chiesto scusa. Tu mi hai fatto venire qui non per vedermi, ma solo per paura che diffondessi il video. Be', la vita ti può ancora stupire. Vedrai…

Nicola Sarti butta sul tavolo due banconote da cento euro e scuotendo il capo se ne va.

Maria Cristina sta guidando verso casa. Le mani le tremano sul volante. Sul sedile del passeggero c'è la scatola di polistirolo. Nonostante l'odore di combustibile che riempie l'auto avverte quello forte di pesce. Inchioda in una piazzola al lato della strada, proprio accanto a una fila di cassonetti per la differenziata. Scende e prende il contenitore, lo apre e versa tutto il pesce nell'umido con la lattuga di mare e quello che resta del ghiaccio. Poi si avvicina al cassonetto della plastica e sta per infilarci la scatola quando si accorge che sul fondo, zuppo, c'è appiccicato uno scontrino. Lo prende. È la ricevuta della pescheria *Il*

Veliero di Civitavecchia, centosettanta euro, stampata il
giorno prima alle diciassette e ventitre.

Non aveva detto che erano freschissimi e venivano direttamente da Mazara del Vallo?

3.

Ha spedito Irene e Greta a Roma con l'autista, si è
messa un paio di scarpe da trekking ed è partita per una
passeggiata. Vuole arrivare fino al confine ovest della
proprietà, nella parte piú selvaggia. Attraversa i campi
di fieno ed entra nel bosco, poi prosegue verso sud, risale rocce e dirupi per scendere giú nei baratri di pietra,
dentro forre scavate nel tufo, scivolando per costoni grigi di fango su cui si aggrappano le felci e da cui le radici
delle querce spuntano come vasi sanguigni, e piú giú ancora, seguendo l'acqua, su sentieri di pietre, fra cimiteri
di tronchi ricoperti dal verde smeraldo del muschio, affondando nei rivoli di acqua scura e maleodorante.

Marcia veloce in preda a un torpore astratto, senza fermarsi, riuscendo a tratti a non pensare a Nicola Sarti,
all'inizio il dito ha protestato nella scarpa, ma dopo un po'
il dolore si è attenuato e da acuto e cadenzato è diventato
basso e continuo, il cuore batte nel petto a ritmo col respiro. Si addentra in una foresta di tronchi sbilenchi, stri-
tolati dall'edera, salite e discese su cui si distende un tappeto di foglie e rami secchi, rovi, sassi aguzzi, chiazze di
luce e ombra, pungitopo, di nuovo rovi e tronchi avvolti
dall'edera, come se non fosse lei a muoversi, ma un nastro
le scivolasse sotto i piedi riproponendole il paesaggio con
variazioni infinitesimali.

Maria Cristina si ferma in un luogo remoto e inaccessibile, non c'è un segno degli uomini, qui era cosí pure mille anni fa. Si siede su un masso, lascia che l'odore umido di funghi e terra le riempia le narici e l'aria fredda le turbini nei bronchi infiammati dalla fatica mentre il cuore infine rallenta.

Potrà anche succederle qualsiasi cosa, ma non ora, non qui. Il bosco la protegge. Maria Cristina guarda le formiche avanzare in fila, i ragni dalle gambe smisurate, i licheni argentati. La luce filtra dall'alto, densa, attraverso spirali di bruma, sente i richiami di uccelli sconosciuti e il vento che soffia tra i rami.

Qui non è piú la moglie di Domenico Mascagni, la madre di Irene Mascagni. Qui è solo un organismo parte della natura, finalmente sé stessa.

Deve mollare tutto. Tornare in India e nascondersi in un Ashram per ritrovare un equilibrio. Incrocia le gambe, drizza la schiena, lascia le mani ciondolare dai polsi, chiude gli occhi, allunga il collo a favore della luce in una posa perfetta per un mensile femminile o una rivista di fitness.

È la regia occulta e glamour del super io freudiano che la dirige anche quando, disperata in un bosco, cerca di trasformarsi in un anacoreta e che le rammenta di restare composta e strizzare le chiappe per gli spettatori invisibili che assistono allo svolgersi del suo arco vitale. Maria Cristina è solo l'attrice della sua esistenza, nel teatrino della sua mente interpreta tutti i ruoli, la sportiva, la modella, la santona, la moglie dello scrittore, la moglie del premier, la vittima del revenge porn, la candida e galleggiante Ophelia nell'abusato quadro di Millais. Nulla è autentico. L'unica verità è la certezza di una sciagura imminente. L'avverte sulla pelle, una pressione costante sotto il petto, come gli animali che percepiscono l'arrivo delle catastrofi.

Ha fatto un casino bestiale al ristorante. Chi stava inter-
pretando di fronte a un Nicola Sarti incredulo? La donna
di polso, rigida, antipatica, la Thatcher della Maremma?
La protagonista di *Gone Girl*? Vai a saperlo. Il risultato
è che lo ha fatto infuriare. Gli occhi gli ardevano di una
rabbia vendicativa.

Vedrai, ha detto.

Che significa?

Significa che il video è già in rete o ci finirà tra poco, conclude Diana Brinzaglia.

Lo deve chiamare subito e scusarsi. Deve dirgli che
stava male, recuperare prima che sia troppo tardi. Prende il telefono dalla tasca. Linea assente. È in un cazzo
di burrone, al centro del giurassico, forse lui l'ha pure chiamata, ha capito di aver esagerato ma ha trovato
staccato.

A quattro zampe, come un Neanderthal inseguito da una
tigre dai denti a sciabola risale una china scoscesa, puntando il cielo, le alture, i ripetitori, la volta attraversata
dai segnali telefonici, il cellulare in mano come un rabdo-
mante, ma nulla, nemmeno una tacca.

C'è un torrione di rocce tra le querce e i cerri, resto di
attività vulcaniche millenarie, ci si arrampica sopra aggrappandosi a lame di pietra, issandosi su arbusti spinosi,
infilando i piedi in anfratti covo di serpi, si spinge su, per-
correndo cenge, su, ancora, di braccia, fino a giungere sul
pizzo, uno spunzone buono per i rapaci. Come ne *Il vian-
dante sul mare di nebbia* di C. D. Friedrich, Maria Cristina si erge sul mare di alberi ed ecco le tacche, sufficienti
a telefonare ma non a connettersi.

Compone in fretta e furia il numero di Nicola Sarti che
suona, una, due, tre, quattro volte e poi la voce della segreteria automatica. Attacca. Vedrà che lo ha cercato. Si

siede. Mani nei capelli. Gomiti sulle ginocchia. Ecco che il telefono squilla. Risponde.

– Pronto?

– Pronto, Cri.

– Luciano...

– Cri. Ti ho cercata tante volte. Com'è andata? Hai registrato?

– Macché. Ho sbagliato tutto.

– In che senso?

– Gli ho detto che era un ricattatore. E gli ho chiesto che voleva da me.

– E lui?

– Si è incazzato a morte.

– Quindi non è un ricattatore.

– Sí, lo è. Ma non vuole essere trattato come tale. Non è uno che ti chiede denaro o favori, gli piace esercitare un potere su di me. È troppo intelligente e subdolo per chiedermi cose esplicite, mi vuole circuire. Ha detto che sono una brutta persona e la vita non ha ancora finito di insegnarmi a campare. Una minaccia vera e propria.

– Quindi che potrebbe volere?

– Non lo so.

– Soldi?

– No. Non credo. Continua a far capire che ne è pieno. Ma può essere una bugia. Non sai che pallone gonfiato. È un bugiardo. Ho le prove.

Gli racconta dello scontrino di Civitavecchia.

– E alla fine mi ha buttato i soldi del conto sul tavolo come fossi una puttana e mi ha detto: vedrai.

Luciano tace.

– Ci sei? – chiede Maria Cristina.

– Vorrà qualcosa da tuo marito.

– Probabile.

– Che posso fare?

– Niente, Luciano. Questo è pronto a mettere il video in rete. La cosa la devo risolvere io. Ne parlo a Domenico. Senti, sono in un posto dove non prende, ti chiamo dopo.

– Mi raccomando, chiamami.

– D'accordo. Ti voglio bene.

– Io pure.

Il sole affonda oltre la massa scura delle colline lasciando dietro di sé bave e strie di rosa, grigio e viola, mentre Maria Cristina torna a casa falcando i campi di fieno ingialliti. Lo sguardo puntato dritto davanti a sé, le braccia che ondeggiano, la mente che gira intorno al suo aguzzino come l'ostrica intorno al granello di sabbia.

Nicola Sarti non è chi vuol far credere di essere. O ha problemi di soldi e il video è un'estorsione o vuole altro. Sesso?

No. Al ristorante si è offeso troppo, ha fatto una scena esagerata, ha buttato i soldi in modo da farla sentire in colpa, legarla a lui e stringerle una corda al collo. Ma non farà uscire il video prima di averle chiesto ciò che vuole.

È tempo di dire tutto a Domenico, che darà il video a chi di dovere. Il primo sarà il Bruco.

Si ferma ansimante, mani sui fianchi.

Davanti ha un costone brullo, rasato, costellato di escrementi, sopravvivono solo i cardi spinosi capaci di difendersi dalle mascelle delle pecore che tutto tritano.

Il Bruco è l'unico che può aiutarla.

Se il video fosse in rete, avrebbe i mezzi tecnologici per bloccarlo, se non lo fosse, potrebbe preparare un piano di difesa, ha le idee e la sapienza per prevedere l'impatto del filmino sulla sua esistenza, su quella del governo e sull'Italia intera.

Deve parlarci. Ma come? Non ha mai avuto a che fare
direttamente con lui. I suoi messaggi arrivano mediati da
Caterina, da quelli della comunicazione o da Domenico
stesso. Però conosce l'indirizzo e-mail da cui lui le conferma
le scelte dei vestiti da indossare. È lí che deve cercarlo,
sperando che risponda.

Arrivata a casa corre a prendere il portatile, cerca tra
la posta e gli scrive.

Caro Bruco,
    so che comunichi solo con e-mail e messaggi, ma io ho assoluto
bisogno di vederti di persona, in privato, il prima possibile. Ho un
grave problema che devo condividere con te, un problema che può
compromettere la situazione attuale mia e di Domenico e forse gli
equilibri politici del Paese. Sono sicura che tu sei l'unica persona
capace di aiutarmi in questo momento. Ti prego rispondimi e dimmi
come fare per incontrarti. Grazie.
                                        Maria Cristina Palma

Spera di essere riuscita a trasmettergli tutta la sua preoc-
cupazione e l'urgenza che ha di incontrarlo.
Nella villa non è restato nessuno. Emma e Italo sono
chiusi in casa loro. Le stanze vuote e buie rimbombano
dei suoi passi e i cani che abbaiano le mettono addosso
una tristezza incolmabile. La villa l'ha sempre protetta.
Ma ora no. Ora avrebbe bisogno di qualcuno con cui parlare, di qualcuno che le voglia bene. Partirebbe subito
per Roma, ma deve aspettare il ritorno dell'autista che
ha accompagnato Irene.
Mette a bollire dei finocchi e se li mangia in piedi insieme a un avanzo di pizza della cena con il ministro. Il
cellulare sempre davanti.

Sta cercando qualcosa di dolce nel congelatore quando il telefono squilla. Con una vaschetta di gelato al pistacchio in mano si avvicina allo schermo.

Mariella Reitner.

E questa ora che vuole?

È stanca, esaurita, i nervi a fior di pelle, ma risponde lo stesso. – Sí? Pronto.

– Maria Cristina.

– Ciao Mariella.

– Come stai? Scusami se ti disturbo a quest'ora, di domenica…

– Figurati. Come va la schiena? Non ti ho chiesto piú nulla…

– Meglio, grazie. Ho preso degli antinfiammatori e il dolore mi è passato. Non voglio darti fastidio. Ti volevo solo parlare di un paio di cose per l'intervista di martedí.

– Dimmi.

– Tu confermi che la farai?

– Sí, certo. Perché?

La giornalista esita, poi: – Mi sono arrivate delle voci che non la vuoi piú fare. E che ti sostituiscono all'ultimo momento con qualche scusa.

– Voci? Che significa?

– Non direttamente a me ma a uno della mia redazione, dal tuo staff. Non ti voglio tediare, ma dicono che temi che ti faccia domande indiscrete sui rapporti tra tuo marito e la Gilardoni.

– No. Non ho mai detto nulla del genere.

– Immaginavo. Quindi confermi che vieni?

– Scusa, che rapporti ci sarebbero tra mio marito e la Gilardoni?

– Be', sai quello che si dice… Ma io non ti chiederò nulla di tutto ciò, come ti ho promesso –. Pausa. – A meno che tu ne voglia parlare.

– No, io non ne voglio parlare. Ma non ho capito... Ci sono foto, video, non so, cose nuove che dimostrino che hanno una relazione?

– No. Solo gossip. Non vado dietro a queste cose. Se ci dovessero essere prove fondate è ovvio che la cosa cambierebbe e non per lo scandalo in sé, ma per le interferenze che comporta una relazione extraconiugale per la sopravvivenza del governo. Ma non ci sono. Quindi dove sta il problema?

Maria Cristina si schiarisce la voce. – Scusa, Mariella, non ti capisco. Vedi, io sono un po' dura di comprendonio, ma se mio marito mi dovesse tradire con una sottosegretaria che cambierebbe? Non è piú in grado di fare il suo lavoro? Non è un rapporto, che ne so, tra un insegnante e un'alunna. Sono due persone grandi e vaccinate e l'adulterio non mi pare una ragione sufficiente per un impeachment o roba del genere. Sono lo stesso in grado di lavorare per il bene del Paese. Il problema riguarderebbe solo me e mia figlia...

– Be', è interessante quello che dici. Possiamo discuterne in trasmissione...

– Senti, scusami, è tardi, devo attaccare, – la interrompe. – Vengo, te l'ho promesso. Ma i patti erano che dovevamo parlare di me, di quello che sono, di quello che penso e non dei gossip che affliggono chiunque sia un po' in vista. Dimmelo, Mariella, perché se non è cosí, lasciamo perdere... Devo potermi fidare di te –. E con un sospiro aggiunge. – Di qualcuno...

– Di me ti puoi fidare, – le risponde la giornalista.

– Ti prego, non mi tradire.

– Non lo farò.

Lunedí 26 febbraio

1.

Il buio avvolge come un fluido nero Maria Cristina, insonne sotto il piumone. Ha dormito a sprazzi, risvegliandosi all'erta, come se in casa ci fosse qualcuno, le è sembrato di sentire passi nel corridoio, lo scricchiolio di una porta che si apriva e ha immaginato che fosse Nicola Sarti venuto per fargliela pagare.

Accende l'abat-jour, vorrebbe stordirsi con il sonnifero, ma non può, aspetta l'e-mail del Bruco. Controlla il cellulare.

Eccola:

Cara M. C.,
   ti aspetto all'autogrill Magliano dei Marsi al km 81.6 della A25. Otto del mattino. Di fronte alla toilette esterna delle donne. Vieni sola.

B.

Alle otto? Mancano quattro ore. Dov'è questo autogrill? Lo cerca su Google Maps. In Abruzzo. A piú di tre ore di auto. Corre in bagno, si dà una lavata ai denti, si trucca veloce, ma quando deve decidere che indossare si inchioda. Come la vorrebbe vedere vestita il Bruco? Prova i pantaloni e un maglione, no, meglio un vestito stretto rosso scuro, girocollo, che le arriva sopra al ginocchio e le disegna la vita, e un paio di stivali neri e alti. Un filo di perle, niente orecchini.

Ora il problema è l'auto. Il Defender è troppo vecchio, c'è solo la Mercedes dell'autista. Apre la porta della sua stanza, l'uomo dorme raggomitolato nelle coperte, testa contro il muro. – Scusa, Davide. Ho bisogno delle chiavi della macchina, – sussurra sull'uscio.

L'autista si gira e la vede nella penombra. Non si raccapezza, strizza le palpebre come se non riuscisse a metterla a fuoco. – Dove… Dove andiamo? Che è successo?

– Niente. Vado io da sola. Tu resta a dormire. Avverto la sicurezza. Usa il Defender per tornare a Roma, controlla l'acqua del radiatore, mi raccomando. Prendi Pippo, il cane piccolo che ha male alla zampa, e portalo dal veterinario. Ci vediamo a casa. Dove sono le chiavi?

Lui le indica la giacca. – Non ho capito. Il cane lo riporto qui?

– No. A Roma –. Maria Cristina tira fuori il mazzo. – Grazie. Dormi che è presto –. Ed esce dalla stanza.

L'autista fissa la porta chiusa, nell'aria è restato il profumo della donna, buono, dolce ma non troppo, vorrebbe comprarlo a Monica, la fidanzata, ma non osa chiedere alla signora Mascagni il nome e poi figurati, sarà costosissimo. Lo sguardo gli finisce sui pantaloni e le mutande buttati sulla sedia e sulle scarpe traspiranti accanto ai calzini puzzolenti e sconfortato lascia cadere giú la testa.

2.

Questa sí che è un'auto. La poltrona di pelle riscaldata le fascia i fianchi contenendola come un guscio. Maria

Cristina ha la nuca sul poggiatesta e le braccia distese sul volante. Il cruscotto digitale le indica la via per raggiungere il Bruco. Lo stereo diffonde le sonate per piano di Beethoven. La temperatura interna è di ventitre gradi, quella esterna nove. L'autostrada è deserta e l'unica cosa a cui fare attenzione sono gli autovelox.

Guidare in autostrada da sola le procura, non sa nemmeno lei come definirla, euforia, vitalità, energia, si sente al centro di un'avventura.

Mette la freccia e supera una lunga fila di tir.

– Chiama Caterina Gamberini, – ordina al cellulare.

Squilla a lungo, poi si sente la voce sorpresa dell'assistente. – Maria Cristina! Che succede?

– Ti volevo parlare.

– Ma che ore sono?

– Le sei e quaranta.

– Che è successo?

– Domenico mi ha detto che volevi un confronto con me.

– Adesso? A quest'ora?

– Non va bene?

Caterina è incerta. – Ah! No, assolutamente, è che ci sono rimasta male.

– Non devi. Però sappi che quello che ho ascoltato l'altra sera nella toilette mi ha aperto gli occhi. E sono contenta di averti sentito parlare con sincerità. Hai detto che sono inadatta, frivola, scema. Ti saresti trovata d'accordo con mia madre. Diceva che il Signore mi ha fornito un bel corpo ma dentro ci ha versato l'acqua minerale.

– Aspetta... – prova a interromperla Caterina.

– Lasciami parlare. Considera però che le persone sceme soffrono come quelle intelligenti. O almeno a me pare. Ci sono stata un po' cosí a sentirti dire quelle cose su di me.

– Maria Cristina, per favore...

– Lasciami parlare. Hai detto che sono sola e non ho amici, se non Luciano. Ma quel tuttofare, come lo chiami, è la persona piú buona e leale del mondo. E ricordati che io e te abbiamo passato gli ultimi due anni assieme ogni giorno e nella mia stupidità ero convinta che tu fossi un'amica, invece ho scoperto che ti faccio pena. È vero, sono frivola, adoro i vestiti eleganti, i gioielli, le case belle e le auto comode. Sono nata tra gente frivola che la vita se la voleva godere e questo mi hanno insegnato. Aggiungi che ho letto pochi libri e sono pure ignorante.

– Ti prego....– si lagna Caterina cercando di inserirsi.

– Ho chiamato per dirti che sto andando dal Bruco e devi avvertire la sicurezza. Ho preso la Mercedes di Davide.

– Il Bruco? Non ho capito.

– Sto andando da lui, a incontrarlo.

– Non ho capito.

– Mi ha dato un appuntamento.

– Non ho capito in che senso.

– Smettila di dire non ho capito, Caterina. Dal vivo. Lo incontro.

– Cioè lo puoi toccare?

– Sí, se si fa toccare.

– E che fate?

– Chiacchieriamo.

– E dove?

– Non te lo posso dire. Ah, ti volevo anche chiedere di passare dallo studio di Amelianna a prendermi i vestiti per l'intervista. Poi compra delle panelle alla rosticceria siciliana di piazza Giuochi Delfici per Irene. E assicurati che Davide abbia portato il cane dal veterinario.

– Va bene.

– Grazie. Ah, ancora una cosa, in bagno hai detto anche che io so, ma non ammetterei mai, che mio marito si fa le storie. Ma io non lo so davvero. Tu che invece sai, se le fa?

– Cosa?

– Le storie. Evita di dirmi bugie.

– No... Non lo so... Giuro... Giuro su... – balbetta l'assistente.

– Non giurare, per favore. Ciao.

La fettuccia nera dell'autostrada continua a salire sugli Appennini, attraversando colline aride, valli sassose e monti brulli, scivolando sui lunghi archi dei viadotti deserti. Gli occhiali scuri difendono Maria Cristina dal sole che emerge torbido tra le alture. Piú su, ancora in ombra, le montagne strisciate dalla neve.

Poco dopo aver chiuso con Caterina l'ha chiamata puntuale Domenico, non gli ha risposto e con un vocale ha ribadito che sta andando dal Bruco per prepararsi all'intervista di domani e appena finisce torna a Roma.

Bryan Ferry alla radio canta *More Than This*. Maria Cristina alza il volume e la vecchia canzone dei Roxy Music le buca la corazza come un proiettile e si frammenta in schegge di vita, le trasferte in autobus con la squadra di atletica, le feste nell'attico con Alessio, le passerelle a Parigi per Valentino, i viaggi in aereo per New York con le cuffie del walkman.

More Than This.

Piú di cosí. Deve trovare la forza per cambiare e resistere agli urti in modo che la vita diventi piú lieve. I lividi non hanno mai ucciso nessuno.

3.

Maria Cristina ferma l'auto nel piazzale dell'autogrill. Si guarda nello specchietto, si ripassa il rossetto e il fard, mette il cappello di lana e gli occhiali scuri ed esce dal suo scrigno riscaldato. Fuori tira un vento polare, prende il piumino e sta per infilarselo quando una folata glielo strappa dalle mani e lo solleva in aria. Lei sgambettando cerca di afferrarlo, ma quello come un fantasma dispettoso rotola sull'asfalto. Con uno scatto degno di un levriero Maria Cristina allunga una gamba e ci poggia un piede sopra inchiodandolo a terra, si piega per prenderlo mentre alle spalle esplode una tromba potente come quella di un vaporetto. Maria Cristina caccia un gridolino, dietro di lei c'è il muso smisurato di un tir rosso fuoco, all'interno un camionista con lunghi capelli biondi stringe il pugno come un calciatore che ha appena segnato un gol, le sfila accanto e abbassa il finestrino. – Ahó! Sei un patrimonio dell'Unesco.

Maria Cristina gli fa l'occhiolino. – Grazie, gioia.

L'autista replica con un altro boato e tirandosi il rimorchio con Totti dipinto sul retro riprende l'autostrada.

La moglie del premier, sorriso nascosto dalle labbra strette, sperando che il Bruco abbia visto la scena, entra nel bar. All'interno non c'è anima viva, se si esclude un barista smilzo e con una barbetta ritagliata che fissa il cellulare accanto alla cassa. L'espositore dei panini è semiabbandonato, restano triangoli rinsecchiti di pizza margherita e un ghiottone spalancato come una scarpa rotta su una mozzarella anziana. Nello schermo della tv sopra i tavolini intravede per un attimo suo marito che parla da uno scranno. Ordina un cappuccino di orzo e soia e un cornetto in-

tegrale. Il barista la fissa e lei abbassa la testa girando il
cucchiaino nella tazza. Maria Cristina va al bagno dietro
le pompe di carburante. Fa pipí rabbrividendo di freddo.
Sfila davanti allo specchio evitando di guardarsi.

La parola ansia non descrive pienamente quello che prova Maria Cristina. La sua è piú una smania, un'impellen-
te necessità di confessarsi e sentire un giudizio obbiettivo
che possa dare senso a questa storia.

Mentre continua ad aggirarsi con fare sospetto di fronte
alla porta del bagno delle signore, il cuore le batte forte.
Dov'è il Bruco? Da cosa lo riconoscerà? Ha l'impressione che qualcuno la spii da lontano. Ma oltre a qualche auto
che sfreccia sull'autostrada e l'omino della pompa chiuso
nel suo gabbiotto accanto a una stufa, non vede nessuno.

Come in un film di spionaggio, le arriva un segnale. Il
messaggio da un numero sconosciuto.

Gira intorno al bar. Nel parcheggio posteriore troverai un camper. La porta è aperta. Entra.

Perdendo ogni cautela Maria Cristina corre dietro il
distributore e accanto a una aiuola ghiacciata c'è un lungo camper marrone sgangherato, su un fianco una scritta
bianca, Malibu 490, le finestrelle sono coperte da tende a
quadretti neri e verdi, i vetri della cabina di guida oscurati. Il motore è acceso e il tubo di scappamento sputa una
nuvola di fumo bianco.

In quattro passi Maria Cristina supera il cordolo di cemento del parcheggio, apre la porta del camper ed entra,
non fa in tempo a chiuderla che un branco di cani le arriva
addosso, saltando, abbaiando, scodinzolando. Saranno sei,
sette, variopinti, di ogni razza e religione, molti anziani,

un paio di carlini canuti e cubici indossano dei cappottini scozzesi con il collo di pelliccia, un cocker miele con le orecchie che gli pendono come stracci sporchi, un pechinese con l'imbuto intorno al collo sopra il tavolo e un enorme rottweiler accomodato sul divanetto con gli occhi opachi come chicchi di uva bianca e la punta del muso senza piú peli. Il piú festoso è un dalmata grasso e senza una zampa.

Maria Cristina prova a calmarli carezzandoli. – Buoni... Buoni... State buoni –. Oltre agli animali pare non esserci nessuno. Un divisorio chiude la zona del guidatore. Dall'altra parte, in fondo al camper, c'è un letto matrimoniale disfatto. Su un lungo ripiano, tre monitor, computer, fili elettrici, una scatola piena di cellulari, casse acustiche e un terrario illuminato di rosso in cui un serpente è attorcigliato a un ramo.

Maria Cristina controlla nel bagnetto, nulla, si avvicina alla porta della cabina di guida, prova ad aprirla, chiusa.

– C'è nessuno? – fa a voce alta mentre il camper comincia a muoversi. Cerca un appiglio per non cadere mentre i cani d'incanto ammutoliscono.

È una trappola.

Si getta sulla porta d'uscita, afferra la maniglia. Bloccata. Torna indietro reggendosi ai mobili, c'è una telecamera sul soffitto, agita le braccia per farsi vedere. – Fermati! Fermati! Dove stiamo andando?

I cani riprendono ad abbaiare. Il rottweiler sul divanetto ulula. Il pechinese, mezzo afono, emette lunghi guaiti.

Il camper prende velocità, il pavimento e tutto il resto vibra e cigola, i piatti tintinnano. Attraverso le tendine e i vetri graffiati Maria Cristina vede che stanno abbandonando il parcheggio e imboccando l'autostrada.

– Voi, basta! – fa una voce maschile amplificata. I cani ubbidiscono. – Qui è il Bruco che parla.

La moglie del premier si gira, tremante, la voce le arriva da un altoparlante poggiato sul bancone.

– Accomodati. Ti sto portando in un posto sicuro.

Ma lei resta in piedi, puntellandosi tra due pareti, il cuore che le sbatte contro lo sterno, inspirando ed espirando con il naso.

– Hai capito? – chiede il Bruco. – Ti sento se parli.

Maria Cristina fa sí con il capo. – Va bene.

– Mi dispiace se ti sei spaventata...

– Figurati.

– Nei pensili della cucina ci sono dei biscotti allo zenzero fatti da me medesimo. Ma attenta ai cani, ne vanno pazzi.

– No, grazie. Ho appena fatto colazione.

– Musica allora.

Parte *Sophisticated Lady*, cantato da una voce jazz femminile. C'è una certa ironia nella scelta del pezzo?, si domanda la moglie del premier cercando dove sedersi, ogni cuscino è occupato da un cane che la fissa, si accomoda in punta al divanetto accanto al rottweiler. Il pechinese con il cilindro intorno al collo le salta in braccio leccandole le mani.

Il camper, nonostante la quantità di libri, cd, vhs, apparecchiature elettroniche obsolete stipate in ogni buco disponibile, è abbastanza ordinato, ma tutto, i cuscini, le tende, è coperto di peli e c'è puzza di cane e crocchette. Maria Cristina scosta le tende dalla finestra cercando di capire dove la sta portando. Fatti pochi chilometri, il mezzo imbocca il primo svincolo e prosegue su un'arteria parallela all'autostrada. Sfilano fabbriche, capannoni, parcheggi, sfasci di automobili, grossisti di maioliche, negozi di mobili e termoidraulica. Proseguono su un percorso piú tortuoso, in salita tra gli alberi. Dopo qualche minuto il camper rallenta. Il *tic toc* della freccia. Si fermano.

I cani si risvegliano, si alzano e si accalcano davanti alla porta scodinzolando.

Maria Cristina vede attraverso il finestrino un uomo con un casco nero da motociclista in testa che apre il lucchetto di un cancello e la paura tenuta a bada durante il viaggio esplode e la mente le schiude ipotesi inedite e terrorizzanti. La mail che le chiedeva di andare sola. Le porte bloccate. La voce nell'altoparlante. Il casco. E se quello non è il Bruco? Potrebbe essere un pazzo, un serial killer. Nicola Sarti. Un rapimento. Brigate Rosse. Aldo Moro.

Tira fuori il cellulare. Zero campo.

Scema, sei tu che hai scritto al Bruco, alla sua mail, non andare giú di testa, interviene Diana Brinzaglia, ma nemmeno la sua ex compagna di scuola riesce a placarla.

Tenta di sollevare un finestrino senza riuscirci. Corre al lavello dove c'è un ceppo di legno con una serie di coltelli mentre il camper prosegue oltre il cancello e i cani cominciano a mugolare. Il motore si spegne.

Maria Cristina è paurosa di natura, la notte fa chiudere le persiane e inserire l'antifurto, la camionetta dei carabinieri sotto casa la rassicura, adesso però prova qualcosa di diverso, è la paralisi del pensiero, un rigor mortis si è impossessato del suo corpo e le sembra di averlo abbandonato, di aleggiare come uno spirito nel camper senza poterne uscire. Accarezza meccanicamente il dalmata, l'unico che le è rimasto a fianco.

La porta si spalanca sull'azzurro del cielo e il branco si getta fuori guaendo.

Maria Cristina afferra un coltello mentre l'uomo con il casco entra e con la mano fa un segno di saluto. Chiunque sia, è magro da essere quasi sottile, indossa una camicia di flanella color grafite con il colletto alla coreana sotto una giacchetta nera e corta e dei pantaloni gessati marroni retti da una cinta di Gucci. Ai piedi ha delle scarpe da ginnastica nere, senza lacci e con la suola alta. Se è il Bruco, non c'entra nulla con la foto del ciccione con la maglietta dei ZZ Top che gira in rete.

– Non ti avvicinare –. Maria Cristina gli punta il coltello. – Dimostrami chi sei.

– Amelianna mi ha scritto che per l'intervista di domani hai deciso pantaloni neri a vita alta e un golf grigio senza maniche e a collo alto, – fa l'uomo sollevando le mani. – Io approvo, giusta eleganza. Ah, tra l'altro, i capelli mi piacciono.

È il Bruco, solo lui sa queste cose. Maria Cristina ripone la lama e si accorge che non ha respirato da quando l'uomo è entrato in quel trabiccolo. – Oddio. Che paura. Felice di conoscerti –. Si dà una smossa ai capelli. – Veramente ti piacciono?

– Sí. Molto anni Novanta. Te li sei tagliati senza comunicarmelo, ma vabbè… Perdonami se mi presento cosí, la mia identità deve restare celata –. Le porge la mano e Maria Cristina gliela stringe cercando di cogliere qualcosa del volto attraverso la visiera scura.

– Qui siamo al sicuro –. Il Bruco si siede di fronte a lei. – Gli alberi intorno ci nascondono dai satelliti. Non ci possono intercettare, il camper è una gabbia di Faraday. E i cani ci proteggono. Ora dimmi tutto.

Maria Cristina si passa le mani sul viso. Ci mette un po' a inquadrare la faccenda.

Parte dalla sera al circolo e dall'incontro con Nicola Sarti e passa a quello apparentemente fortuito del giorno dopo, ai messaggi, alle foto di Alessio, al video e per finire al pranzo di ieri e al casino che ha combinato. – E ho trovato lo scontrino di una pescheria di Civitavecchia e non di Mazara del Vallo. E ora sono qui da te per capire se devo considerare Nicola Sarti una minaccia.

– Conosco Nicola Sarti.

– Veramente?

– Un anno fa è intervenuto a un convegno di giovani imprenditori organizzato dal Consiglio dei ministri. Ha tenuto una lezione sull'arte di ispirarsi senza copiare. È tutto online.

– Non ne avevo idea. E come ti è sembrato?

– Uno che sa il fatto suo e che ci tiene a mostrare quanto successo ha nella vita. Durante la lezione ripeteva di continuo la parola entusiasmo –. Tace di nuovo, si massaggia il collo e le dice: – Devo vedere il video, però.

– Quale video?

– Il tuo.

Maria Cristina si gira a guardare fuori dalla finestra il cielo che si sta rannuvolando. – Devi?

– Sí, per risponderti devo vederlo.

– Mi imbarazza, in verità, – fa Maria Cristina a denti stretti.

– Immagino, ma puoi stare serena, io sono asessuale. Non provo alcuna eccitazione di fronte a un amplesso umano.

– Ah –. Maria Cristina tira fuori il cellulare, trova il video, glielo passa. – Eccolo.

Il Bruco se lo porta con entrambe le mani davanti alla visiera. – No, cosí non vedo nulla. Devo togliermi il casco. Me lo guardo in camera da letto, se non ti dispiace. Quanto dura?

– Trentotto minuti.

– Ah, però!

– Lo so. È infinito. Puoi pure saltare. Però, scusami, lo devi guardare di fronte a me. Non mi fido. Potresti copiarlo.

– Capisco il problema –. Il Bruco si gira dandole le spalle, solleva la visiera e fa partire il video.

Se lo è visto tutto. Sono stati i trentotto minuti piú estenuanti della vita di Maria Cristina, che conoscendolo a memoria ha anticipato ogni ansimo, ogni parola, in un imbarazzo che lentamente è sfumato in noia e quando finalmente, ringraziando Iddio, Nicola Sarti viene invocando il Signore le è uscito un sospiro di sollievo.

Il Bruco si riabbassa la visiera, si gira e le riconsegna il cellulare.

– Allora? – Lei è impaziente. – Che dici? – Quanto desidererebbe vedere in viso quella specie di Dart Fener.

Il Bruco si schiarisce la gola. – Un po' lungo in effetti e un po' buio. L'inquadratura non è fortunata. E la qualità è dell'epoca, quindi decisamente scarsa. Ci sono dei gran momenti, ma in generale è abbastanza monotono.

Maria Cristina arrossisce. – Non chiedevo se ti fosse piaciuto. Volevo sapere, se lo pubblica, possiamo bloccarlo? E soprattutto hai capito perché me lo ha mandato?

– Bloccarlo non credo. Esisterà sempre un gap tra la messa in rete e l'intervento della polizia postale, intanto il video si riprodurrà come un virus in maniera incontrollabile. È una bomba atomica. Non ho mai visto un video hard rubato a una celebrità piú lungo e dettagliato di questo. E poi, trattandosi della moglie del premier italiano nonché della donna piú bella del mondo, ricordati che hai piú follower di Selena Gomez, ha delle potenzialità di global screening praticamente illimitate –. Il Bruco si infervora mentre spiega. – Stiamo parlando di miliardi di visualizzazioni in un giorno. Fa il botto.

Un sorriso ironico increspa la bocca di Maria Cristina. – Grazie, che gioia…

– Il video documenta un rapporto tra adulti consenzienti. Non si è trattato di uno stupro né si ha l'impressione di un rapporto imposto. Non sei legata, ammanettata, non si avverte minaccia –. Il Bruco fa una pausa. – Ecco, sembra che vi divertiate. Ovviamente se lo dovesse diffondere senza il tuo consenso incorrerebbe in un reato penale.

Lei con la mano gli fa segno di fermarsi. – Aspetta, aspetta un attimo, si vede che abbiamo bevuto e potrebbe avermi dato la droga dello stupro...

– No. La droga dello stupro ti rende intorpidita, quasi incosciente, diventi una specie di sacco di patate. Tu invece non dài l'idea di essere alterata. Sí, forse un po' brilla, ma agisci di tua spontanea volontà. E all'epoca, tra l'altro, non era diffuso quel tipo di droga. Dimmi una cosa, il tuo orgasmo è reale? – glielo chiede con il tono con cui in farmacia ti chiedono la tessera sanitaria.

Lo fissa sbalordita. – Sei serio?

Il Bruco con quel cazzo di scafandro non fa capire se si sta divertendo alle sue spalle.

Prima di rispondergli Maria Cristina deglutisce un bolo. – Sí. Credo di sí. Rivedendolo direi di sí.

– Infatti, non sembra finto. E anche su questo s'interrogherà la gente, cercando di capire se sia vero o simulato.

– La gente non s'interrogherà perché non lo vedrà.

– Sí, certo. Era solo un pensiero.

Maria Cristina si sta infuriando, la vampa che le infiamma le gote si è diffusa alle orecchie. – Non stavo girando un porno. Facevo semplicemente sesso con uno con cui stavo da una settimana.

– Davanti a un obiettivo. Si avverte l'intenzione di entrambi di farlo. Quando all'inizio gli pratichi la fellatio lanci uno sguardo in camera, definiamolo... – Per la prima volta il Bruco non trova le parole. – Concupiscente. Ci sono una serie di passaggi e costrutti tipici del porno professionale, piú che di quello amatoriale. Il Sarti, per certi versi, è innovativo per i tempi, vent'anni fa andavano per la maggiore i porno con la trama. Qui invece abbiamo l'iniziazione di una debuttante che ondeggia tra vergogna e sfrontatezza.

Maria Cristina cerca di restare calma. – Ma tu, scusa, non eri asessuale?

– Sí. Ma la pornografia è un indicatore molto preciso dei mutamenti sociali. Sono quelli che mi interessano. Il tuo video lo definirei un casting.

– Mi stai dicendo che per lui non era la prima volta?

Il Bruco solleva le spalle. – Non lo so. Il video è stato girato alla maniera dei primi Rocco Siffredi, quando ancora mancava la soggettiva a mano che, come saprai, ha stravolto la grammatica...

Maria Cristina scatta in piedi. – Ora basta, cazzo! Stiamo scherzando? Non sono venuta qui per sentire come 'sto video s'inserisce nella storia del porno. Voglio solo capire se mi devo preoccupare. Questo mi devi dire. E nient'altro.

Il dalmata a tre zampe entra affannato e scodinzolante e va a strusciarsi contro il suo padrone, che gli gratta la testa. – Buono, Simba. Buono... – Poi torna a Maria Cristina: – Nicola Sarti, per quello che racconti, non ti ha chiesto nulla. Se avesse voluto qualcosa avrebbe trovato il modo di fartelo capire –. Simba, non pago delle coccole, allunga il collo per farsi grattare il mento. – Io penso che abbia usato il video come un'esca. Infatti ha funzionato, lo hai cercato e lo hai incontrato.

Maria Cristina si risiede. – Lo so. Non sono riuscita a gestire l'ansia. Ma che vuole?

– Direi una relazione sessuale. Se ne avesse cercata una sentimentale, avrebbe puntato sull'amicizia con tuo fratello. Il video è la mossa di chi vuole bruciare le tappe.

– Io sono sposata.

– Lui non crede sia un ostacolo. L'interrogativo sul governo che piú appassiona gli italiani è se i coniugi Mascagni si amino davvero o se sia una messinscena. Il settantotto per cento della popolazione ritiene che tuo marito abbia un'amante ma solo il diciassette ritiene che ne abbia uno tu. Ti percepiscono fedele e cornuta.

– Ah che bello, il peggio del peggio. Domenico avrà pure l'amante, però scusa... – Maria Cristina scuote il capo. – Come può essere una messinscena? Ci ho fatto una figlia. Stiamo insieme da dieci anni. È una follia.

– La gente fiuta, avverte uno spazio incolmabile fra di voi. Vi tenete per mano, ma il linguaggio del corpo racconta un disagio.

Maria Cristina si sgranchisce il collo pensierosa. – Secondo te Nicola Sarti lo ha mostrato a qualcuno?

– Forse, ma certamente non lo ha condiviso in rete, lo avrei saputo. Che ci guadagnerebbe? Ti ha visto sola, disponibile e ha pensato di avere buone chance. Che c'è di piú ambizioso per un tombeur de femmes che andare a letto con la moglie di un premier che, tra l'altro, è una delle donne piú belle del mondo? Aggiungi la curiosità di capire ora che sei una milf come sei a letto... No, non farà nulla, se tu non lo stuzzichi. Direi che puoi stare tranquilla.

Maria Cristina poggia i gomiti sul tavolino. – Riuscirci... Ho una paranoia che non dormo piú, immagino che ci sia un complotto piú grande, un obiettivo piú significativo di portarsi a letto una madre sessualmente attraente.

Il Bruco tira fuori da un pensile il barattolo con dentro i biscotti. – Il problema è che tu sei una marmotta sentinella –. Lo poggia sul tavolo. – Le marmotte vivono in gruppo e si nascondono nelle gallerie appena avvertono un pericolo. Le sentinelle hanno il compito di fischiare se una minaccia si avvicina. Come vengano scelte resta un mistero, ma gli zoologi hanno scoperto che sono individui piú vigili, nel sangue hanno un livello piú alto di cortisolo, l'ormone dello stress. Appena percepiscono un'increspatura, una variazione minima del panorama lanciano l'allarme. Questi soggetti dormono meno e di conseguenza campano meno, ma sono necessari alla sopravvivenza del gruppo. Nella specie umana succede piú o meno la stessa cosa. Una piccola percentuale della popolazione passa l'esistenza scrutando l'orizzonte. Individui geneticamente portati a non accettare le verità imposte dall'alto. Alla ricerca del pericolo occulto e del complotto, elaborano un'anti-narrazione che li porta a dubitare di ogni avvenimento che per gli altri funziona da collante collettivo. Dubitano di chiunque abbia potere sulle loro esistenze e della veridicità dei fatti acquisiti. E quindi la Terra è piatta, lo sbarco sulla Luna non c'è stato, le Torri Gemelle le hanno tirate giú gli alieni, i vaccini trasformano i bambini in automi e cosí via. Ma i paranoici hanno un ruolo fondamentale, tenere desta la popolazione, senza di loro saremmo inermi di fronte al pericolo. Sono i folli che non credono al cavallo di Troia e assumono il compito di allertare le formiche operaie impegnate a eseguire gli ordini. E tu, come me, sei una marmotta sentinella.

Maria Cristina indica il casco. – È per questo che non te lo levi? Temi le onde magnetiche che ti friggono il cervello?

– No. Cerco di restare anonimo. Per mostrarti la mia faccia dovrei essere certo della tua fedeltà.

Maria Cristina apre il barattolo, prende un biscotto e gli dà un morso. – Io però ti ho mostrato il mio video, dovresti fidarti.

– Mi fiderò, se tu ti fiderai di me –. La voce, già attutita dal casco, gli si abbassa. – Mentre guardavo il video ho capito –. Allunga le mani e prende il polso di Maria Cristina. – Ascoltami. Tuo marito perderà le prossime elezioni. Si affanna a cercare alleanze, Sanvoisin, Imbelloni, disgraziati comprati per un briciolo di voti, ma la destra ha vinto. Esiste solo un modo, in teoria, per vincere ancora e sei tu.

Maria Cristina si fa una risatina riprendendosi la mano. – Non crederai mica che la mia intervista possa cambiare il destino di un governo?

– L'intervista no. Ma il video sí.

– In che senso?

– Ascoltami –. Il Bruco le si siede accanto, le prende di nuovo una mano, il casco a pochi centimetri. Maria Cristina si schiaccia contro lo schienale di gommapiuma, attraverso la visiera intuisce il profilo di un naso dritto e sottile.

– Se mandiamo fuori il tuo video al momento giusto, due settimane prima delle elezioni, abbiamo vinto. Te lo metto per iscritto.

Le parole del social media manager le arrivavo violente come se le avesse mollato un manrovescio, le pare che quel camper fetente ondeggi, ma resta impassibile.

Il Bruco è infervorato. – Lo so, ti sembra una follia, ma non lo è. Il tuo video è la tempesta mediatica perfetta. Nessuno lo potrà ignorare. Tu hai il terzo segreto di Fatima in quel cellulare, lí c'è un meteorite in grado di spostare l'asse terrestre, rimetterebbe in gioco pesi e valori, verrebbero dimenticate le ipocrite intenzioni, i programmi sgangherati, le bugie elettorali, lí c'è la Verità. Ricordati che la verità della carne, nuda, esposta, senza pudore vince sempre sulle bugie –. Indica il cellulare. – Gli effetti della diffusione sarebbero cosí straordinari che non oso immaginarli.

Maria Cristina afferra il telefono e se lo preme sul petto. Si deve alzare, ma le sembra di avere i piedi affondati nel cemento e centomila formiche che le brulicano nei polpacci.

– Gli errori commessi da tuo marito verrebbero dimenticati con uno schiocco di dita. L'effetto sarebbe globale, la velocità ipersonica, in sei ore si coprirebbe il globo ottenendo piú visualizzazioni di qualsiasi video mai prodotto da essere umano, mandando in vacca ogni regola e strategia comunicativa, ogni campagna elettorale. *Boom!* – Il Bruco scatta in piedi come un profeta folgorato dalla visione. Il fascio di sole che cala dall'oblò, cosí denso di polvere da essere quasi palpabile, lo avvolge in un alone mistico. – Dio mio, Maria Cristina, ti immagini… Tutti i contendenti annientati e tu che emergi come vittima sacrificale. Tu, madonna di infinita bellezza, moglie silenziosa, madre accudente, stuprata e ricattata dal diavolo, esposta al pubblico nella sua intimità come una santa al martirio. L'amore ti travolgerebbe sanando ogni ferita. Avremmo tutto l'elettorato femminile dalla nostra parte e poi si unirebbe il grande popolo Lgbtq e infine, per ultimi, i maschi straziati dalla colpa e dal desiderio. Abbiamo vinto.

Maria Cristina sorride. La testa le dondola accondiscendente: giusto, certo, come no, sicuro.

– Non voterebbero piú per una parte, ma per restituirti il maltolto, per dimostrarti il loro affetto –. Il Bruco stende le braccia. – Non voterebbero una stantia ideologia novecentesca, un programma riciclato, uno sconto sulle tasse, l'apertura di una finestrella in un cesso, il taglio delle accise. Voterebbero per amore.

Con uno scatto da atleta, meglio di quando saltava a Helsinki, Maria Cristina allunga una gamba poi l'altra ed è fuori dal camper degli orrori.

– No. Aspetta. Non capisci –. Il Bruco allunga una mano e si getta all'inseguimento, ma con il casco prende in pieno lo stipite del pensile e crolla a terra facendo vibrare tutta la baracca. Mezzo rintronato si rialza, inciampa e rotola fuori. – Ascoltami. Ti prego. Tu sei il prossimo primo ministro. Sei la prima donna presidente del Consiglio. Fallo per le donne... – le urla dietro.

L'immenso Lucio Battisti si chiedeva come può uno scoglio arginare il mare, figuriamoci come può un Bruco fermare una gazzella. Eccola, la nostra eroina, che falca il campo di misticanza, cardi e cicoria, i cani che le galoppano intorno abbaiando.

– Aspetta! Guardami! Maria Cristina, guardami! – urla il social media manager.

E lei, senza fermarsi, si gira un istante sufficiente a vederlo, è al centro della radura, prono, in ginocchio, senza casco, il volto oramai troppo lontano. Maria Cristina a testa bassa punta il cancello e con le braccia che si alternano alle gambe entra in strada e continua a correre. Il fiato non le manca.

La strada si perde tra i boschi grigi di aghifogli. Maria Cristina non corre piú, cammina a passo lesto, le mani sui fianchi. Attraverso una radura vede sotto di sé, a qualche chilometro di distanza, l'autostrada come una stecca di biliardo poggiata sulla valle opaca. Come farà a tornare a prendere la macchina all'autogrill? Sul cellullare si affaccia una tacca di segnale. Si ferma. Non sa chi chiamare. L'autista, Caterina, il comando dei carabinieri del paese vicino? Quanto ci metterà Luciano ad arrivare fino a lí? Due, tre ore. Lei si nasconderà da qualche parte e aspetterà.

Chiama, ma il tuttofare non risponde. Richiama. Insiste. E poi ecco: – Cri.

– Luciano! Meno male. Devi venire a prendermi. Sono vicino a… Non lo so. Appena riesco ti mando la posizione. Vicino ad Avezzano, in Abruzzo, da quelle parti. Sbrigati. Molla tutto.

– Cri, non posso… – fa lui con una vocina flebile. – Ho avuto un problema…

– Cosa? Che è successo?

– Niente di che. Ma non posso venire.

– Dove sei?

– In ospedale.

A Maria Cristina vibra la voce. – In ospedale? Perché?

– Un problema al cuore. Mi operano oggi. Ma niente di grave.

– Ma come niente di grave?

– Tranquilla, Cri. Il medico dice che mi salvo.

– Sei solo?

– Sí.

– E tua moglie?

– Non c'è.

– E quando viene?

– Non viene. Ma tranquilla. Veramente.

– Mandami la tua posizione. Recupero la macchina e ti raggiungo.

– No. Non c'è bisogno, – si affanna lui senza troppa energia.

– Non si discute. Mandami la posizione –. Maria Cristina chiude la telefonata e ricomincia a correre.

Un rumore alle sue spalle, Maria Cristina si gira e dalla curva sbuca un camion che trasporta tronchi. Si sbraccia al centro della strada. – Si fermi! È un'emergenza!

– Adesso mi sto ascoltando *Lolita* di Nabokov, che però scriveva in inglese, – sta raccontando il camionista. – Con i russi, quelli importanti, ho finito, mi rimarrebbe Bulgakov, ma *Il Maestro e Margherita* mi ha un po' deluso. Tutti a dire un capolavoro, a me non pare.

– I russi... Dostoevskij... – fa Maria Cristina, occhi fissi sulla strada, mano stretta alla maniglia, le parole del camionista, marcate da un accento del Sud, le galleggiano nelle orecchie. Almeno è gentile e si è offerto di accompagnarla fino all'autogrill aggiungendo venti chilometri al suo percorso. E, miracolo, non l'ha riconosciuta nonostante abbia dimenticato gli occhiali nel camper del pazzo. Sarà un alieno appassionato di letteratura terrestre. In effetti ha un volto che sembra assemblato, un collage di occhi, naso, bocca e mento che non gli conferiscono alcun segno distintivo. Anche il maglioncino sottile, girocollo, blu da cui spunta il colletto di una camicia azzurrina non aiuta a caratterizzarlo.

Il camionista gira il suo volantone e attraversando la corsia del telepass supera il casello.

– Che ne pensa di Conrad?

Maria Cristina tira un sospiro. – Bravissimo.

– Era polacco. E scriveva in inglese. Proprio come Nabokov.

– Due fenomeni, – risponde Maria Cristina con quello spicchietto di cervello che la tiene ancorata al presente.

– Entrambi slavi. Gli slavi hanno piú facilità a imparare le altre lingue. Quelli dell'Est sono bravi con le lingue, i neri a ballare, i brasiliani giocano a pallone. Almeno cosí dicono. Luoghi comuni, ma a volte veri.

– Esatto, – conclude lei.

L'ospedale dove è ricoverato Luciano si trova vicino a Pomezia, sul litorale sud del Lazio. Clinica Santa Pa-

trizia. Dalle foto su Internet pare un bel posto. Come
ci è arrivato lí? Forse per i suoi giri tra conventi di suo-
re e vecchie signore con la casa al mare da ristrutturare.

– Le dispiace se rimetto *Lolita*? – Il camionista la guarda. – Ci sono ancora una decina di chilometri.

– Nessun problema.

Il camionista accende l'autoradio e una voce calma e
profonda riempie l'abitacolo.

«Nei miei rapporti igienici con le donne ero pratico, ironico e sbrigativo. Quando frequentavo l'università, a Londra
e a Parigi, mi bastavano quelle prezzolate. I miei studi…»

Maria Cristina sul cellulare sta calcolando il tragitto. Se
non c'è traffico la clinica è a un paio d'ore.

Il camion si ferma nel parcheggio.

– Eccoci, – fa l'autista.

– Lei è proprio gentile. La ringrazio molto. Mi ha salvata.

L'uomo incrocia le dita. – Spero con tutto il cuore che
il suo amico se la cavi.

– Speriamo, – dice lei trattenendo l'impulso di dargli
un bacio.

Lui la indica aggrottando le sopracciglia. – Ma lei, mi
scusi, mi ricorda qualcuno…

Maria Cristina sorride annuendo. Adesso come gli
spiega perché la moglie del premier era sola in mezzo ai
boschi?

– Per caso lei è la cugina di Maurizio Tonini che fa il
gommista a Portonaccio? Quella donna bella, Tamara, che
lavora alla Regione?

Che meraviglia. – No. Non sono io –. Le balena l'idea
di dargli una mancia, no, si potrebbe offendere, prende
coraggio. – Posso darle un bacio?

I lineamenti del camionista si compongono in un volto
simpatico e amichevole. – Certo.

Non uno. Due baci schioccanti sulle guance.

– In bocca al lupo. A lei e al suo amico, – le augura lo sconosciuto sfiorandosi con la punta delle dita il volto.

– Crepi, – fa Maria Cristina, scendendo dal camion.

3.

Direzione Clinica Santa Patrizia. Il navigatore segna poco piú di mezz'ora, ma c'è una fila che non finisce mai. Il sole ha cominciato la sua discesa in un cielo sgombro di nuvole, alcuni cirri si sono acquattati bianchissimi sull'orizzonte.

Maria Cristina guida disciplinata sulla corsia lenta, i pensieri divisi tra la mente folle del Bruco e il cuore malato di Luciano.

Irene la chiama al cellulare.

– Amore.

– Mamma.

– Hai finito scuola?

– Sí. Sto andando a casa. Tu dove sei?

– Sto andando da zio Luciano. È in ospedale. Ha un problema al cuore.

– Sta male?

– Sí.

– Sta morendo?

– No. Ma che dici? No, assolutamente no.

– Poverino. Mi dispiace tanto. Posso venire a trovarlo?

– Oggi no. Nei prossimi giorni ti porto.

– Ok. Tu quando torni?

– Appena capisco come sta.

– Senti, mamma, ti dispiace se vado da nonna Maria a dormire?

– Va bene. Però studi. D'accordo?

– Sí. La nonna mi ha comprato un regalo, un acquario perfetto.

– Che vuol dire?

– Che non devi fare nulla. In una palla di vetro ci sono dei gamberetti piccolissimi che mangiano le alghe e basta metterlo al sole. Non hanno bisogno di niente, capito?

– Capito. E tu di che hai bisogno, gamberetto mio?

Irene ci riflette un secondo. – Di te.

– E io di te. Torno presto. Capito?

Il sole obliquo acceca Maria Cristina che chiude gli occhi mentre l'amore per la figlia le gonfia il cuore, è cosí grande, invadente, indispensabile che in questo momento non le basta il petto a contenerlo. Si muove dentro di lei, non c'è barriera, costa, dirupo, pensiero, conflitto, è puro, lo sente nelle ossa, nel sangue, nei capelli lisci di Irene, nei curiosi desideri della sua piccola biologa che merita ogni attenzione, ogni cura per essere protetta da questa esistenza costellata di buche e pericoli.

– Mamma, ho pensato che appena puoi dobbiamo fare un viaggio. Andiamo a vedere le iguane e le tartarughe giganti. Stanno su un'isola lontanissima, ma in aereo è un attimo, tipo che dormi e sei lí –. Irene infonde piú entusiasmo possibile nella sua richiesta.

– Va bene. Ma per ora, lo sai, non possiamo. Almeno fino a che papà fa il presidente. Poi andiamo dove vuoi tu. Te lo prometto.

– Quando finisce?

La voce del navigatore avverte che è arrivata a destinazione.

– Presto. Senti, tesoro, adesso ti devo salutare. Ci sentiamo dopo. Salutami la nonna. Ti voglio bene, – fa Maria Cristina mettendo la freccia.

– Anch'io. Salutami zio Luciano.

Dall'altro lato della strada, incorniciato da due cipressi, c'è un cancello grigio con sopra un grande arco in ferro battuto con la scritta «Clinica Santa Patrizia».

Maria Cristina percorre un viale alberato che sale verso la clinica e si ferma davanti a una costruzione moderna in stile Lloyd Wright. Parallelepipedi vetrati, padiglioni e pensiline in cemento armato circondati da un giardino giapponese con poche piante che si contorcono seguendo l'estro del giardiniere. Accanto all'ingresso si allarga una vasca squadrata, l'acqua scura nasconde il fondale di ghiaia.

Prima di scendere dall'auto si ripassa il rossetto. Il vestito è coperto di peli di cane, prova a spazzolarseli via senza riuscirci, si aggiusta alla meno peggio, attraversa le porte a vetri che scivolano al suo passaggio ed entra nella reception. L'accoglie uno spazio vuoto, sui muri listelli di legno chiaro contrastano con il pavimento di cemento scuro. Su un lato una fila di poltrone color verde acido con le zampe d'acciaio. Nella penombra, in fondo, brilla di luce propria un bancone dietro cui ci sono due segretarie che sembrano gemelle, vestite di blu e con i capelli tirati sulla nuca.

Si avvicina a una delle due, impegnata di fronte allo schermo del pc, e domanda di Luciano Vasile.

La ragazza, bionda e costellata di nei come una caciotta al pepe, la fissa senza rispondere. L'ha riconosciuta ed è entrata in conflitto tra professionalità e stupore di trovarsi di fronte a una tale celebrity. Le pupille sono inchiodate come la freccetta del mouse quando il sistema va riavviato. Vince lo stupore. La ragazza si umetta le labbra. – Lei è Maria Cristina Mascagni, la moglie del premier?

– Sí. Sono io. Buongiorno.

– Buongiorno. È un piacere immenso averla qui –. Tenta inutilmente di esprimere ciò che sente, ma poi le chiede se può ripetere, cortesemente, chi sta cercando.

– Luciano Vasile.

La segretaria osserva il computer. – Eccolo. Secondo piano. Stanza trentasei. In questo momento sta facendo degli esami, ma tra poco dovrebbe rientrare. C'è un parente, credo.

– Ah, bene –. Per fortuna la moglie è venuta. – Vorrei parlare con il medico che si occupa del signor Vasile, per favore, – fa con tono da comandante.

La segretaria vibra come un giunco al vento. – Certo, signora. Subito. Il professor Guidoni sta operando, ma appena finisce lo mando da lei. Intanto, se non le dispiace, arriva un assistente che potrà fornirle tutte le informazioni.

– Perfetto –. Maria Cristina si avvia, i tacchi che fanno *tuat tuat tuat*, verso l'ascensore.

Le porte si spalancano di fronte a un corridoio lungo e deserto. Non filtra un suono, le stanze si susseguono nell'ombra sui due lati fino a una parete vetrata da cui si affaccia il sole. Ma che ci fa Luciano in una clinica cosí lussuosa? La situazione ha qualcosa di sospeso e irreale. Maria Cristina segue i numeri delle stanze, in fondo, in controluce, la sagoma sfocata di un uomo è poggiata con la spalla contro il muro e parla al cellulare accanto alla trentasei. Sentendola arrivare si gira.

Nicola Sarti.

Maria Cristina è cosí sorpresa, incapace di dare senso a quella visione, che per un attimo pensa possa essere un sosia. Non c'è alcuna spiegazione logica alla presenza di Nicola Sarti lí. L'interrogativo le si condensa negli occhi impedendole di articolare una domanda.

I due restano sospesi a fissarsi.

– Scusa. Ti richiamo. Ti richiamo dopo, – dice Nicola
Sarti al cellulare e attacca. – Ciao Maria Cristina.

– E...? – fa lei afona indicando la stanza.

– Non c'è. Lo hanno portato a fare un'ecografia.
È proprio Nicola Sarti.

– Ha avuto un infarto. Ma ora sta meglio. Lo operano
tra poco. Il professor Guidoni è un genio, ha salvato mio
padre. Quindi tranquilla, è tutto a posto.

Maria Cristina è incredula.

– Aspetta. Ti spiego. Andiamo dentro –. Nicola Sarti
apre la porta della camera e la fa passare.

– Questa mattina sono uscito dal resort e una Panda
mi ha bloccato la strada. Muso contro muso. Io non ho
capito subito, ho pensato a un problema, a un incidente,
a qualcuno che cercasse aiuto. Allora esco mentre anche
l'altro esce e mi chiede se sono Nicola Sarti. Faccio sí
e quello comincia a urlare come un pazzo, a insultarmi.
Gli dico di stare calmo. Ma quello peggio, mi minaccia.
Io ti ammazzo. Tu non ti devi permettere. Bastardo. Io
per un attimo ho pensato che fosse un mio ex dipenden-
te che avevo licenziato. Gli ho chiesto che gli ho fatto.
Ma quello mi viene addosso di corsa e mi accorgo che ha
una chiave inglese in mano. Tu la devi lasciare in pace a
Cri, ripete. Io ti apro la testa in due. Cri? Cri chi? Non
l'ho subito associato a te. Mi si butta di nuovo contro.
Quindi alla carica successiva non faccio altro che scan-
sarmi e usare la sua inerzia per renderlo innocuo, gli do
una leggera spinta sulla schiena e quello finisce dritto, di
testa, nel fosso accanto al cancello dove stanno comple-
tando i lavori della fibra ottica e in un attimo precipita
di sotto, tra i rovi. Il tutto sarà durato trenta secondi –.

Nicola Sarti prende fiato e si gratta la barba, sollevando le spalle ancora incredulo.

Maria Cristina si siede sul letto, sta per svenire. – E poi?

– Mi affaccio sul fosso. Tra le fratte non si vedeva. Lo chiamo. Nulla. Forse è morto, mi sono detto. Allora scendo giú facendomi spazio tra i rovi e lo trovo in fondo, acciambellato accanto ai cavi del telefono. La testa nel fango. Lo chiamo, ehi, ehi, gli dico, giuro sembrava morto. Cazzo, l'ho ucciso, mi sono detto. Lo tiro per i pantaloni cercando di ribaltarlo, ma non si muove, è grosso, lo afferro per un braccio e lo tiro e quello apre gli occhi e con un urlo mi dà un morso sulla mano. Guarda –. Le mostra la mano, sul dorso ha un cerotto.

– Non ci posso credere. Non ci posso credere, – continua a ripetere Maria Cristina. – E poi che è successo?

– Gli ho dato un cazzotto.

– No! – Maria Cristina si tappa la bocca.

– E sí, eh –. Nicola Sarti allarga le braccia. – È svenuto. Allora risalgo sulla strada, entro in macchina e cerco di chiamare la polizia. E mi accorgo che il pazzo è sbucato fuori e zoppicando, una mano sul fianco, va verso la sua auto. Poi lo vedo che crolla a terra. Corro e mi rendo conto che sta male, non muove un braccio, fatica a respirare. Infarto. Non c'è tempo di aspettare l'ambulanza. Gli monto sopra e comincio a braccia tese a spingere sul cuore, gli ho fatto trenta compressioni e due ventilazioni bocca a bocca. Poi me lo sono caricato in macchina e l'ho portato qui. Dove gli hanno fatto gli enzimi cardiaci. Per fortuna che sono intervenuto.

Maria Cristina è senza parole. – Gli hai salvato la vita.

– Credo di sí. Dopo, per fortuna, ha cominciato a stare meglio. Gli ho chiesto chi fosse e mi ha raccontato che si chiama Luciano, che lavora per te, che tu per lui sei come una sorella e mi ha implorato di non mettere su Internet il video.

Maria Cristina si copre il volto e si piega su sé stessa. Ha un solo, unico, potente desiderio, strappare dal pavimento la moquette azzurra e scavare fino al centro del pianeta e lí, nel nucleo infuocato, bruciare come un fiammifero. Ma si tira su, gli prende la mano, lo guarda a labbra strette e sussurra un: – Mi dispiace da morire, Nicola. Sono mortificata, devastata. Tu non puoi neanche immaginare come sto, quanto mi sento in colpa.

– E tu che c'entri?

– È colpa mia. Non dovevo dirglielo. Ho sbagliato. Ma ti giuro che venirti a cercare è stata una sua iniziativa, è impazzito. Te lo giuro sulla testa di mia figlia. Mi credi?

– Sí. Se avessi voluto darmi una lezione avresti trovato uno un po' piú cattivo, – fa lui ironico.

– Luciano mi vuole bene. Voleva aiutarmi. Io gli avevo detto che ero preoccupata. Ti chiedo perdono e ti ringrazio per averlo salvato. È un uomo fragile e malato, ma è come un fratello per me –. Maria Cristina si inginocchia davanti a Nicola Sarti. – Perdonami. Perdona Luciano. E dimenticaci. Hai tutto il diritto di odiarmi per come ti ho trattato al ristorante e per questo casino. Spariremo per sempre dalla tua vita. Ti chiedo solo di non denunciarlo, ti prego, Nicola –. E in silenzio comincia a piangere.

Nicola Sarti l'afferra per una mano.

– Ma figurati. Tirati su. Smettila, per favore. Ho capito che Luciano è una brava persona, ha agito per amore tuo e per fortuna l'abbiamo salvato in tempo.

– Eccoci. Si può? – Dal corridoio arriva una voce dall'accento ciociaro. – Siamo tornati.

Maria Cristina cerca di ricomporsi.

La lettiga, spinta da due infermieri, fa il suo ingresso nella stanza. Sopra c'è Luciano. Indossa un camice rosa, al braccio ha una flebo, le gambe grosse, opalescenti e glabre sembrano di silicone. Ha l'occhio sinistro gonfio.

I due portantini con una mossa abile lo spostano sul letto e gli tirano su il lenzuolo. – Tra poco viene il dottore. Adesso si riposi, – dice uno segaligno con dei baffi a manubrio e il tono efficiente di chi ha a che fare con i malati. – Qualsiasi cosa, suoni –. L'altro, un ragazzo arabo muscoloso, ha riconosciuto Maria Cristina e non le leva gli occhi di dosso. I due salutano e se ne vanno parlottando tra loro.

Nicola Sarti si mette accanto a Luciano. – Hai visto chi c'è? È arrivata la tua Cri. Sei contento? È venuta subito –. Gli parla suadente come a un bambino.

Il tuttofare annuisce, poi si volta verso Maria Cristina e le sorride. O non è completamente presente o è attanagliato dall'imbarazzo.

– È stanco e lo hanno riempito di medicine, – fa Nicola Sarti a lei, poi si rivolge all'infartuato. – Adesso me ne vado. Ho parlato con il professor Guidoni che ti opera. È sereno, è un'operazione semplice, di routine e lui è bravissimo. E tra qualche giorno ti rimandano a casa. Tu non ti devi preoccupare di niente –. Indica la stanza. – Qui penso a tutto io. Capito?

Luciano come una rana pescatrice guercia sorride al suo salvatore.

Maria Cristina, in piedi, braccia incrociate, è confusa vedendo i due confabulare.

Nicola Sarti guarda il Rolex. – Scusami, Luciano, ma io purtroppo devo scappare. Mi tengo informato. Andrà tutto bene –. Lo saluta ed esce dalla stanza seguito da Maria Cristina, che gli si para davanti. – Nicola, non esiste, pa-

go io per Luciano. Non puoi. Assolutamente. Mi rifiuto,
ti ha pure morso, no, non puoi...

Lui si mette l'indice davanti al naso interrompendola.
– Maria Cristina, ascoltami. Ho già fatto. Conosco la clinica, non ci sono problemi. Tu stai con Luciano che mi
sembra spaventato. Fagli capire che non è niente di grave ma che deve cambiare stile di vita. Io adesso vado.
Ciao –. Le poggia una mano su una spalla con un gesto
rapido e conclusivo.

Maria Cristina però non lo lascia passare. – Ti sono de-
bitrice per il resto della vita. Lo sai. E scusami per tutto.
Sono una stronza.

– Non sei stronza –. E senza aggiungere altro Nicola
Sarti le passa accanto e si avvia spedito verso gli ascensori,
guardando il cellulare, senza piú voltarsi mentre lei resta
lí, sulla porta, finché non lo vede scomparire.

In una luce fredda da sala autoptica il corpo di Luciano
Vasile è disteso a pancia in su, le braccia lungo i fianchi,
il collo torto dal cuscino. Se avesse una targhetta all'alluce sembrerebbe un cadavere, ma per fortuna il respiro è
profondo e regolare, segno di vita.

Maria Cristina gli si avvicina cauta, non vuole svegliarlo.

Ma l'uomo la fissa con l'occhio buono iniettato di
sangue.

– Hai bisogno di qualcosa? Un po' d'acqua? Non so se
puoi bere –. Maria Cristina gli mostra la bottiglia. – Hai
freddo? C'è una coperta.

Lui fa segno di no. Devono avergli dato un tranquillan-
te, sembra offuscato.

Maria Cristina gli si siede accanto, sul materasso, gli
carezza la fronte. – Ma che hai combinato? Si può sapere?

Luciano la scruta, ha perso le parole o forse ne ha troppe, scuote le spalle mentre strizza la bocca risucchiando le labbra. L'occhio sano s'inumidisce e una lacrima gli cola accanto al naso. – Mi dispiace.

– Non importa. Ho capito che mi volevi proteggere, ma ti rendi conto che potevi morire?

– Era meglio.

– Sei pazzo? Non è successo niente di grave. Adesso ti operano ed è finita. Hai visto che bella clinica? Il medico è bravo.

Lui spalanca la bocca e Maria Cristina pensa a una fitta al cuore, invece l'uomo piange in silenzio.

– Ti prego… – Maria Cristina gli aggiusta i capelli ancora sporchi di terra. – Ti prego, Luciano. Non fare cosí –. Gli prende la manona, gli carezza un dito monco e si gira a fissare le profondità della stanza e oltre la finestra una palma avvolta in un telone verde. Prende un respiro, ma non basta, si fa aria con la mano cercando di ricacciare giú le lacrime.

– No, Cri. No. Non piangere, – farfuglia sottovoce Luciano. – Sono un coglione. Hai ragione. Ma a vederti cosí non ce la facevo proprio. Tu lo hai detto solo a me. È vero?

Lei fa sí con il capo.

– Da quel momento non ho pensato ad altro –. Dal naso gli cola muco che si mischia con le lacrime e con la tintura di iodio. – Volevo ucciderlo, spaccargli la testa. E se lui non si fosse difeso, lo avrei fatto. Poi sarei andato a costituirmi. Della galera non mi importa.

– Luciano, ma sei pazzo? Non si risolvono cosí le cose –. Maria Cristina è annichilita. Questo bambino mai cresciuto stava per diventare un assassino per lei. Gli avrebbero dato trent'anni, non riesce neanche a pensarci.

Lui le stringe la mano forte, mugugnando tra i singulti qualcosa d'incomprensibile.

Maria Cristina tira su con il naso. – Non ho capito.

– Io ti amo.

Lei gli bacia la mano. – Io pure.

– No. Io davvero. Come un uomo che ama una donna. Da quando eravamo ragazzini. In motorino io e te. Lo sapevo che non potevi essere mia e che i giorni con te erano preziosi e contati. Sapevo che tu eri una stella e io...

– Aspetta, noi siamo fratelli. Tu sei zio Luciano. Non è cosí... – Maria Cristina è senza parole, continua a infilarsi le dita fra i capelli.

– Lo so, hai ragione, ma che ci posso fare se mi sono ammalato di te? Io sono andato a lavorare da zio Franco perché non potevo vederti piú. Morivo ogni volta. Sono andato al Nord per dimenticarti e non ci sono riuscito. Eri ovunque. Nelle pubblicità, nei giornali, nella mia testa.

– Ma scusa, tua moglie?

– Ci siamo lasciati tre anni fa. Aveva un altro, ma non mi importava. Sono stato felice quando se n'è andata. Avevo ricominciato a vederti e questo mi bastava.

– Ti ha lasciato? Perché non me lo hai detto?

– E che ti dovevo dire? – le domanda mezzo tumefatto, con quell'unico occhietto luminoso, splendente come una lucina in una notte buia.

Maria Cristina si asciuga le lacrime.

– I golf, le camicie, le giacche belle che mi hai regalato non le metto perché non voglio rovinarle, – continua Luciano mentre i lineamenti gli si strizzano per il dolore. – Le tengo dentro le buste. Non te lo avrei mai detto che ti amo, giuro, ma sto per fare un'operazione al cuore. Se muoio, almeno lo sai.

Un'onda di tenerezza scuote Maria Cristina, che si piega sull'omone e con una mano gli afferra una ciocca di quei capelli crespi, con l'altra il padiglione dell'orecchio come se volesse strapparglielo. – Tu non muori... – gli sussurra. – Tu non muori, scemo cretino che non sei altro –. Gli passa i polpastrelli sulla barba ispida, carezza il collo. – Tu vivi e basta. Hai capito? Io mi occupo di te.

– Dammi un bacio vero. Uno solo.

Maria Cristina deglutisce. – Come?

– Vero. Sulle labbra –. Se le sfiora. – Devo sentirle prima di morire.

– Ma non muori, Luciano. Piantala.

– Non è detto. Ti supplico, un bacio solo.

Maria Cristina alza gli occhi al soffitto, si tocca la fronte come se dovesse spostarsi la frangetta. Si abbassa, un odore pungente di tintura di iodio le riempie le narici, preme le labbra su quelle di Luciano e veloce, prima che lui possa schiuderle, si tira indietro. – Ecco fatto, – le scappa fuori mentre Iddio la grazia bussando alla porta.

In corridoio ci sono medici, anestesisti, assistenti, Vannucci, il proprietario della clinica, arrivato apposta da Latina, compagno di regate di Nicola Sarti, le infermiere, le siamesi della reception. Hanno portato una bottiglia di champagne. Un dito, un dito solo per Maria Cristina Palma, la moglie del premier, la donna piú bella del mondo che è lí, nella loro clinica, in carne e ossa, e che sorpresa, che gioia. È un onore, un privilegio unico. Fotografie, possiamo? Non per i social. Lunghe spiegazioni sulle grandi professionalità che operano nella casa di cura. Il professor Ninni Guidoni, uno spilungone, baffetti appuntiti su una bocca senza labbra e un curioso tic per cui si aggiusta in continuazione il collo della giacca, accento catanese, le illustra l'intervento che va a eseguire sul cuore del signor Vasile. Usiamo tecniche all'avanguardia, non invasive, nanotecnologiche, gli entriamo dal braccio, una passeggiata, fantascienza rispetto a qualche anno fa. Ma il presidente Mascagni? Sarebbe bello averlo qui, anche solo per mostrargli realtà del Sud capaci di competere con chiunque al mondo e che andrebbero valorizzate. Perché non se ne può piú di questa storia che il Meridione...

Maria Cristina, gli occhi gonfi, il trucco colato, è una bambola di pezza da contendersi, sorride, stringe mani, annuisce, gentile, disponibile, attenta, ma poi chiede venia, vuole restare ancora con Luciano prima dell'intervento.

– Permettete?

– Certo.

Rientra in camera.

Luciano è coricato su un fianco, spalle alla porta.

Maria Cristina gira intorno al letto. – Scusami, non mi lasciavano piú... – Gli si siede accanto.

– Senti, Cri, ti devo dire una cosa, – deglutisce il tuttofare. – Io non credo che Nicola Sarti ti voglia ricattare. Se non c'era lui, a quest'ora ero morto. È una brava persona.

Luciano è sotto i ferri. L'operazione sarà pure una passeggiata, come ha detto Guidoni, ma il professore ha aggiunto che sarà lunga e probabilmente lo lasceranno in rianimazione per la notte.

Maria Cristina è sul letto, si è tolta le scarpe e vorrebbe dormire cinque minuti, ma in quel silenzio innaturale la mente scalcia come un cavallo selvaggio. Per trovare un po' di quiete necessiterebbe del nirvana del diazepam che non ha con sé. E non ha il coraggio di chiedere alle infermiere.

Diana Brinzaglia ha deciso di fare due chiacchiere. Si è accomodata sulla poltrona con la sua sigaretta tra pollice e indice e il suo body fucsia.

Allora, cominciamo col dire che Luciano, certo di morire sotto i ferri, ti ha dichiarato il suo amore e ha pure preteso un bacio e per poco non ci ha messo la lingua. Tu fai finta di essere stupita, ma a me non la dài a bere. Lo hai sempre saputo e te ne sei allegramente fregata, anzi, te ne sei approfittata. Lo spedivi a rubarti i trucchi e i Mars al centro commerciale, ti faceva il palo mentre prendevi i soldi dalla borsa della nonna e ti facevi scarrozzare sul Ciao. Oggi invece lo usi come elettricista e confidente per poi pentirti e per poco quel matto non è finito in galera o morto d'infarto per difenderti. Poi scopriamo che il pericoloso Nicola Sarti non è un ricattatore ma una persona generosa, che ha salvato la vita a Luciano e non lo ha denunciato (immagina se lo denunciava e usciva fuori tutta la storia). Ovviamente, è sicuro che sia stata tu a mandare Luciano a picchiarlo, e ha capito una volta per tutte il grado di profonda disperazione e solitudine che alberga in te. Non ti ha nemmeno chiamata Secca. Se non ti odia, ti schifa. Lo hai perso per sempre.

Maria Cristina si dibatte sul letto come una ricciola presa a traina.

E per finire, domani pomeriggio hai l'intervista con la Reitner. E sei un cesso. Non hai pensato a che dire, non hai letto il memorandum, non ti sei fatta una maschera, non hai provato il vestito.

– Ecco qua, – conclude Maria Cristina tirandosi su.

Il cielo è viola, il silenzio asettico di questa strana clinica le dà l'impressione di essere su un pianeta remoto e abbandonato. Non sa che fare, aspettare Luciano o andare a casa e tornare dopo l'intervista?

Chiama il marito, che le risponde subito. – Ho un voto alla camera, stiamo andando sotto e facciamo notte. Veloce.

Gli racconta di Luciano, omettendo il contesto.

Lui l'ascolta appena, non particolarmente colpito. – Con quello che se magna è il minimo, – commenta con il tono romanesco che usa in parlamento.

– Non so che fare.

– Torna a casa. Domani hai l'intervista. Devi riposarti. È importante, Maria Cristina. Comunque, ho parlato con la Reitner.

Maria Cristina si risiede sul letto. – E perché?

– Le ho fatto capire che se fa la stronza ha chiuso. Mi ha assicurato che non ti chiederà nulla di politica e non ti metterà in difficoltà.

Una spina acuminata si infila alla base del collo di Maria Cristina e le sale nel palato. – Non hai resistito. Dovevi dimostrare che tu sei il capo, il mio padrone. E io il tuo cagnolino. È piú forte di te. Non ti bastava quello che ha detto a me? Domenico, non ti sopporto piú –. Le piacerebbe urlare, insultarlo davvero, ma non ne ha la forza.

– Dài, non ti arrabbiare. Vedrai che mi ringrazierai. Volevo farti stare piú tranquilla. Su quest'intervista ci contiamo tutti. Almeno il Bruco ti ha aiutato?

– Sí. Ti saluto.

– Se posso ti chiamo dopo –. Poi, sottovoce, come se qualcuno potesse sentirlo: – Imbelloni e gli altri mi hanno giocato un bello scherzetto. A dopo. Baci.

Maria Cristina chiude, lascia cadere il telefono sul letto, fissa l'alluce che traspare scuro sotto le calze. Se le sfila. Afferra l'unghia tra pollice e indice e tira. L'unghia si stacca, ma un sottile brandello di pelle la tiene ancorata alla matrice, tira piú forte, stringendo i denti, annaspando, le resta in mano la lamina scura e ricurva e una goccia di sangue fiorisce là dove ha strappato l'ultimo cordone.

– Fatto, – dice fremente di dolore. – Visto? Non era cosí terribile –. Zoppicando va in bagno, butta l'unghia nel water, chiude la tavoletta, si tampona il dito con la carta igienica, se lo fascia e scrive a Nicola Sarti.

> MARIA CRISTINA
> Caro Nicola, scusami se ti disturbo ma ti volevo aggiornare, Luciano è sotto i ferri. Appena avrò notizie ti farò sapere. Grazie ancora. Non sai quanto ho apprezzato la tua discrezione e generosità. Sono stata una stupida. Non so cosa mi è preso. Perdonami se puoi.

Si gratta nervosamente la nuca, fa una piroetta e aggiunge:

> Sto tornando a Roma, sei al resort? Magari passo a vederlo. Che dici? (la Secca) ☺ 🙏

Lo invia.

Si riveste, esce dalla stanza e si avvia verso gli ascensori. Fatti venti metri le arriva la risposta:

> NICOLA SARTI
> Vieni a cena. Stasera provo il menu del nuovo cuoco brasiliano. Se sei stanca ti do una suite e se invece vuoi tornare a Roma e non ti va di guidare trovo qualcuno che ti accompagni. A dopo.

Maria Cristina rientra di corsa nella stanza trentasei. Lí, mani nei capelli, spalanca la porta del bagno e aggrappandosi al lavandino si guarda nello specchio e scrive:

MARIA CRISTINA
Arrivo. 😊

NICOLA SARTI
Questa è la posizione.

Maria Cristina controlla sulla mappa.
È a venti minuti d'auto.
– Ok, – si dice e sbuffa fuori tanta aria da gonfiare una mongolfiera. Che felicità. Nicola Sarti non la odia, non ce l'ha con lei, sennò non la inviterebbe a cena. Senza il terrore del ricatto, il peso che le opprime il petto è sparito ma lo stomaco le si è chiuso come a una ragazzina al primo appuntamento.
Si sciacqua le ascelle e con lo spazzolino del beauty-case in dotazione ai pazienti si lava i denti. Già, un po' meglio.

Alle gemelle della reception ha domandato se a quest'ora ci sono negozi di abbigliamento ancora aperti e un parrucchiere per farsi dare una sistemata.
– No, signora, mi dispiace, – le hanno risposto desolate.
Lungo la strada trova un negozietto di fiori e compra un mazzo di rose color cipria. A un incrocio con la Pontina si ferma a una bancarella di vestiti. I venditori arabi si stanno cucinando qualcosa di speziato che le smuove l'appetito. L'ultimo alimento che ha introdotto nello stomaco era un biscotto allo zenzero del Bruco. Nella zona intimo acquista sei mutande bianche senza fronzoli per sei euro e un collant nero. Poi nota dei vestitini appesi alle stampelle. Tessuto elastico. Taglia unica. Scollo a *v*. Venticinque euro. C'è tutto nero, sicuramente la scelta

migliore, ma ne prende uno verde bottiglia, con un dise-
gno che ricorda la pelle di un serpente. Perfetto. Passa al
reparto scarpe. Ha bisogno di liberare l'alluce che le fa
un male boia. Sandali con un tacco dieci. Dorati.

Che soddisfazione, ottanta euro e si è rifatta il look.

Riparte. Piú il monitor del navigatore sottrae distanza
al resort e piú le si accorcia il respiro, apre il finestrino,
stringe il volante come se potesse sfuggirle dalle mani sudate. Inchioda in una piazzola della statale ricoperta di
spazzatura, materassi marciti, mucchi di calcinacci e mattonelle rotte.

A sinistra i fari delle auto spazzano la strada e a destra,
verso il mare, una bava tremolante di giorno è aggrappa-
ta all'orizzonte.

Protetta dai vetri scuri Maria Cristina si cambia, come
una prostituta che si prepara a una nottata di lavoro. Via
i collant, via gli stivali, getta tutto dietro. Il vestito pito-
nato le aderisce come una seconda pelle, si aggiusta le tette, si cambia le mutande, si infila calze e sandali. Apre la
borsa e con un po' di crema per le mani si ingrassa i capelli
stirandoseli indietro e riparte sgommando.

4.

L'ingresso del resort *Le Cupole* è un cancello di legno
aperto, senza indicazioni, insegne, ma a terra c'è una candela gialla che brucia in dense volute di fumo.

La moglie del premier lo supera proseguendo su una stradina sabbiosa che punta verso il mare nascosto da una striscia bassa di dune immerse nell'ombra. Ai lati le scivola una
distesa paludosa dove il giallo delle canne si mischia con il
verde delle piante palustri e sfuma nell'azzurro di certi fio-

ri piccoli e delicati e nel porpora di arbusti bassi e carnosi, fitti di spine, che assorbono i resti della luce. La pianura è costellata da pozze frastagliate d'acqua bassa e torbida e, lontane, dipinte contro la striscia violacea che avvampa ai piedi della notte, le sagome scure di bovini al pascolo.

La stradina termina in uno spiazzo sabbioso recintato da una palizzata di legno grigio. Ci sono quattro auto parcheggiate, una Fiat, una Porsche, il pick-up nero di Nicola Sarti e un pulmino bianco. Su un palo è posato un airone, le piume grigie come cenere, il collo bianco e il becco giallo e puntuto. Appena Maria Cristina spalanca la portiera l'uccello prende il volo. Il vento sa di salsedine, alghe e legno bagnato e le gela il collo. Non è a suo agio. Il vestitino nuovo è troppo stretto ed elastico e le si ritira sulle gambe fino al culo e le calze nere messe per nascondere il dito senza unghia stanno di merda con i sandali.

S'avvia con il mazzo di rose stretto tra le braccia per un sentiero che s'insinua tra le dune mentre i tacchi affondano nella sabbia e refoli gelati le vorticano tra le gambe. Piú che un resort sembra l'ingresso di uno stabilimento balneare fuori stagione. Aggirata una collinetta, due torce conficcate a terra segnano la via. Lo strascico del giorno, come un velo da sposa dimenticato sull'orizzonte, rende lunari, quasi fosforescenti, le dune di sabbia.

Maria Cristina riprende la marcia con piú energia ripensando ai chilometri macinati, l'alba sulle montagne brulle dell'Abruzzo, il pazzo con il casco, il bacio a Luciano e ora, con addosso gli stracci di una bancarella, sta andando da un uomo di cui non ha capito niente.

L'albergo è cosí nascosto nella macchia mediterranea che fatica a distinguerlo. Un semicerchio di otto cupole (ecco spiegato il nome), ricoperte di sabbia e cespugli di lentisco ed euforbia, collegate attraverso tunnel trasparenti. Alcune non sono terminate e somigliano a carapaci di testuggini dove al posto dei buchi per le gambe e per la testa ci sono grandi vetrate.

Maria Cristina si dirige verso l'unica cupola illuminata, che si affaccia sulla spiaggia. L'interno è uno spazio unico, diviso tra la hall e la zona ristorante. Sinuose travi in legno chiaro, simili a costole, s'incrociano sotto la volta formando una sorta di cassa toracica. L'architettura ha qualcosa di organico. Una musica elettronica bassa e monotona si diffonde per l'ambiente. I sandali di Maria Cristina rintoccano sul pavimento di resina rosso cardinale. La parte inferiore della struttura è illuminata da faretti invisibili come in una galleria d'arte che creano pozze di luce nel buio materico, dove emergono il bancone della hall e sul lato opposto il bar con i mobili in acciaio e legno. Regna un'atmosfera onirica. Maria Cristina si stupisce di non sentire vibrare sotto i piedi i motori fotonici e di non scorgere Alfa Centauri oltre la vetrata.

– Ben arrivata –. Capitan Sarti emerge dall'oscurità in uniforme. Jeans 501, scarpe da ginnastica Puma, polo Benetton verde stinto. Solita sigaretta in bocca, soliti braccialetti.

– Eccomi. Scusa il ritardo, – fa lei trafelata porgendogli i fiori. – Per te.

Lui si sfila la sigaretta e porta le rose al naso. – Grazie. Sono bellissime. Ma perché? – E le dà un rapido bacio su una guancia.

– Come perché? Non finirò mai di ringraziarti. Se Luciano non è morto lo devo a te. E non fare finta di niente. Gli hai pure fatto il massaggio cardiaco –. Maria Cristina gli gira intorno, mani sul petto. – E poi con questa storia del ricatto ho veramente esagerato. Non sto bene.

Ho frainteso tutto. Dal video in poi non ci ho capito piú nulla. Mi ha mandato in pappa il cervello. Scusami.

Lui fa segno che basta cosí. – Ascolta. Io e te adesso stringiamo un patto. Non parliamo piú del video, di Luciano, dei tuoi sensi di colpa, e basta ringraziarmi. Ricominciamo da zero e godiamoci la serata.

– Va bene, ma non credo di poterci riuscire. Sono cosí mortificata che ogni quarto d'ora, tipo cucú, mi verrà da scusarmi.

– Tu provaci, – insiste lui.

– Ci provo, – gli sorride Maria Cristina, spalancando le braccia. – Che dici del mio nuovo look? Pontina cento per cento.

Lo sguardo di Nicola Sarti viaggia sul corpo di Maria Cristina che si drizza composta, come quando a scuola la maestra le controllava il grembiule. – Mi piace. Poi sandali e calze perfetti.

Maria Cristina è tutta soddisfatta. – Presi a una bancarella.

Nicola Sarti le fa un gesto con la mano. – Vieni. Mettiamo i fiori in acqua.

– È pazzesco questo posto, Nicola –. Maria Cristina lo segue caricando di meraviglia la voce. – Mi avevi detto che mi sarebbe piaciuto, ma non immaginavo una cosa del genere. Bellissimo. Sembra di stare…

– In una nave spaziale.

– Esatto.

Lui accelera il passo. – Stasera mi devi aiutare, proviamo lo chef João.

– Certo, volentieri –. Lo raggiunge a passettini veloci sgambettando sui suoi trampoli dorati. – Spero di essere all'altezza, io mangio caprino e lattuga. Ah, però so fare la pizza.

Sono allungati su divani bassi e circolari, in cui si affonda, proprio davanti alla spiaggia. Ci sono delle candele dentro sfere opache e dei camerieri discreti, in uniforme nera, hanno portato da bere e piccoli antipasti che non sfamano.

Da mezz'ora vivacchia una chiacchiera che non ha l'energia necessaria a portarli da qualche parte. Conduce lui e lei segue commentando o chiedendo dettagli per timore delle pause. Un volo planare su amici in comune, su quelli persi per strada, posti dove sono stati, investimenti immobiliari a Londra e a Parigi. Nicola Sarti sta per comprarsi una villa in un'isola delle Cicladi e le spiega che i greci, quelli pelagici in particolare, sono esseri superiori, figli di Kronos e Poseidone, il tempo lo conoscono, lo scandiscono in altri termini.

Maria Cristina suda e lo ascolta appena, è ancora agitata, prende un sorso del cocktail miscelato da chef João, un cristo mulatto dagli occhi azzurri, tatuato dal collo ai piedi con geometrie azteche. La bevanda si chiama Capeta, che in portoghese significa diavolo, ha spiegato João in inglese, lo bevono a Carnevale, è composto di cachaça, latte condensato, cannella, miele e guaranà. Una zozzeria cosí densa che la nostra eroina fatica a ingoiarla e le cola come vernice sulle pareti dello stomaco. Però, gli va riconosciuto, la Capeta fa il suo mestiere smussandole l'ansia, peccato che le renda le palpebre pesanti come ghigliottine.

Nicola Sarti la guarda appena, fuma, una cicca tira l'altra e ogni tanto, come per dovere, le elargisce un sorriso. Tra loro qualcosa è cambiato, inutile girarci intorno. Non serve che lui l'assicuri che non se l'è presa. Non c'è piú la tensione del *Piccola Britannia*. Nel baretto impolverato di quell'hotel dietro via dei Condotti Maria Cristina aveva scoperto una versione matura e saggia del fighetto pariolino con cui pomiciava nella piazzetta di Stromboli. Non aveva perso la mitica leggerezza del cazzone di Roma Nord. Adesso è distante, gentile, figuriamoci, ma qualcosa gli rode dentro, snocciola argomenti dozzinali usando una percentuale insignificante del cervello, per il resto è preso dai cazzi suoi. E in piú guarda continuamente il cellulare. Avrà per la testa cose piú importanti di Maria Cristina, che è un po' delusa, a dire la verità. L'avrà fatta venire solo per cortesia.

Gli osserva gli occhi, due lucine che brillano sotto al ciuffo brizzolato, le mani grandi e nervose, la voce roca dal fumo, le spalle larghe.

Maria Cristina si domanda se Nicola Sarti sarebbe l'uomo giusto per lei. È ricco. Di successo. Acquista pezzi di creato e ne gode al contrario di Domenico che soffre sempre e comunque. Certo, dovrebbe prendersi il pacchetto completo. Lei, Irene e Luciano. E investire un po' del suo patrimonio nella tenuta Bastoni. Maria Cristina la vede tosta. Ai cinquantenni come Nicola Sarti piacciono le ragazzine, lei ha centomila chilometri sul groppone, è quasi da rottamare e per reggere l'erosione dei radicali liberi si sta facendo le punturine che la gonfiano come una bambola. Per mettersi in casa una tardona mezza psicotica con prole e assassino al seguito non basta che possieda lo scettro della piú bella del mondo. Mentre sta facendo contabilità esistenziale, con la coda dell'occhio Maria Cristina continua a fissare il pacchetto di Lucky Strike sul tavolino. Morirebbe per fumarsene una. Cazzo, sono vent'anni che non fuma. Perché ora? Se si rilassa, forse la smette di sudare e può provare a risvegliare Nicola Sarti dalla depressione che lo sta facendo ingoiare dal divano.

Prende una crocchetta dal piatto degli antipasti. Ha il peso specifico dell'osmio. È unta e il riso bianco all'interno è pieno di amido.

– Com'è? – chiede lui.

– Buona –. Maria Cristina si tocca con l'indice la guancia.

– Mi sembra un po' unta...

– No. Scherzi –. E per dimostrargli che non mente ne azzanna un altro boccone. Le resta incastrato tra gola e trachea, cerca di aiutarne la caduta con un goccio di Capeta. Errore. Agisce come Vinavil. Lentamente, come un boa constrictor, riesce a deglutirla, i bulbi oculari le si estroflettono per lo sforzo.

– Beviamoci un vino bianco, – dice Nicola Sarti. – Una cosa fresca. Ti va?

Lei accetta grata, mentre una solitaria stilla di sudore le imperla la fronte.

Mezz'ora dopo, di fronte ai resti di un'insalata di mango, spinaci, coriandolo e patate rosse, con le vene sature di Fiano di Avellino, Maria Cristina è finalmente rilassata.

I vetri delle finestre smorzano il rombo del vento che è montato e spazza la spiaggia e solleva creste argentate sulle onde che si frangono sul bagnasciuga. La luce spettrale della luna filtra tra le maglie lasche delle nuvole livide. Lo *tzz tzz tzz* delle spazzole di un molle trio jazz la sta sedando. Fatica a non sbadigliare. Benedetto l'alcol, benedetto il vino, benedetto il Fiano di Avellino, pensa in rima. Nulla funziona meglio per disfarsi dell'ansia da prestazione.

Oramai ha capito che Nicola Sarti non ce l'ha con lei, ma con lo chef. Gli spiedini di agnello marinati nella colatura di alici e poi caramellati con l'aneto gli hanno dato la botta finale. Ora ci sta discutendo in cucina. Maria

Cristina lo sente anche da qui, il tono dell'albergatore è fermo e mai scortese, gli dice che gli ingredienti sono messi *à la bitte de chien*.

Lei scoppia a ridere mentre le arriva un messaggio sul cellulare. Il professor Guidoni la informa che il signor Vasile ha superato brillantemente l'intervento. E da domani si può andare a trovarlo.

– Luciano sta bene! – esclama tutta felice Maria Cristina vedendo Nicola Sarti tornare con una bottiglia di whisky in mano. – Ero terrorizzata.

– Il professor Guidoni è un fenomeno, – fa lui contento e anche un po' sollevato. – Brindiamo.

– Brindiamo –. Alzando il bicchiere Maria Cristina caccia gli occhioni da Gorgone, ancora capaci, nonostante i chilometri accumulati, di pietrificare, in quelli di Nicola Sarti. – Alla nostra, – dice allegra e beve un sorsetto, il sapore affumicato e dolciastro le arriccia il naso. I superalcolici le fanno schifo, ma non stasera.

– È cosí importante per te Luciano? – domanda lui.

– Molto. Era il figlio dei domestici dei miei nonni all'Olgiata. Mi ha fatto da fratello quando Alessio era in collegio. Pensa che siamo nati a un giorno di distanza.

Lui finisce il bicchiere. – Sembra tuo nonno.

– In effetti è un po' consumato, – riflette Maria Cristina. – E ha tanti problemi. Ma se superi che ti voleva uccidere, credo ti piacerebbe.

– Ti adora. Si vede.

Lei guarda verso le profondità insondabili della cupola. – Sí.

Lui si riempie il bicchiere. – Come Alessio.

Maria Cristina aggrotta un sopracciglio. – Dici?

– Sí. Ti voleva bene e ti proteggeva –. Poi, come se volesse chiuderla lí, cambia argomento: – Sei pronta? È domani l'intervista, giusto?

– Già. Domani pomeriggio.

– Tranquilla?

Maria Cristina gli confessa che il destino del governo sembra appeso alla sua apparizione televisiva. – Se vince la destra sai di chi è la colpa.

– Sarai bravissima. Se solo racconti un decimo di quello che hai vissuto, il piú è fatto.

– La Reitner vorrà sapere tutto di Alessio e di Andrea. Faccio fatica a parlare di loro –. Poi si ammutolisce e lo osserva.

Quante volte nella vita sappiamo di essere cosí prossimi alla verità da poter allungare una mano, afferrarla e come una farfalla chiuderla nel palmo. E invece facciamo un passo indietro certi che tra quei due petali colorati si nasconda l'orrore di quelle antenne ramificate, di quelle zampette da mosca, di quella proboscide da zanzara. Ed è giusto cosí. Altre volte la verità urla, ci chiama e ci implora di ascoltarla, ci chiede di restituire senso alle cose e dar luce a una vita orba. E allora rischiamo tutto per amore suo. Adesso la nostra audace protagonista, libera dalla paura di perdere Luciano, senza piú il video che le pende sulla testa, sorretta da due ali di alcol, chiede a Nicola Sarti: – Com'è morto Alessio?

In seguito si chiederà cosa l'abbia spinta nel momento in cui la situazione sembrava essersi sciolta a fargli quella domanda. Si risponderà che la covava da quando l'aveva incontrato al circolo e aveva capito chi fosse.

L'uomo è preso alla sprovvista, solleva il mento e arretra sulla poltrona. – Non lo sai?

– So quello che mi ha raccontato il nonno. Non ho mai cercato di scoprire di piú. Ora però voglio sapere.

Nicola Sarti tira una boccata e preme la cicca con forza nella ceneriera. – È morto da solo. Nessuno sa cosa è successo. Eravamo tutti al porto a fare cambusa quando si è immerso. Qualcuno sull'isola gli aveva raccontato che sotto alla cala in cui avevamo ormeggiato, a trenta metri, c'era una grotta con un lungo cunicolo e lui andava giú a cercarla in apnea e non ci arrivava. Lo sai com'era, non mollava. Si è affittato le bombole. Nessuno ha pensato a scoraggiarlo, a dirgli di farsi portare da qualcuno esperto. A quell'età, lo sai, sei una testa di cazzo... Alessio non è mai piú risalito. Nella grotta non c'era. Sono arrivati i tuoi nonni. Erano distrutti, tua nonna l'ho vista appassire davanti ai miei occhi. Non ha piú parlato. Tuo nonno invece si occupava di tutto, ha mosso pure la guardia costiera turca con gli elicotteri. L'isola è proprio in mezzo al Mediterraneo, ci sono correnti fortissime, poteva essere stato portato ovunque. Prima di recuperare il corpo è passata piú di una settimana, lo hanno trovato a quasi cento miglia di distanza. Stavamo impazzendo –. Si accende un'altra sigaretta mentre srotola i nastri della memoria.

– E io non c'ero –. Maria Cristina schiude un sorriso amaro. – Questo stai pensando, scommetto.

Nicola Sarti scuote la testa. – Tuo nonno ci ha detto che non voleva che ti impressionassi. Che avevi già perso tua madre troppo piccola. E secondo me ha fatto bene.

Maria Cristina ha il bicchiere vuoto. Si guarda in giro sperando che qualche cameriere glielo riempia. – Avrei dovuto essere lí.

– Io ti ho chiamata un paio di volte, ma tu non mi hai risposto. Ho pensato che stessi male e avrei voluto esserti vicino.

– Scusa. Non ce la facevo, – dice lei a voce troppo bassa, poi ne tira fuori appena un po', se la schiarisce. – È tutta la vita che mi incolpo di non esserci stata. Non avevo sei anni, ne avevo venti. A vent'anni sei un'adulta. Ma ero sopraffatta. E quando il nonno mi ha consigliato di non andare, sono scappata. Mi ripetevo quella stronzata che non c'è bisogno di esserci per piangere i morti, pensavo che se non vedevo il corpo era come se non fosse morto e ho sempre vissuto illudendomi che Alessio potesse rispuntare all'improvviso. La verità è che non ho retto. Che... – Non sa piú come proseguire, si guarda i piedi, scuote la testa. – Me lo porterò dietro per sempre.

Nicola Sarti riprende a raccontare, lo sguardo perso nel buio, oltre le vetrate. – Quando hanno riportato il corpo solo tuo nonno è andato a riconoscerlo. Era stato troppo tempo in acqua. Tua nonna ha ricominciato a parlare. Ha detto che Alessio doveva restare lí, nel cimitero dell'isola. C'è un promontorio su una baia, un dito di terra protetto dal vento, il mare intorno è piatto e trasparente come una piscina naturale, il fondale è roccioso, le lapidi sono a livello dell'acqua. È il piú bel cimitero del mondo. C'è una chiesetta imbiancata e se vai presto la mattina il sole sorge proprio dietro le tombe. Ci sono tornato l'ultima volta due anni fa, la tomba di Alessio è lí, ci sono cresciuti sopra una pianta di capperi e un po' di grano. Sta bene –. Fa sí con il capo. – Quando muoio voglio essere messo accanto a tuo fratello.

Maria Cristina lo fissa in silenzio prima di chiedergli: – Aspetta, non ho capito, sei tornato a trovarlo?

– Sí. Ogni volta che passo da quelle parti mi fermo a salutarlo.

– Non lo sapevo, – sospira lei. Sorride, vorrebbe aggiungere qualcosa, una stronzata per colmare il baratro che le si sta schiudendo sotto i piedi. Cerca di prendere fiato, spalanca la bocca, un groviglio di spine le si è avvolto intorno alla trachea. Un fremito si propaga dalle gambe al ventre e alle braccia fino ai polsi e alle dita. Maria Cristina, come colpita da un pugno nello stomaco, si piega abbracciandosi e con un rantolo sfiatato nasconde il volto tra le mani.

– Maria Cristina... – balbetta Nicola Sarti sorpreso.

Lei continua a piangere, lui si guarda attorno come per chiedere aiuto o sperando che non ci sia nessuno, si alza e le si avvicina, le siede accanto, solleva una mano e gliela poggia su una spalla. – Non piangere... Ti prego.

Lei scuote la testa e tra i singhiozzi si confessa: – L'estate scorsa ero lí vicino. A Creta. E non ci sono andata. Ogni giorno mi sono detta, vai, vai. Ma qualsiasi scusa era buona per rimandare. E non ci sono andata –. Il pianto si trasforma in una serie di spasmi strozzati, sembra che stia annegando. – È morto tutto solo.

Nicola Sarti l'afferra per le braccia e la tira su come fosse di pezza: – Basta, basta, ti prego. Usciamo. L'aria ti farà bene –. Reggendola come fosse ferita, la porta fuori dall'albergo.

Nel vento e nel gelo Maria Cristina si lascia condurre, le palpebre chiuse come se non dovesse aprirle mai piú, prostrata dallo strazio e costernata dalla improvvisa, lampante, cognizione di non capire un cazzo, mai, di non saper riconoscere le persone, di essere solo un tappo di sughero sballottolato dalle onde. Ha le mani di lui addosso, il vento le brucia gli occhi, le strappa via il respiro, le scompiglia i capelli, il freddo le sale nel calore delle cosce. Si attacca a Nicola Sarti come se la tormenta potesse portarsela via. Lui se la schiaccia al petto, una mano sulla nuca per proteggerla.

– Ti ci porto io da Alessio, – le sussurra nel fragore della risacca.

Maria Cristina schiude gli occhi, di fronte ha la spiaggia, le poche luci della costa, velate dalle lacrime, l'abbagliano. Gli chiede: – Ma tu chi sei? Cosa ci trovi in me?

– Tu ti devi fidare.

Un sorriso si schiude sulle labbra di Maria Cristina, con un dito gli tocca il mento, gli sfiora la bocca come se volesse disegnarla, scivola con il polpastrello sul profilo dei denti e da lí, oltre l'angolo delle labbra, sulla guancia ruvida e il lobo dell'orecchio, s'immerge nei capelli, glieli afferra, se li gira intorno alla mano come fossero redini o la corda di un rocciatore, lo bacia.

Due sagome nere e silenziose, quasi intimorite, avanzano mano nella mano nel tunnel di vetro rischiarato dai faretti immersi nella macchia all'esterno dell'albergo.

A Maria Cristina, mezza gelata, ebbra di Fiano di Avellino, sembra che le gambe sulle quali avanza non siano le sue, si succedono sul pavimento di cemento una dopo l'altra. Avverte il sangue caldo che scorre nella mano di Nicola Sarti stretta alla sua. C'è qualcosa di necessario, di improcrastinabile, di liturgico in questa camminata muta verso la camera da letto. Deve farci l'amore, ne sente l'urgenza nel profondo delle viscere. Forse, cosí, tutta questa storia avrà un senso.

Nicola Sarti si ferma davanti a una porta chiusa. – Eccoci –. Gira la maniglia e apre. – L'arredamento non è ancora completo. Ma dentro troverai asciugamani e tutto il resto.

– Grazie –. Maria Cristina poggia la schiena contro lo stipite della porta senza lasciargli la mano. – Tu dove dormi?

– Nell'altra cupola, – risponde lui. Il pomo d'Adamo gli si muove sotto la trachea come un riccio sotto una coperta.

– Ah, – fa lei sorpresa. – Non dormi con me?

Nicola Sarti si schiarisce la voce. – Meglio di no… Non vorrei che ti pentissi, visti i precedenti.

Maria Cristina sbuffa e lo tira all'interno della stanza. Con un piede chiude la porta.

Nicola Sarti sfiora un sensore e una striscia di luce soffusa si diffonde sui pannelli di legno che rivestono le pareti lasciando il soffitto buio. Il letto king size, coperto di lenzuola nere, è al centro di un arredamento scarno dove ogni elemento è celato alla vista.

Lui esita accanto all'ingresso. – Sicura?

– Non me lo chiedere un'altra volta che ti sbatto fuori –. E lo bacia con foga, quasi schiacciandolo contro il muro. Poi, con un sospiro, occhi socchiusi, gli sussurra in un orecchio: – Lo facciamo come vuoi tu –. Gli preme la mano sulla patta dei pantaloni, poi infila la punta delle dita sotto la cinta, dentro le mutande. – Tutto.

Nicola Sarti tira la pancia indietro e retrocede. – Tutto? – le domanda un po' preoccupato.

– Sí.

Lui si slaccia un bottone del colletto e senza toglierle gli occhi di dosso apre il minibar e prende una bottiglietta di vodka. Poi si accomoda sulla poltrona, stira le gambe e svita il tappo. – Spogliati.

– Spegni la luce, – gli dice Maria Cristina indicando l'interruttore.

Nicola Sarti svuota metà bottiglietta. – Non facevi tutto?

– Tutto, – puntualizza lei. – Ma al buio.

Nicola Sarti scoppia in una risata, poi si schiarisce la voce. – Spogliati e fai quello che dico io.

E falla finita, le dice estenuata Diana Brinzaglia. *Ti uccidi di ginnastica con quel rompicoglioni di Mirco Tonik e ora ti vergogni?*

Maria Cristina afferra il vestito e se lo sfila pensando che deve puzzare. Lo butta a terra e rimane in mutande, reggiseno, collant e sandali. Poggia le mani sui fianchi. – Va bene?

– No.

Maria Cristina si libera delle scarpe e delle calze. – Mi è caduta l'unghia –. Gli indica l'alluce.

– Ricrescerà, – taglia corto lui. – Rimettiti i sandali.

Lei borbotta, poi sbuffando ubbidisce.

– Le mutande.

Maria Cristina se le toglie senza levargli lo sguardo di dosso, poi allarga un po' le gambe stringendo i glutei e ringraziando Mirco per i milioni di squat che le ha fatto fare. – Va bene?

– E il reggiseno?

Lei scuote il capo poi unisce i palmi. – Quello no, ti prego.

– Perché?

– Perché mi sono rifatta le tette e non mi piacciono.

– Fai vedere, – le ordina Nicola Sarti senza possibilità di replica.

Lei solleva gli occhi al cielo e tentennando si sgancia il ferretto, il reggiseno cade a terra – Ecco. Sono troppo tonde e i capezzoli mi stanno sempre dritti. Lo puoi dire che non ti piacciono, non mi offendo. Guarda –. Solleva le braccia mostrando le ascelle depilate. Al centro c'è la sottile linea di una cicatrice. – Le protesi me le hanno fatte passare di qua. Hanno fatto un bel giro.

Parlagli pure del lifting, visto che ci sei. Diana Brinzaglia è sconsolata.

– A me piacciono, – la rassicura lui.

– Fidati. Se le tocchi non ti piacciono –. Maria Cristina se le sfiora insoddisfatta. – Sono dure e un po' freddine.

Lui si alza e si mette di fronte a lei. – Posso?

Maria Cristina solleva le braccia. – Prego.

Nicola Sarti gliele chiude tra le mani. – A me sembrano meravigliose.

– Dici?

– Dico –. Incuriosito, le passa le dita sul fianco, lí dove la pelle è bruciata. – Le senti? – domanda.

– No –. Maria Cristina si sfiora con la lingua le labbra, se le morde. Prende un respiro e lo bacia. Lui le mette una mano sulla nuca, lei però si ritrae. – Ti devo dire un'ultima cosa. Poi sto zitta. Giuro.

Lui scuote la testa incredulo. – Che c'è?

– Non faccio l'amore da cinque anni.

A Nicola Sarti scivola la mascella. – No. Non ci credo. Mi prendi in giro. Come è possibile? Tuo marito...

– Può, non ti preoccupare.

– Ti tradisce?

– Va bene cosí.

– Un pazzo furioso. Come si dice, chi ha il pane... Cinque anni?

– Giuro. Non riesco piú a farlo con mio marito. E nemmeno da sola. Quindi...

– Quindi?

– Quindi... – Con un grosso respiro la moglie del premier supera l'imbarazzo. – Sono un po' arrugginita, ho visto tante volte il nostro video e ho un po' paura che...

Lui la zittisce infilandole la lingua in bocca.

Ora immagino che tu, caro lettore, vorrai sapere se la nostra protagonista sarà in grado di spazzar via le ruggini e se riuscirà a soddisfare i desideri di Nicola Sarti e a concedersi un po' di piacere.

Purtroppo per te, dovrai attendere, ho bisogno di poche righe per raccontarti un fatto che è successo a me personalmente e che potrebbe chiarire meglio i percorsi della mente della moglie del premier.

Da bambino volevo a tutti i costi una casa sull'albero, ero un lettore di Topolino e amavo Qui, Quo, Qua,

possessori, appunto, di una casa sull'albero. Con la tena-
cia dei ragazzini capricciosi imploravo gli autori dei miei
giorni di costruirmene una. Andava bene pure piccola,
un monolocale a Villa Ada o nei giardinetti sotto casa.
A onore del vero nessuno dei miei è mai stato granché
abile nel fai da te, lo chiamavano il fai da lui, intendendo con lui Rino, detto Baffo, il loro tuttofare di fiducia,
uno alla Luciano per intenderci, che si occupava dei lavori di manutenzione.

Una mattina eravamo in campagna e mia madre, presa
da una momentanea botta d'energia, sorprese tutta la famiglia comunicando che l'avrebbe costruita lei la casetta
sull'albero, da sola, cosí una buona volta l'avrei piantata
di lagnarmi. Io le avrei fatto da assistente, passandole da
sotto ciò che le occorreva. L'albero giusto era la quercia,
essendo il piú bello e maestoso insieme al castagno. Ne abbiamo scelta una grossa ma con i rami bassi, proprio dietro il portico. Lei si è arrampicata sulla scala e io a terra le
passavo legno, viti, chiodi e martelli.

L'impresa durò poco vista l'essenzialità progettuale. Piú
che una casetta era un gabbiotto un po' storto, fatto con
palanche e assi avvitate sui grossi rami ondulati, la coffa
malandata di un veliero da cui intravedevo il tetto della
nostra casa e uno spicchio di prato. Là sopra, a dirla tutta,
c'era poco da fare, piccola per starci in due, o stavi in piedi
o seduto a gambe incrociate. L'estate successiva, troppo cresciuto, ci salii un paio di volte e fu il requiem per la casetta.

Da allora sono passati quarantacinque anni e quando mi
capita di andare a trovare i miei do sempre uno sguardo
alla mia casetta sulla quercia. È ancora lí, al suo posto, nel
bosco, sempre piú inverdita dai muschi, orlata dal merletto
dei licheni, avvolta dall'edera, qualche asse è caduta ma
misteriosamente la struttura resiste. Scorgo la vegetazio-

ne crescere, mutare, i rovi stringersi intorno al tronco fino a quando spariscono sotto il passaggio occasionale del decespugliatore, i fusti dei giovani alberelli allungarsi per trovare il loro spazio sotto al cielo e quelli piú vecchi seccare e perdere i rami.

L'estate scorsa, dopo un pranzo troppo abbondante, con il vino in corpo, le cicale nelle orecchie e il sole che arrostiva la campagna, ho deciso di farmi un giretto nel fresco del bosco e mi sono ritrovato sotto la casetta. Poco distante c'era la scala che il contadino usa per potare gli ulivi. L'ho presa e un po' a fatica sono montato sulla quercia. Sostenendomi ai rami ho scavalcato la ringhiera e facendomi leggero sono entrato nella casetta. Il pavimento scricchiolava, ma reggeva. C'era poco da vedere, le fronde erano cresciute e non c'era piú spazio per il cielo, stavo per scendere quando in un angolo ho notato una macchia rosa. Ho tolto le foglie, le ghiande e la terra scoprendo un maiale di gomma con gli sci, le racchette, un golf verde e un cappello con il pompon dello stesso colore. Era restato lí tutti quegli anni, quasi intatto, se si esclude un foro sul sedere da cui usciva un fiocco di cotone sintetico rosicchiato da qualche roditore. Il caldo, il freddo, la pioggia e qualche volta la neve lo avevano crepato, stinto e reso rigido come cartone. L'ho stretto tra le mani e ha emesso una specie di grugnito che è penetrato dentro di me come una sonda lanciata nel buco nero del mio ippocampo, colpendo un grumo di memoria calcificato dagli anni e ricoperto dal tartaro degli psicofarmaci e dell'alcol. Ho avuto un'agnizione, in piedi nella mia vecchia casetta mi è tornato su come uno gnocco nell'acqua che bolle il volto di una ragazzina alta con i capelli corti, una lontana cugina del Nord che aveva passato qualche giorno da noi in campagna. Avevamo otto,

nove anni, mai piú vista né sentita, Isabella, forse, non
ero neanche certo che si chiamasse cosí. Sapeva imitare
alla perfezione il verso del maiale sciatore, inspirando ed
espirando con bocca e naso assieme. E noi, io e mia sorella, estasiati, la consideravamo un fenomeno. Ho cercato Isabella su Facebook, adesso vive a Boston con un
marito e due meravigliosi figli. Il potere del grugnito
del maiale sciatore.

Ecco fatto, ho raccontato questo solo per dire che Maria
Cristina, quando Nicola Sarti comanda con quella cadenza romana, scanzonata, divertita, «fai quello che dico io»,
sente tintinnare una monetina da cento lire dimenticata nel
salvadanaio della memoria e intravede nelle nebbie che le
oscurano il passato qualcosa di piú dei tempi della crociera.

Nicola i primi giorni di traversata corteggiava Maria
Cristina con i modi brutali dei maschi inesperti. La prendeva in giro, la punzecchiava e cercava l'aiuto degli altri
per provocarla. Il gioco della barca era mettere in mezzo
la sorellina di Alessio, l'unica femmina. Nicola era il piú
ostinato di tutti. Faceva scherzi e continue battute che alla
lunga la estenuavano. Spallate troppo virili, pacche sul sedere inopportune, un polipo messo sulla pancia mentre lei
dormiva. Maria Cristina non poteva affacciarsi dal ponte
che lui la spingeva in acqua e a un certo punto, sfinita, si
offendeva e gli teneva il muso e allora lui rispondeva con
gentilezze esagerate. Mettiti la crema che ti bruci. Ti ho
preparato un panino. I due funzionavano come magneti
che a seconda del verso si respingono o si attraggono. Maria Cristina ne era turbata e rispondeva agli scherzi rin-
correndolo, prendendolo a pugni, cercando di affogarlo.
Ogni volta che i loro corpi venivano a contatto un'ener-

gia sensuale scorreva dall'uno all'altra togliendogli il fiato. Il bisogno di stargli accanto la spingeva fin sul cratere
di Stromboli, lei che non smuoveva il culo nemmeno am-
mazzata, o a impegnarsi in gare e giochi che diventavano
lotte e palpeggiamenti equivoci.

Il famoso bacio di San Lorenzo come una dichiarazione di pace tra duellanti aveva sancito la fine delle ostilità
e permesso il contatto fisico. Potevano toccarsi, baciarsi, stringersi ovunque e ribadire a sé stessi e al resto del
mondo che erano una coppia. Il desiderio dell'altro non
si placava mai, nemmeno quando dormivano avvinghia-
ti, presi in un gioco di esplorazioni, esperimenti a volte
imbarazzanti, di odori, rutti, risate, comandi e dinieghi,
di coccole e solletico, mani strette, baci sfrontati in piazzetta e sesso nel fuoco delle cabine.

Un giorno, finalmente soli, ormeggiati al porto, uno accanto all'altra sulla cuccetta matrimoniale, Maria Cristina
gli aveva detto che voleva la pizza. «Vammela a prendere,
dài, ti prego».

«No. Fa troppo caldo. Non mi va», aveva risposto lui
mentre sfogliava un libro di Stephen King.

«Ti prego», aveva miagolato lei.

Lui aveva chiuso il romanzo. «E tu che fai in cambio?»

«Ti lavo i vestiti».

«No, non basta».

«Come non basta? E che vuoi?»

Lui aveva sfiorato la telecamera poggiata sul comodino.
«Facciamo il video?»

«Quale?» Maria Cristina sapeva benissimo che intendeva.

«Lo sai».

Lei si era toccata con un dito la tempia. «Figurati. Sei
pazzo? Per una pizza...»

Erano giorni che si discuteva sull'idea di girare un horror che poi era diventato, guarda caso, un porno.

«Ti prendo pure la birra. Il gelato. Tre gusti. E panna».

«Quali? Sentiamo. Se indovini...» Lei si era messa le braccia dietro la nuca, tirandosi un po' su.

Nicola aveva sollevato il pollice. «Cioccolato».

«Ok».

«Pistacchio...» aveva sollevato l'indice.

«Ok».

Nicola aveva esitato incerto, l'aveva guardata, si era morso le labbra. Poi si era buttato. «Caffè? No anzi, stracciatella».

«Giusto! Maria Pompina accetta».

Nicola si era infilato una maglietta. «Vado e torno. E fai quello che dico io».

Tutto per un gelato a tre gusti e una pizza.

VII.

Martedí 27 febbraio

1.

Maria Cristina Palma giace nuda, adagiata su un lago di lenzuola nere. Il sole attraversa la stanza e le cade sulla pelle cerea del braccio destro abbandonato sul volto. I capelli, un campo di ciocche incolte e sbiadite, luccicano nella luce del mattino. Il polso flesso in un angolo retto, le dita che sembrano indicare un punto del pavimento. Del viso, nascosto dal bicipite, non si scorgono che uno spicchio di mento e le labbra schiuse sulla fila regolare dei denti, mosse dal respiro. Oltre i riccioli fini della nuca il collo si biforca negli archi delle scapole e nelle spalle magre, coperte da una peluria dorata. L'ascella è una valle poco piú ombrosa da cui albeggia la sfera del seno artificiale poggiata sul torace solcato dalle costole che, sotto lo sterno, s'incava nella pancia tesa e bianca. Nulla offusca la pelle d'alabastro. Il busto, torcendosi, si restringe nella vita per riallargarsi nei fianchi. In quello destro la cute perde la sua levigata monotonia e comincia un territorio anarchico e martoriato lí dove l'epidermide, bruciando, si è riorganizzata in merletti e strisce chiare, callose, tese come elastici su valli rosee e crateri privi di sensibilità. Le cicatrici terminano con un confine preciso, da lí in poi la pelle torna liscia sul ventre, circonda il pozzo dell'ombelico, sparisce sotto un boschetto rado di peli serici e neri come quelli delle orientali e si raggrinza sul promontorio scuro del clitoride che si sporge sulle pieghe color corallo delle grandi labbra. I lunghi femori s'intrecciano all'altezza delle ginocchia e l'ampia curva dei polpacci si sfina nelle caviglie e in una armonica sequenza seguono i talloni appena giallastri, i piedi arcuati, le dita nervose e l'alluce, orfano dell'unghia, scosso appena dall'imminente risveglio.

È il calore del sole a destarla. Mentre il corpo giace immobile, la mente emerge dal sonno come dal fondo di una piscina tiepida. È nel resort di Nicola. Ricostruisce il percorso che l'ha risvegliata in quel letto. Il silenzio è scandito dal suo respiro. Solleva il capo, la luce l'acceca, si scherma con l'incavo del braccio. Il disco solare è alto nel cielo terso, segno che è tardi. Nicola è coricato sulla sponda opposta del letto e dorme senza emettere un fiato. Con un occhio Maria Cristina osserva la stanza minimale da hotel a cinque stelle, ancora da terminare, mancano alcuni sportelli e delle mensole, accanto alla finestra c'è una vasca squadrata e a terra un grande quadro astratto da appendere. Sul soffitto grovigli di cavi elettrici e lampadine nude.

Come stai?, le domanda curiosa Diana Brinzaglia.

Bene, risponde lei.

Le viene da ridere quando vede sul pavimento, vicino ai sandali, due preservativi abbandonati.

Sensi di colpa?

Si ispeziona i meandri della psiche, come si fa a primavera quando, dopo una passeggiata nei pascoli, ci si spoglia alla ricerca di zecche attaccate in qualche anfratto del corpo. Nessun senso di colpa. E niente ansia, angoscia, paura.

È felice e innamorata.

Maria Cristina non è granché ad amare, ma ha un talento speciale a innamorarsi, è maestra nell'arte di perdere la testa. Risente il bisogno perduto, viscerale, emozionante dell'altro.

Nicola le piace da morire. È il corpo che glielo comunica, una sensazione di benessere, gioia, sollievo le ristagna nelle membra ancora languide dall'estasi dell'orgasmo.

E cavolo, sono pure venuta, si dice sorpresa. Era certa di aver chiuso con il sesso, di essere ormai patologicamente frigida e immune al piacere della carne.

Invece...

Cancella un flash sconcio. Non è il momento per i ricordi. Tornando a Roma avrà tempo di arrossire e sghignazzare e di dare un significato a questa nottata memorabile.

– Sí, memorabile, – si sussurra.

Ora però deve alzarsi, mangiare qualcosa, la fame la sta divorando. Oggi c'è l'intervista. Deve scappare. Per fortuna ha avvertito la sicurezza che dormiva fuori.

E con Nicola?

Gli scrive un biglietto romantico e sparisce? O lo sveglia e lo saluta?

Si stira la schiena osservando il suo amante. È abbronzato, un po' irsuto, ma il pelo è morbido, biondo e ben distribuito. L'attrae il profilo del volto vissuto, da esploratore polare, le piacciono il naso aquilino, le rughe ai lati degli occhi, le orecchie piccole e quel pochino di scucchia che non aveva notato. Il pomo di Adamo si erge solitario sul collo sporcato dalla barba. Ha un po' di grasso sulla pancia e sui fianchi ma ha le braccia muscolose, un tatuaggio giapponese rosso e blu di un polpo gli fascia la spalla destra. L'uccello gli ciondola floscio su una coscia. Nel sonno non si è ritratto, mantiene le sue generose proporzioni anche cosí. La pelle liscia e scura del prepuzio gli avvolge la cappella come un bocciolo di tulipano sollevandosi in una bocca di cernia.

Oddio!

Batanga!

Ora ricorda. Cosí lo chiamavano in barca i suoi amici scemi. Per via delle dimensioni.

Batanga e Maria Pompina. I loro nomi d'arte.

Sorride mentre le nasce un progetto vizioso.

La scatenata Maria Pompina (che nel frattempo, tra l'altro, è diventata anche moglie del premier, leader del partito di maggioranza, e donna piú bella del mondo) praticherà un regale pompino a Batanga il dormiente affinché abbia un risveglio indimenticabile.

Arrapata dalla propria audacia, si morde le labbra per non ridere.

Aspetta, e se si risveglia e impaurito le molla una ginocchiata?

Incurante del pericolo si avvicina a Nicola che continua a dormire, si accosta al membro, gli osserva il volto rilassato, bene, con delicatezza glielo prende con le dita e schiude le labbra. È suo, come vent'anni fa. Dà un ultimo sguardo agli occhi dell'uomo per essere certa che dorma, spalanca la bocca pronta a...

Cos'è?

Sul fondo, oltre la testa di Nicola, in un angolo della stanza, c'è un oggetto che attira il suo sguardo. Cos'è quella cosa attaccata al soffitto? Chiude la bocca e strizza le palpebre cercando di metterla a fuoco. Una scatoletta quadrata, nera, anonima, dai bordi stondati, con al centro una piccola cupola trasparente.

Maria Cristina smette di respirare, drizza il collo, si tira su e retrocede fino al bordo del materasso. Ogni pensiero è sospeso. Scende dal letto e va a vedere. Il cranio, le orbite, i timpani palpitano a tempo con il cuore che sta battendo una marcetta forsennata contro lo sterno.

Ci si piazza sotto e la osserva piegando il capo. Dal retro spunta un cavo grigio che entra nel muro. Le risale un rigurgito acido di bile e si accorge di sudare, in quella stanza fa un calore d'inferno, sotto i piedi la moquette brucia, ha le ascelle madide e un rivolo di sudore le scorre sui fianchi. Afferra la sedia su cui sono buttati i loro panni e la porta nell'angolo. Ci monta sopra, si allunga sulle punte dei piedi e afferra la scatoletta sfilandola dalla staffa. Il filo si tende ma resiste, tira piú forte, guadagna qualche centimetro, quanto basta a notare che all'interno della piccola cupola trasparente c'è un minuscolo cerchietto che la inquadra. Maria Cristina emette il guaito di un animale ferito a morte e con tutte e due le mani fa forza, tira di piú, perde l'equilibrio e finisce a terra, sbattendo prima col fianco e poi con la chiappa, ma non emette un fiato, stringe in mano la telecamera da cui penzola il filo mozzato.

– Che succede? – fa la voce di Nicola Sarti impastata dal sonno. – Maria...?

Lei, carponi ai piedi del letto, sussurra. – Brutto pezzo di merda.

– Maria Cristina? – la cerca lui.

E come fosse il Demonio stesso a sollevarla, si erge di fronte al letto nel suo metro e settantotto, nuda, furiosa, i capelli dritti in testa e gli occhi di brace della Gorgone. – Pezzo di merda –. Il corpo ha perso ogni morbidezza, di sferico le rimangono solo le tette, tutto il resto è un intreccio di linee e spigoli: gambe, ginocchia, gomiti, braccia, zigomi, mento, culo. – Cos'è questa? – gli mostra la telecamera.

Nicola Sarti la guarda, spalle alla testiera, pietrificato.

– Parla, merda, – ruggisce Maria Cristina e gli lancia la telecamera che lo colpisce sulla fronte con un *toc* rotondo come se fosse di legno massello.

Nicola Sarti caccia un urlo di dolore e si porta le mani al volto.

– Mi hai ripreso, figlio di puttana –. Maria Cristina con un balzo gli è addosso. – Mi hai fregato di nuovo.

Lui, d'istinto, con una gamba la spinge indietro e la moglie del premier finisce di schiena contro la parete opposta, atterra su mani e piedi e senza esitare gli si getta di nuovo addosso. Lui scalcia, ma lei lo afferra per una caviglia urlando: – Tutto organizzato. Ecco perché non hai voluto spegnere la luce. Ecco perché mi...

Maria Cristina sente la propria voce levarsi aspra e folle. Da qualche parte della mente un barlume di razionalità resiste ancora e l'avverte che sta dando fuori di testa, che la ricoverano, roba da Tso, da prima pagina, le ricorda che il mostro una volta sciolto non può piú essere richiamato. Ma a Nemesi, la dea della vendetta, non gliene può fottere di meno. Maria Cristina, come una gatta a cui hanno strappato i cuccioli, si aggrappa alle gambe di lui, lo stringe cercando di graffiarlo, tenta di mordergli una coscia e i corpi nudi che poche ore prima si univano in un amplesso furioso adesso si affrontano in una lotta senza pietà.

Nicola Sarti non riesce a staccarsela di dosso, l'afferra per i capelli e la sbatte di schiena sul letto, lei urla e si dimena. – Luciano. Il conto del pesce di Civitavecchia. L'incontro davanti alla spa. La cinese. Stronzo!

L'uomo, boccheggiando, le salta sopra, le poggia il culo sullo stomaco e le stringe la gola mentre lei si contorce come una vipera, sibila e sputa, il torace si gonfia e si sgonfia come se si stesse aprendo in due, con le dita cerca di allentare la morsa che le serra la gola, ma la chela, la stessa chela che la inchiodava al lettino del professor M., la sta soffocando.

Nicola Sarti solleva un braccio in alto pronto a colpirla con un manrovescio.

– Forza. Picchiami. Fammi vedere che sai fare, brutto stronzo di merda. Dài, forza, spaccami la faccia, – lo incita Maria Cristina con gli occhi fuori dalle orbite. – Fammi vedere che razza di maschio sei. Uccidimi.

La mano di Nicola Sarti, tesa nella luce del sole, resta lí.

Maria Cristina, con le forze che le restano, si sbraccia, lo colpisce con le nocche sul volto e poi con un ringhio si allunga e gli afferra l'uccello. – Te lo stacco, merda! Che cosa vuoi da me?

Lui spalanca la bocca e urla: – Cleopatra!

Maria Cristina molla la presa.

Lui, tenendola ferma, la osserva con due fessure vuote, il ciuffo inzuppato di sangue e ripete: – Cleopatra.

– Chi cazzo è Cleopatra? – fa Maria Cristina mezza strozzata. – Merda che non sei altro.

– Sei stata ripresa da quando sei entrata in questa stanza. Tutto registrato. In 4k, – le spiega Nicola Sarti con una voce calma continuando a bloccarle il collo.

Maria Cristina cerca nella bocca un po' di saliva per sputargli in faccia. – Lo sapevo che eri un pezzo di merda.

– Se non vuoi che il video sia diffuso in rete, stasera durante l'intervista con la Reitner devi dire Cleopatra.

La donna lo squadra persa, affannata, non capisce. – Cleopatra? Come? Perché?

– Perché è cosí. Da adesso la tua vita cambia. Appartiene a me. Tu d'ora in avanti fai quello che dico io. Sennò tutto il mondo vedrà la moglie del premier scopata davanti e di dietro.

Per un attimo Maria Cristina si domanda se stia scherzando. Ma no, ha uno sguardo troppo serio e risoluto. Un tono glaciale che non ha mai avuto.

Lei stesa sul letto, accecata dal sole, la mano dell'aguzzino ancora intorno al collo. – Cleopatra che vuol dire?

– Tu non hai diritto di chiedere. Devi dire Cleopatra
durante l'intervista con la Reitner. Se non lo dici, se non
lo sento chiaramente, alla fine della trasmissione il video
finirà in rete. E attenta, se ne parli a qualcuno, del video o
di Cleopatra, a tuo marito, a Luciano, a chiunque, ai servizi segreti, se provi a fregarmi in qualsiasi modo, se non
vai all'intervista, se mi cerchi, mi chiami, fai qualsiasi cosa
che minimamente mi infastidisce, il video finirà in rete.
Basta un click –. Si abbassa mostrandole i denti. – Se provi a fotterci, lo sapremo immediatamente, ti seguiamo. E
il video uscirà.

Maria Cristina lo fissa con un'espressione sospesa, come se si trovasse sul ciglio di un burrone che frana in un
baratro nero e pulsante.

Nicola Sarti le libera il collo e si tocca la fronte, poggia
i polpastrelli sul sangue e se li guarda. – Cosa devi dire?

Lei scuote la testa. – È un ricatto di merda.

– Ti ho chiesto cosa devi dire.

Maria Cristina tenta di ribattere ma non riesce, ci ri-
prova, sospira: – Cleopatra.

– Brava. Adesso prendi la tua roba e vattene.

Maria Cristina lo scruta cercando uno spiraglio di luce,
un'increspatura sulle labbra, un segno che quello è uno dei
suoi strani giochi. Non ne trova, non c'è incertezza, nessuna crepa nel volto di Nicola Sarti.

Allora si alza e tenendogli gli occhi addosso afferra i vestiti ed esce dalla stanza.

2.

È difficile raccontare il viaggio di ritorno a Roma di
Maria Cristina. Trovare le parole giuste per restituire il

vortice al centro della mente della donna che inghiotte i ragionamenti piú semplici, le congetture piú elementari, le ipotesi piú astruse.

La testa le pesa come un'anguria, una morsa le schiaccia le meningi, il cuore continua a correre, sente ancora le dita di Nicola Sarti intorno alla carotide e non smette di tremare. Ha paura di un malore. Riesce a malapena a tenere il volante tra le mani, a muovere i piedi sui pedali, a mettere la freccia.

È un viaggio senza tempo. Il cellulare non finisce mai di suonare. La chiamano tutti, oggi è il giorno dell'intervista e lei risponde a tutti, sí, ok arrivo, va bene, nessun problema, ci vediamo tra poco, mentre controlla nello specchietto se la stanno seguendo.

Arrivata a casa Maria Cristina corre in camera senza parlare con nessuno. Si lava, si veste, si trucca in silenzio cercando di calmarsi.

Quando si presenta nello studio di Domenico trova ad aspettarla Caterina e lo staff della comunicazione al completo: collaboratori, stagisti, Marina, la segretaria di suo marito, e Dino Berti. Una ventina di persone. Le hanno organizzato un briefing con tanto di slide. Marina stessa le illustrerà le domande che si aspettano e le giuste strategie per uscire dalle insidie della giornalista. Invece Berti le rinfrescherà la memoria su ciò che è stato fatto dal governo fino a ora e sui prossimi passi che compirà prima delle elezioni. Domenico forse si collegherà da Londra.

– Riunione cancellata, – li liquida Maria Cristina.

– Come cancellata? – chiede Caterina incredula.

– Non serve. Potete andare. Faccio da sola.

– Ma come? Siamo qui per te. Abbiamo preparato tutto –. L'assistente stira un braccio a mostrare gli invitati a quel party a sorpresa, sul tavolo ci sono pure bibite, thermos con il caffè e tramezzini. – È molto importante, Maria Cristina…

– Quanto manca all'intervista? – la interrompe la moglie del premier.

– Sei ore. Ma dobbiamo arrivare almeno un'ora e mezzo prima allo studio.

– Ho bisogno di riposarmi, – dice Maria Cristina e le parole le escono cosí estenuate da suonare definitive.

– Giusto, Maria Cristina, – fa accomodante Dino Berti. – Abbiamo saputo di Luciano. Come sta?

Le maschere dell'accolita diventano improvvisamente tragiche.

– Meglio. Grazie. L'operazione è andata bene.

– Magari ti riposi un'oretta e poi facciamo veloce? – si affretta ad aggiungere Caterina. – Ah, dimenticavo, Amelianna sta tornando apposta dalle Maldive per aiutarti con l'outfit.

– Ottimo –. E senza aggiungere altro la moglie del premier esce dalla stanza.

– E tu che ci fai a casa? – chiede Maria Cristina aprendo la porta della stanza di Irene che buttata sul letto coccola Pippo, il cagnetto che l'autista ha portato a Roma.

La ragazzina con uno slancio abbraccia la madre. – Lo hai fatto venire qua! Grazie! Grazie!

Maria Cristina stringe forte la figlia, le appoggia il naso sul collo aspirandone l'odore buono. – Perché non sei a scuola?

– Volevo stare con te prima dell'intervista.

Maria Cristina è sorpresa, non se lo aspettava, vorrebbe sorridere, ma ha le labbra incollate. – Va bene. Grazie.

– Pippo può restare con noi? – chiede Irene.

– Sí, – sospira la madre, tenendola ancora stretta a sé. Vorrebbe dirle che dovrà occuparsene, portarlo a fare i bisogni, tutto quello che dicono i genitori ai figli quando prendono animali in casa, ma un terrore ottuso la lascia sgomenta.

Nella testa la voce di Nicola Sarti non smette mai di ripeterle: «Da adesso la tua vita cambia. Appartiene a me».

– Evviva! Evviva! – Irene si rivolge al cane. – Pippotto, puoi restare con noi. Hai capito? Sei un cane romano.

Maria Cristina si lascia scivolare sul letto, sulla sovraccoperta a stelle rosse gualcita. Il cane, scodinzolando, salta su con la zampetta fasciata e la riempie di leccatine veloci, infantili, mentre lei chiude gli occhi, sente la lingua passarle umida sugli zigomi e poi sul lobo dell'orecchio. Lo carezza, infilando le dita nel pelo piú folto del collo.

– Ecco brava mamma, – le dice Irene. – Stai qui, noi tre, come se questa stanza fosse un sottomarino.

Maria Cristina fa sí a occhi chiusi. Il corpo e la mente chiedono riposo, una tregua, ma ora è impossibile.

Perché vuole che dica Cleopatra? Che significherà?

Deve essere una parola segreta, un segnale che dà inizio a…

Non ne ha idea.

«Lo sapremo immediatamente. E il video finirà in rete». Cosí le ha detto la merda. E ha usato il plurale. Quindi non è solo. Fa parte di un'organizzazione criminale, terroristica. Hanno usato Nicola Sarti per avvicinarla, lui aveva il video con cui fare leva su di lei e con quello ne ha ottenuto uno nuovo, mille volte piú compromettente. Tutto è chiaro. La clinica senza pazienti, gli alberghi in ricostruzione, i preservativi pronti, la storia di Alessio per intenerirla, le luci della stanza accese per la telecamera. E lei gli ha confessato che Domenico la tradisce, che non fa l'amore da cinque anni, e gli ha pure detto che era pronta a tutto per dargli piacere. E quel bastardo ha sodomizzato la moglie del presidente del Consiglio italiano, una madre, di fronte all'obiettivo che registrava. Quello in barca era solo l'antipasto, quello di ieri era il piatto forte, l'arma per il ricatto.

Maria Cristina si alza ed entra nel bagno della camera, chiude la porta, si piega sul water e vomita bile acida.

– Mamma, tutto a posto? – chiede da fuori Irene.

– Sí, amore. Un attimo, – bofonchia.

– Sicuro?

– Sí –. Si lava la bocca e si guarda allo specchio. Il teschio è teso sotto la pelle tirata del volto. Gli occhi schizzano fuori dalle orbite buie incorniciate dalle occhiaie. Le labbra rinsecchite, il collo avvizzito, i capelli indomabili. Nicola Sarti è riuscito a toglierle la ragione e ogni traccia di bellezza.

Non deve fare l'intervista. Deve trovare una scusa.

No, non può. «Se non vai a fare l'intervista il video finirà in rete», ha detto.

Esce dal bagno e Pippo e Irene sono uno accanto all'altra che l'attendono preoccupati.

– Che dici, ti va di accompagnarmi a tingere i capelli? – chiede alla figlia.

– Fai bene. Questi non mi piacciono tanto, – confessa Irene. – Può venire pure Pippotto?

Il cane la guarda attento, seduto composto, la coda che spazza il pavimento. – Sí.

Irene, non soddisfatta, rilancia. – E posso venire pure alla tv a vederti mentre fai l'intervista? Sarò buonissima, super silenziosa, meno di un moscerino, giuro. E a Pippotto ci penso io.

Maria Cristina resuscita un sorriso e le fa ancora sí.

Se prima Caterina Gamberini era preoccupata, adesso è terrorizzata. Se aveva bisogno di una prova che la moglie di Mascagni è fuori di testa, ora ce l'ha. Solo una donna esaurita, in gravi condizioni mentali, va fino a Casal Bertone da una parrucchiera indiana a tingersi i capelli. E tra poco questa signora che necessita di cure psichiatriche dovrà fare un'intervista con Mariella Reitner e parlare di sé, del marito e del governo. Il suo futuro è appeso a una che ha il Qi di un pangolino. Ma si può? L'assistente boccheggia accasciata sul divano color prugna. Forse avrebbe fatto bene, invece di entrare in questo manicomio della politica, ad accettare la proposta della sua ex di aprire un fast food di pasta alla checca ad Alessandria. A Shari le cose stanno andando alla grande. E si è trovata pure una fidanzata nigeriana. Adesso che perderanno le elezioni, di lei che ne sarà? Si alza, massaggiandosi un fianco dolente, per un consulto in terrazzo con la comunicazione e la sicurezza.

Maria Cristina, bevendo il caffè nella veranda, osserva i due staff che discutono, telefonano, scuotono la testa, incrociano le braccia. Caterina fa sí con il capo e torna da lei, gobba come se portasse un armadio sulle spalle. Le si siede di fronte, mani nelle mani, e mentre si prepara a esprimersi il viso paffuto le muta da serio ad affabile fino a implorante. – Senti, Maria Cristina, ascoltami, la sicurezza ritiene che attraversare Roma con questo poco margine non è praticabile, rischiamo di arrivare in ritar-

do per la diretta. E inoltre ci sono le foto di te all'Opera
con i capelli biondi, ora te li vuoi tingere di castano, che
penserà la gente? Potrebbe, ecco, non so, fraintendere e
vederci un'indecisione del governo, un boomerang, insomma –. L'assistente la guarda seria. – Almeno pren-
deresti in considerazione di andare da Diego Malara? O
farlo venire qui?

– No.

Caterina si morde le labbra. – Ti prego, Maria Cristina, non fare la bambina –. Poi si tocca il petto senza fiato. – Ce l'hai con me per quello che hai sentito in bagno?
Mi dispiace, sono mortificata. Ho sbagliato. Perdonami.

– Ti perdono. Andiamo con la scorta cosí facciamo prima.

La giovane deglutisce. – Io mi sto sentendo male.

Maria Cristina, seduta sul divanetto, accavalla le gambe
con lentezza, il sandalo che le dondola in bilico sulle dita
del piede. – Mi spiace.

– Ti prego… – È una richiesta disperata. – Il premier
ora è impegnato con Meyer. Non possiamo parlarci.

Maria Cristina prende il cellulare dalla borsetta. – E il
Bruco, glielo avete chiesto?

Caterina sfiata attraverso le narici come una lontra dopo un'apnea e le elargisce un sorriso esausto. – No. Non
risponde subito. Ci mette sempre un po'. Lo sai.

Maria Cristina compone un numero, aspetta pochi secondi. – Pronto. Buongiorno.

L'assistente la fissa mozzandosi con gli incisivi l'unghia
del medio. Poi per non farsi sentire scandisce le parole con
le labbra. – Ma è lui? Il Brucooo?

– Tutto a posto. Tutto a posto –. La moglie del premier le fa segno di sí. – Volevo chiederti se è un problema
se mi tingo i capelli per l'intervista… Sí, scuri, castani,
come prima, un po' piú corti… Perfetto. Grazie. So che

non sei uso, ma ti dispiacerebbe dirlo a Caterina? Te la passo –. Porge il telefono all'assistente che afferra il cellulare come fosse un crotalo e se lo poggia con cautela sull'orecchio. – Pronto? Sí, è lei? È il Bruco? Il Bruco in persona? È un grande onore. Sí. Va bene. Sí, certo. Grazie. Benissimo. D'accordo. Benissimo.

E quindi eccoli, Davide, Irene, Pippotto e Maria Cristina nella Mercedes, direzione via di Casal Bertone, scortati da un paio di volanti.

Maria Cristina, nuca sul poggiatesta, tiene gli occhi chiusi e sente la città che le vibra intorno. Oggi Roma è un inferno, allagata dalle piogge notturne e invasa da tifosi tedeschi, c'è una partita di coppa, il traffico s'insinua sin dentro i vicoli piú stretti, le auto in seconda, in terza fila, i camion della spazzatura ostruiscono la circolazione come colesterolo nelle arterie e nonostante le sirene e la prepotenza delle auto blu il viaggio è infinito.

Vorrebbe liberare la testa dall'assillo del ricatto. Michael Mantler, il deprogrammatore di Andrea, insegnava che la mente è una stanza da svuotare. Bisogna gettare fuori tutto ciò che non serve. A respirare, dormire e nutrirsi ci pensa il corpo. Ma la mente di Maria Cristina è un cubo ermetico abitato da Nicola Sarti.

Che razza di essere orribile è? Un attore da Oscar, un mostro, un terrorista pornostar che non si vergogna a farsi vedere nei video hard per qualche causa rivoluzionaria.

Sei riuscita pure a svegliarti innamorata, infierisce Diana Brinzaglia.

Con il tacco della scarpa si preme sull'alluce senza unghia. Una staffilata elettrica le sale per la gamba, le spezza il respiro, strizza la bocca impedendosi di urlare.

Cleopatra. La regina degli antichi Egizi. Bellissima. Innamorata di Marco Antonio. Perché proprio Cleopatra? Perché è bella come lei? Perché si è suicidata per amore? È un simbolo? Vorrebbe cercare notizie, capire se è un nome in codice, un simbolo rivoluzionario, se ha significati segreti. Sta per prendere il telefono, ma se lo impedisce. Sarà già stato hackerato. È cosí impaurita che teme che possano ascoltarle i pensieri. E che ci siano cimici nell'auto. Se ci fosse un modo sicuro per mettersi in contatto con Botta, il capo dei servizi segreti, potrebbe chiedergli aiuto e far arrestare Nicola Sarti.

«Se ne parli con chiunque, finisce in rete. Lo sapremo immediatamente».

Guarda fuori dall'auto il traffico, le file di scooter. La staranno seguendo. Apre la borsetta e tira fuori lo Xanax. Il liquido caldo, oleoso, amaro le intorpidisce la lingua. Afferra il cellulare. Vuole chiamare Luciano per sapere come sta.

No, meglio di no.

Stefania Subramaniam nel sari verde e con il panettone di capelli in testa attende la moglie del premier all'ingresso del suo piccolo salone di bellezza, stretto tra un negozio di cibo per animali e uno di frutta e verdura. La parrucchiera è incastonata tra gli stipiti della porta come una statua in una nicchia di un tempio indú. Dietro di lei ci sono tre sottili ragazze indiane che la sovrastano incuriosite.

Appena Stefania vede Maria Cristina smontare dalla Mercedes unisce i palmi delle mani in segno di saluto. La notizia dell'arrivo della moglie del premier deve essere filtrata nella zona perché alle finestre e sui balconi dei palazzoni moderni si affacciano i condomini con i telefoni in mano. Il fruttarolo indiano ha pronto un vassoio di spicchi di mango e papaia che offre a Irene e ai curiosi che affollano il marciapiede. È un benvenuto festoso, senza contestatori. Gli uomini della sicurezza fanno strada a Maria Cristina che saluta con una mano ed entra all'interno del salone.

La parrucchiera chiude a chiave la porta e appende un cartello con scritto «Chiuso». - Cosí non ci scoccia nessuno -. Tira le tende nascondendo la strada, il traffico e i curiosi che sbirciano dalla vetrina.

L'interno del locale, con il soffitto basso e i neon, è semplice. Linoleum nero a terra, gli specchi su entrambi i lati, le poltrone azzurre, foto di famiglia e di famosi monumenti indiani, il Taj Mahal, le vedute delle montagne innevate e santini di divinità induiste.

Le assistenti continuano a sorridere, scuotendo la testa a destra e a sinistra, mentre due clienti anziane chiuse nelle mantelline nere come vecchi avvoltoi la fissano estatiche.

La parrucchiera si avvicina alla ragazzina con il suo cagnolino al guinzaglio e la osserva seria. - Scommetto che tu sei Irene.

- Sí. Sono io.

- E questo amorino chi è? - La parrucchiera si piega a carezzare il cagnetto che ancheggia festoso.

- Lui è Pippotto.

- Lo sai che sei molto bella, Irene? C'è chi dice che sei addirittura piú bella della mamma.

La ragazzina, sospettosa, storce la testa. - Chi?

- Tanti.

- Impossibile -. Abbassa la voce e dice alla coiffeuse in un orecchio: - Se le aggiusti i capelli, la mia mamma è la piú bella del mondo.

– E noi glieli aggiustiamo. Comunque anche tu non sei niente male. Siete due colori della bellezza che ne ha milletrentasei –. Stefania solleva una ciocca di Irene. – Io ti farei pareggiare un po' le punte, che dici? – E guarda Maria Cristina chiedendo il permesso.

– Posso, mamma? – fa la piccola tutta eccitata.

– Va bene.

Stefania l'affida alle sue ragazze e indica a Maria Cristina di seguirla in una seconda sala dove ci sono altre postazioni. I colori delle pareti qui sono arancioni e ci sono una foto in bianco e nero di un vecchio santone indiano, una autografata da Maria De Filippi e una di Padre Pio unite in un sincretismo teologico.

Stefania monta su uno sgabellino, inforca gli occhiali da vista, fa segno a Maria Cristina di avvicinarsi e le esamina i capelli in silenzio.

– Ho combinato un casino, vero? – domanda colpevole Maria Cristina.

– Uscire da questo biondo non sarà facile, ma ce la faremo. L'importante è che non abbia permeato l'anima.

Maria Cristina osserva gli occhi da poiana di Stefania Subramaniam e timida, con un filo di voce, le chiede:
– Posso abbracciarti?

L'indiana allarga le braccia e Maria Cristina ci scivola dentro. Sente lo stesso effetto provato quando l'ha incontrata nel bagno del Circolo Canottieri, ma oggi, spaventata come mai e con la vita appesa a un filo, è piú potente e taumaturgico. Avverte l'energia positiva che la santona le trasferisce per affrontare l'intervista. Resta ferma a occhi chiusi, grata, rigenerandosi in quel calore benefico.

Stefania Subramaniam le sussurra in un orecchio:
– Non ti devi preoccupare. Sei forte e bella come una tigre. Ce la farai.

Maria Cristina le poggia la fronte su una spalla e balbetta. – Ho paura.

L'indiana le spinge su il mento per vederla in viso. – La paura finisce dove comincia la verità.

Gli occhi della moglie del premier si velano di lacrime, tira su con il naso. – Voglio solo trovare un po' di pace.

– Devi cercare quella giusta per te. Ognuno ha la propria.

– Ma io... – Maria Cristina non capisce cosa intenda la parrucchiera. Tutta questa saggezza la lascia sempre incerta. Nella vita ha affannosamente cercato dei maestri, dei filosofi da cui imparare, attratta come una falena dalla loro luce, ma appena gli si è avvicinata invece di assorbirne la saggezza ha sentito piú forte il vuoto che la riempie.

Stefania le poggia le mani sulle tempie. – Tutto passa. Le cose, pure le peggiori, si superano e prendono il posto che meritano nel nostro passato. Ma adesso parliamo di questioni serie. Che vogliamo fare con questi capelli? Io li farei tornare al colore naturale e li taglierei sulla nuca tenendo un po' di lunghezza sul davanti e li pettinerei con la riga, da maschio. Sarai ugualmente femminile, ma ti darà la giusta autorevolezza all'intervista.

Maria Cristina le stringe le mani. – Io mi affido a te, Stefania.

La parrucchiera le indica una poltrona dove accomodarsi. – Mi piace quando mi dicono cosí.

3.

La moglie del premier ha addosso un golfino a collo alto grigio e senza maniche e dei pantaloni neri a vita alta. Un paio di scarpe rosse con il tacco. I nuovi capelli castani, morbidi e lucenti le rendono il collo ancora piú lungo e gli occhi emergono sotto gli archi delle sopracciglia come sfere d'ambra. Al resto ci ha pensato il trucco televisivo, cosí pesante che ha coperto occhiaie e rughe. Il rossetto di un vermiglio intenso le ha allargato la bocca definendo meglio il contorno delle labbra.

Un'assistente le ha comunicato che tra cinque minuti l'accompagneranno nello studio e durante lo stacco pubblicitario si potrà accomodare per l'intervista.

Attraverso la porta del camerino filtrano le voci di assistenti, tecnici, truccatori, fotografi, tutto lo staff della comunicazione di Domenico, e quella acuta di Irene che insegna a Pippo a stare seduto.

Maria Cristina tacchetta avanti e indietro tra il divano blu liso e il lungo pianale di formica bianco sotto lo specchio su cui è posato un cesto di frutta. – L'importante è che resti calma. Ascolta bene le domande e prima di rispondere prenditi il tempo per pensare, – sussurra a sé stessa asciugandosi le ascelle con la carta assorbente mentre il motore del piccolo frigorifero attacca e stacca con un cigolio snervante. L'aria stantia del camerino le gonfia i polmoni ma le sembra di soffocare. Ha il diaframma contratto. Il cuore, per fortuna, ha smesso di correre.

Schizzi leggeri di pioggia battono contro la finestra che affaccia sul parcheggio. L'acqua cade costante e dorata nel cono di un lampione, rimbalzando in una pozzanghera che si allarga sull'asfalto e finisce ingoiata da un tombino. Accanto a un bidone colmo di immondizia c'è un gabbiano che becchetta i resti disfatti di un hamburger.

I gabbiani l'hanno seguita sempre, a Roma, in campagna, dal Bruco, i veri compagni di questa avventura, a volte sono scomparsi per ripresentarsi quando il suo sguardo, per un secondo libero dai pensieri, si perdeva nel cielo. Forse gli uccelli conoscono il senso della vita. Combattere per ogni boccone che Iddio ti concede.

Il cellulare vibra sul tavolo.

Domenico.

Adesso no, è tardi. Lui le mette solo ansia. Mani sui fianchi, inspirando ed espirando fissa lo schermo fino a quando il nome di suo marito scompare.

Un minuto dopo bussano alla porta.

– Sí? – dice con un filo di voce, stringendosi le mani sudate.

Fa capolino Caterina. – Il presidente vorrebbe farti in bocca al lupo –. Mostra il cellulare. – Ha appena finito la riunione. Te lo posso passare?

Maria Cristina tira su con il naso e prende il telefono.

– Domenico.

– Amore, scusami, oggi non ti ho risposto, ma non mi dànno tregua. Come va? Come ti senti?

– Bene, – mente lei, mettendo su una flebile voce serena.

– Pronta?

– Pronta.

– Sono furioso, stasera mi hanno organizzato una cena con Meyer e il ministro degli Esteri. Non credo che riuscirò a vederti. Ma Caterina mi terrà aggiornato. Mi raccomando, tu vai leggera che non devi salvare il mondo –. Risatina. – Forse solo me.

– Ok –. Maria Cristina ha perso le parole e le restano solo i grazie, i bene, gli ok, i sí e i no.

– Mi hanno mandato la foto del nuovo taglio. Perfetto. Elegantissima. Hai fatto proprio bene. Biondo non è il tuo.

– Grazie.

– Se la Reitner ti fa domande a cui non sai rispondere, cambia discorso, racconta qualcosa di personale. Ti sei preparata con i ragazzi?

Maria Cristina si affaccia alla finestra. Il gabbiano è
scomparso e la pioggia ha perso vigore. – No.
– Ah! – Silenzio. – E perché?
– Sono andata a farmi i capelli.
– Ok –. Domenico cambia tono. – Sai che ti dico? Me-
glio. Piú spontanea. Capito? Svia. Se ti chiede di politi-
ca, di me, dille che tu non entri nel merito delle mie scelte
o di quelle del mio governo. Non sei andata lí per quello.
Sei tu la protagonista.
Maria Cristina si siede composta sul divanetto. – Sí.
– Allora come si dice a Roma, spacca il culo ai passeri.
Andrà benissimo.
– Sí.
– Ti voglio bene. Ti chiamo dopo.
– Ok –. Mentre Maria Cristina chiude la conversazione,
con la paura che ha superato i livelli di guardia, la porta si
spalanca e appare una giovane assistente con un caschetto
tinto di fucsia. – Pronta?

Gambe accavallate, mani poggiate sui braccioli, rit-
ta sulla schiena, la moglie del premier è su una scomoda
poltrona fatta di vecchi elenchi telefonici. Splende di incanto sotto i fari dello studio. Oltre la sfera luminosa che
la avvolge, nascosto dal buio, il poco pubblico mormora
e rumoreggia. Maria Cristina cerca sua figlia, seduta da
qualche parte, ma non la vede.
Il conto alla rovescia scorre mentre va la pubblicità.
È tempo di decidere.
Per tutta la giornata ha scacciato il pensiero, ma ora mancano pochi secondi. Prende un sorso d'acqua che le scende
a fatica nella gola contratta. Allarga le braccia e stringendo i braccioli fissa la camera puntata su di lei, dietro si intravede la chioma brizzolata del cameraman con le cuffie.

Intanto, si dice, chiariamo che non ho fatto niente di male. Non ho ucciso nessuno. Io sono la vittima. Sono stata ingannata e ricattata per qualcosa che nemmeno ho capito cos'è.

Se cede all'estorsione di Nicola Sarti e di quelli dietro di lui metterà in pericolo sé stessa, il governo e il Paese. Il video esporrà la vita intima che ha concesso a un uomo di cui si fidava. Morirà di vergogna, ma risorgerà. Ne troverà un'altra d'intimità, piú sua e segreta.

«La paura finisce dove comincia la verità», le ha detto la parrucchiera.

La decisione è chiara, nitida, inequivocabile. La paura le si è cristallizzata addosso come sale sulla pelle, ma dentro le sta crescendo un'audacia temeraria.

– Col cazzo che dirò Cleopatra, – mormora tra le labbra.

Per la prima volta è certa di non sbagliare. Irene vedrà sua madre fare sesso con un mostro, ma se è intelligente, come crede, con il tempo capirà. Domenico la difenderà per un po' e poi la lascerà. Non è tipo da portare con disinvoltura corna planetarie.

Affronterà ciò che c'è da affrontare. Ma non cederà ai ricatti.

Un sorriso spavaldo le flette la bocca mentre lo schermo segna meno tre, due, uno.

In onda.

– Buona sera signora Mascagni, è un grande piacere averla con noi –. Mariella Reitner è vestita con una ampia camicia di seta rosa che le nasconde le forme, un filo con un ciondolo a forma di sole le pende dal collo. Si è acconciata i capelli in un caschetto tenuto da un cerchietto blu scuro. Sembra il paggio di un cartone animato.

– Anche per me, – risponde Maria Cristina con un filo di voce.

La Reitner si poggia un paio di occhialini rossi sulla punta del naso e getta un'occhiata nella cartellina. – Conosciamo la sua ritrosia a venire in tv, la sua celebre riservatezza e, nonostante ciò, ha accettato questa chiacchierata. Quindi la voglio ringraziare personalmente.

– È un piacere –. Maria Cristina strizza le palpebre per scorgere la sua interlocutrice. I proiettori che le hanno puntato sul volto per spianare ogni imperfezione l'accecano. Sullo schermo ai suoi piedi il countdown segna trentasei minuti alla fine della trasmissione. Un'infinità.

Nello studio non vola una mosca e l'impressione di essere sole, in uno spazio immenso, è forte. Maria Cristina si sposta sul bordo della poltrona stringendo le gambe in attesa della prima domanda.

La giornalista la osserva a lungo. – Abbiamo notato che ha cambiato look. Qualche giorno fa, all'Opera, ha spiazzato tutti con un taglio corto, biondo, inusuale per lei, molto commentato sui social e oggi la ritroviamo di nuovo castana e con i capelli ancora piú corti. Come mai?

Maria Cristina senza rendersene conto scosta il ciuffo dalla fronte. – Non mi piacevano. Ho provato. Dicono che essere biondi è un'attitudine. Io ho scoperto di non averla. Non mi riconoscevo –. La voce le trema un po' e le parole escono a fatica. – Irene, mia figlia, continuava a dirmi che non ero io. Quindi…

– Secondo me non stava male, – la interrompe la Reitner. – Ma forse ha ragione sua figlia, non sembrava lei. A suo marito piacevano?

Maria Cristina scuote la testa. – Non tanto. Quindi stamattina, nervosa, le confesso, per quest'intervista, ho deciso di tornare a essere me. Ma giusto un po' piú corta e leggera.

– Le stanno molto bene –. La giornalista sorride. – Quindi parlerò proprio con la vera, bruna e leggera Maria Cristina Palma, la donna piú bella del mondo?

Ecco, ora potrebbe dire: no, parla con Cleopatra. E invece: – Sí, con la piú bella del mondo, almeno fino a quando non si farà una nuova ricerca. Speriamo presto. Non vedo l'ora di passare lo scettro a qualcun'altra, cosí posso invecchiare in santa pace. Devo ammettere che comincio a sostenere questo ruolo con fatica –. Maria Cristina si accorge di avere la bocca impastata.

Il pubblico è sempre silenzioso.

Non ci pensare, piú parli e prima finisce, le viene in aiuto Diana Brinzaglia. Le sembra di intravedere la sua compagna di scuola, con il top fucsia, la sigaretta stretta tra le dita, tale e quale a quando l'ha fermata in mezzo alla strada, proprio dietro le spalle di Mariella Reitner.

La giornalista ha raccontato l'infanzia della moglie del presidente del Consiglio a Palermo, il padre scalatore che ha abbandonato la famiglia, la fine prematura della madre, il trasferimento a Roma dai nonni, la morte di Alessio, la carriera da atleta e modella, il matrimonio con lo scrittore Andrea Cerri, l'incidente, le ustioni e poi Domenico, la nascita di Irene. Su uno schermo alle loro spalle scorrono foto della vita di Maria Cristina ad accompagnare il racconto.

– Certo ha avuto tanti lutti e ha attraversato tanto dolore. Deve aver imparato ad affrontarli. A dargli un senso. Se si può dare un senso alla perdita, – filosofeggia la giornalista continuando a sbirciare gli appunti.

Alla nostra protagonista pare di essere di fronte a un agente di polizia che la interroga scrutando il verbale.

Cerca ancora sua figlia nel buio, non la vede. Forse è rimasta nei camerini con il cane. Le piacerebbe prendersi un attimo per riflettere, ma la lingua è piú veloce del cervello. – Non gli so dare un senso. Vivo nel terrore che qualcuno che amo possa soffrire, sparire o morire all'improvviso. Forse per questo fatico a fare amicizia, ad attaccarmi alle persone, ho paura di perderle. Mi capita di svegliarmi e andare a controllare che Irene sia nella sua stanza. O che Domenico stia bene. Ma sogno che quando toccherà a me morire mi risveglierò insieme ai miei cari e ai miei cani che mi faranno tante feste vedendomi di nuovo con loro.

– Lei quindi crede? – le domanda la giornalista.

La moglie del premier scuote il capo. – Spero. È un po' diverso. Non penso sia proprio uguale.

– Non lo so, – fa la Reitner, poi aggiunge tra sé: – Nemmeno io sono una grande esperta.

L'intervista avanza veloce, su binari sicuri, come probabilmente Domenico ha concordato. Le domande vertono sui suoi impegni quotidiani, sul cambiamento di vita e sulla campagna che ha promosso per la scolarizzazione dei figli degli extracomunitari, sulle impressioni che le hanno fatto le first lady incontrate e il presidente degli Stati Uniti.

C'è una Maria Cristina che risponde quasi a suo agio (presa la decisione, non ha piú niente da perdere) e un'altra che smania e non vede l'ora che la trasmissione finisca, che esca il video e sarà quel che sarà.

La Reitner riguarda per la centesima volta i suoi appunti come se cercasse una domanda piú affilata.

Maria Cristina allunga le gambe rammaricandosi di non essersi messa la gonna. Ha sbagliato look. Doveva essere piú sexy, piú zoccola, con una camicetta sbottonata al punto giusto.

– Suo marito ha dovuto lasciare il lavoro di avvocato, era a capo di uno dei piú importanti studi legali d'Italia. Un uomo ricco, di successo, con una moglie bellissima e una figlia. Secondo lei perché ha accettato di guidare il governo?

Maria Cristina scrolla le spalle. – Questo dovrebbe chiederlo a lui.

– Non ne avete parlato? Ha deciso da solo?

– Ovvio che no.

– Ci può raccontare com'è andata?

– Eravamo a Sabaudia, al mare, già a letto. Il capo del Pui lo ha chiamato proponendogli di essere il nome da portare al Quirinale per formare il governo. Avevano fretta. Domenico ha chiesto di pensarci la notte.

– Gli è stata accanto mentre decideva?

– No. Dormiamo in camere separate.

Risate dal pubblico. Applausi.

Ecco la prima bugia. A Sabaudia dormivano nella stessa stanza. E lei gli ha dormito accanto, protetta dalla mascherina per la luce, dai tappi e da dieci gocce di sonnifero. Riprende il racconto. – A colazione Domenico aveva deciso, mi ha detto che avrebbe accettato. Era arrivato il momento di impegnarsi in prima persona per il Paese.

– Ha sentito il dovere etico, civile, di entrare in campo?

– Credo che ci fosse anche un po' di vanità, – aggiunge Maria Cristina guardandosi le mani.

La giornalista sembra risvegliarsi. – In che senso? Mi spieghi.

Maria Cristina si passa i polpastrelli sulla nuca. – S'immagini... Ti chiamano all'improvviso dal partito di mag-

gioranza dicendoti che sei l'uomo giusto, l'unico capace
di risolvere i problemi dell'Italia in un periodo cosí com-
plicato, è evidente che ti senti caricato di una grande re-
sponsabilità, ma anche lusingato. Poi ha parlato con il nostro presidente della Repubblica che ha saputo togliergli
gli ultimi dubbi.

La Reitner sghignazza divertita. – E riguardo a lei, alla
famiglia? La vostra vita familiare che sarebbe cambiata se
lui avesse accettato l'incarico. Cosa le ha detto suo marito?

Maria Cristina ricorda il patto fatto con sé stessa. La
verità. – Domenico mi ha detto che avrebbe accettato
solo se fossi stata d'accordo a stargli accanto come moglie del premier. Io non avevo mai visto mio marito cosí
euforico come quella mattina. No, scusi, ho sbagliato parola, direi carico e convinto. Ha detto che avrebbe fatto
il possibile per il benessere dell'Italia. E che impegnarsi
per il prossimo aiuta a stare meglio con sé stessi. Che gli
potevo dire? Gli potevo mai dire di no?

– Un vero idealista. Non immaginavo. Mi fa piacere –.
C'è un po' di ironia nel tono della giornalista.

Maria Cristina la guarda seria. – Sí. Ha detto cosí. E
ci credeva.

La Reitner però ribatte. – Non le ha detto che forse era
stato preso in considerazione dai capi di partito anche per
lei, una modella bellissima, famosa, perfetta compagna di
un avvocato prestato alla politica ma poco noto ai piú?

– No, – risponde secca la moglie del premier.

– E se lei non fosse stata d'accordo?

– Avrebbe rinunciato. Cosí mi ha detto.

La Reitner la incalza. – Secondo lei è vero? Lo avrebbe proprio fatto?

Maria Cristina si prende del tempo prima di continuare. – Non lo so. Io so che ho scelto Domenico Mascagni

come marito e padre di mia figlia perché è un uomo maturo, ragionevole, onesto e determinato –. Fa una piccola pausa. – Amo gli uomini onesti e determinati.

– E perché era ricco? – butta lí la Reitner.

– Anche.

Il pubblico si diverte.

Uno a zero, palla al centro, la sprona Diana Brinzaglia.

– Mi dava sicurezza e potevo poggiarmi a lui certa che avrebbe fatto il meglio per me, – prosegue Maria Cristina. – Dopo la morte di Andrea, il mio primo marito, ho passato un periodo difficile, ho sofferto di depressione e Domenico mi ha rincollata pezzo pezzo come una teiera rotta. Mi ha corteggiato in maniera discreta ed elegante, senza mai imporsi, e quando ci siamo messi assieme mi ha fatto vivere una vita meravigliosa –. Maria Cristina guarda nel buio cercando i volti di chi l'ascolta e finalmente scorge Irene che le sorride e tira su il pollice. – Purtroppo da quando è entrato in politica mio marito è cambiato. Non gli mancava niente, c'era l'ipotesi di trasferirci a Londra. Ha rinunciato a ogni cosa e si è buttato in questa impresa con ogni energia e forse con un po' di ingenuità.

– Suo marito ingenuo? Veramente?

– Sí. Credeva di poter fare qualcosa di buono per il Paese. Non conoscendo gli intrighi di palazzo era convinto di poter realizzare in libertà, grazie alla sua indipendenza, un progetto politico per migliorare la vita degli italiani. Ma non è facile aiutare l'Italia. L'ho visto combattere come un leone ma poi, giorno dopo giorno, perdere slancio. L'entusiasmo si è trasformato in frustrazione, si sentiva impotente e raggirato, ha smesso di dormire, di parlare di altro che non fossero i lacci e gli ostacoli che lo immobilizzano, ha cominciato a temere i suoi compagni di partito,

gli stessi che lo avevano chiamato –. Un sorriso amaro le
stringe le labbra. – La verità è che il palazzo se lo è mangiato. A casa non è piú lui. È sempre cupo, preoccupato,
distratto. Ammetto che non è facile vivergli accanto. Ci
parlo appena, non lo vedo mai, non riesce a passare cinque
minuti sereni con sua figlia. Si sente solo e tradito. Non
lo so... Mi dispiace tanto per lui, io non so come aiutarlo.
Ma vedo che nonostante tutto ci crede ancora. E questo
gli fa onore. Non molla. È tosto.

Lo studio scoppia in un applauso. Non è chiaro se sia
rivolto alla moglie o al marito. La Reitner la fissa in silenzio, poi le chiede: – Onestamente, spera che perda le elezioni per ritrovarlo?

– No. Questo mai.

Bugia, la rimprovera Diana Brinzaglia.

– Domenico è un leone. Credo che se verrà eletto, legit-
timato dal voto degli italiani, farà cose egregie. E in quel
caso sarò io a mettermi da parte.

– In che senso? Non vuole piú essere la moglie del premier? – le domanda la Reitner, poi aggiunge sfilandosi gli
occhiali: – O forse ci sta dicendo che vuole lasciarlo?

– E perché mai? Non è questo il punto. Ma per essere
la moglie del premier ho perso me stessa, mia figlia, le cose
che amo. Questo ruolo non fa per me. Mi basta essere la
moglie di Domenico Mascagni e la madre di Irene, – dice
mentre s'immagina barricata in campagna con il suo video
hard che imperversa per il pianeta.

– Mi scusi, non capisco. Allora perché ha accettato? Poteva dire no a Sabaudia.

– Siamo una coppia e nelle coppie c'è sempre un momento in cui uno decide e l'altro segue. E tocca quasi sempre
alle donne seguire. È cosí dall'alba dei tempi ovunque nel
mondo, anche se non è giusto. Eppure vi dico che essere

moglie, madre, aiutare il proprio compagno a stare bene è un mestiere che a volte, pare incredibile, è addirittura gratificante.

La Reitner la sprona con lo sguardo, ma la nostra eroina non ha bisogno di sproni. – Io però spero con tutto il cuore che in Italia, prima o poi, ci sia una donna come premier, cosí il marito scoprirà cosa vuol dire essere... come si dirà? First gentleman. Quest'uomo capirà cosa vuol dire fare la spalla silenziosa. Essere sempre gentili, belli ed eleganti, vivere nell'ansia di dire cose inappropriate o sconvenienti, in definitiva capirà cosa significa essere la moglie di un marito troppo ingombrante –. Si sistema sulla sedia. Lo stomaco le si è sciolto, non suda piú, le parole le escono leggere. – Lo sa perché non vado in tv? Perché non mi sento abbastanza intelligente, acuta, divertente. La politica non la capisco e non mi interessa. Ho il terrore che mi trattino male e che mi massacrino sui social e mi insultino. Mi piace vestirmi per gli eventi importanti, essere ammirata, far fare bella figura al mio Paese. È inutile negarlo, mi è piaciuto andare alla Casa Bianca, cenare con il presidente degli Stati Uniti, adoro il privilegio di vedere Petra al tramonto o andare a cena con il Dalai Lama. Del resto, dicono che sono frivola. Ora basta, però. È stato bello, ma è sufficiente cosí.

Maria Cristina ha dimenticato di essere in diretta nazionale.

Quel diavolo di Nicola Sarti le ha regalato il coraggio.

Il tempo è volato. Mancano pochi minuti alla fine della trasmissione.

– Grazie, signora Palma, – le dice la Reitner abbassando la testa. – Sono cosí felice che abbia accettato il mio invito. È stata una conversazione illuminante, lei si è aperta senza paura e sono certa che gli spettatori hanno apprezzato la sua sincerità, il suo coraggio, la verità che ha portato in questo studio, qualità cosí rare oggi.

– Grazie.

– Tornerà a trovarci?

Maria Cristina scoppia in una risata. – No.

Il pubblico è entusiasta. Qualcuno urla il suo nome. Anche la Reitner si alza ad applaudirla.

– Però le confesso che sono stata bene, – aggiunge la moglie del premier sorridendo e sventagliandosi con la mano.

La giornalista poggia la sua cartellina. – Anche io.

Ce l'ha fatta. Maria Cristina stira la schiena e mentre le luci si accendono sullo studio si alza in piedi.

La Reitner si guarda intorno, con un gesto spegne gli applausi. – Posso farle un'ultima domanda?

– Prego.

La giornalista fa un impercettibile scatto in avanti, il volto fin lí cordiale perde ogni espressività. Deglutisce. – Ecco, se lei dovesse scegliere una donna famosa, un personaggio storico, chi vorrebbe essere?

Maria Cristina strizza gli occhi. – Non ho capito.

– Se dovesse scegliere un personaggio, chi le piacerebbe essere?

Le sembra di svenire, le gambe non la sostengono, i polmoni si rimpiccioliscono come sacchetti vuoti mentre un fuoco le divampa nella nuca e nel volto. Si ritrova seduta. Balbetta. – In che senso?

La Reitner si schiarisce la voce. – Una donna importante, significativa per lei. Chi vorrebbe essere?

– Io?

– Sí. Lei.

Nello studio è calato un silenzio di tomba.

Maria Cristina si guarda attorno, ora vede centinaia di volti che la fissano, negli occhi hanno tutti la stessa domanda.

Chi vuoi essere?

Uomini e donne di ogni età, le ragazze con le cuffie, i tecnici, gli assistenti, gli operatori dietro le telecamere e oltre le lenti degli obiettivi puntati su di lei, nelle loro case, a milioni aspettano la sua risposta.

Basta dire Cleopatra e sarai salva. Il video sparirà. Nessuno ti vedrà. Dillo, Maria Cristina. Forza. Di che hai paura? Le sembra di sentirli mormorare. Hai capito, finalmente. Nicola Sarti è uno di noi. Dillo. È facile. Liberati. È per te che lo devi dire. Fai questo ultimo sforzo.

La moglie del premier cerca Diana Brinzaglia, ma non c'è. È sola. Solleva gli occhi al soffitto, prende un respiro che le si espande nel torace, abbassa le palpebre ed è fuori da quella scatola.

Non fa freddo, non tira vento. Ha il cielo della notte sopra la testa, le nuvole sono scomparse e la luna è lí come l'avanzo di un'unghia tagliata e piú su le stelle luccicano, appuntate come diamanti sulla volta nera del firmamento.

– Chi vorrebbe essere Maria Cristina? – le sorride Mariella Reitner. – Non ha un nome?

La moglie del premier si gira verso la figlia. – L'astronauta. Samantha Cristoforetti.

VIII.

Una settimana dopo

MARIA CRISTINA
Ciao Nicola. Scusami se ti disturbo. Il
video non esiste, vero?

NICOLA SARTI
Ciao Maria Cristina. No, non esiste, quello
che mi hai tirato in testa era un rilevatore
di movimento.

MARIA CRISTINA
E Cleopatra?

NICOLA SARTI
Non sapevo come calmarti. È il nome del
gatto di mia madre.

MARIA CRISTINA
😂😂😂

IX.

Due anni dopo

E anche questa storia, come ogni storia che si rispetti, è arrivata a una fine.

Io, mio caro lettore, se sei ancora qui con me, mi terrò da parte senza commentare, senza filosofeggiare, lascerò che a parlare siano le immagini, come in un film. Ti dico solo che sono passati due anni dall'intervista e la nostra eroina, borsa di paglia sottobraccio, si affretta giú per una stradina di terra ocra che si snoda fino al mare. Le suole dei sandali bassi scivolano sul pietrisco. Folate di vento secco e tiepido flettono gli oleandri che coprono di verde la collina e le accarezzano le gambe abbronzate, le scompigliano i lunghi capelli tenuti indietro da una fascia rossa a pois bianchi. Il cielo è terso, segnato da strati di nuvole sottili che si susseguono fino all'orizzonte dove si mischiano con il blu dell'Egeo. Un paio di capre marroni con le corna torte e la barbetta sotto il mento, in equilibrio su un muretto di pietre, la fissano mentre taglia giú per una scorciatoia che si appende tra le rocce e arriva dritta alla spiaggia, una sottile striscia di ciottoli scuri su cui ondeggia silenziosa l'acqua trasparente della baia. Il fondo di rocce e aiuole di posidonia è cosí basso che sembra una piscina naturale.

Non c'è anima viva se non dei polli dietro una rete e i grilli che friniscono nella calura che monta. Lontano si sente la sirena di un traghetto che attracca dall'altra parte dell'isola.

Su una spianata sono rivoltate a pancia in su un paio di barchette bianche e un gommone sgonfio e lí dove manca il cemento squarci di cielo si riflettono nelle pozzanghere orlate dal sale. Una gabbiana solitaria rovista tra i resti di acciughe macerate al sole, l'esca abbandonata di qualche pescatore di cefali. L'odore di pesce si mischia con quello della resina dei pini sul lungomare.

Maria Cristina prosegue a passo svelto su un camminamento di terra battuta che scorre tra il bagnasciuga e una strada che trattiene poche isole d'asfalto nella polvere. L'arco della baia perde la sua perfezione allungandosi in un dito sottile di terra su cui sorge un piccolo cimitero che si staglia sull'acqua cosí placida da sembrare quella di un lago. Le lapidi si contendono il poco spazio, protette da una cancellata bassa, dipinta d'azzurro, ma lí dove il ferro è rimasto nudo, la ruggine lo ha colorato di arancione. La chiesetta al centro è un cubo intonacato a calce su cui è poggiato il campanile. Le porte di legno scuro sono serrate come sempre. Maria Cristina apre il cancelletto chiuso da una catena senza lucchetto e attraversa le file di tombe macchiate dalla sabbia portata dalle piogge continentali. La gran parte delle fosse è pressata dai gerani secchi, dalle grandi agavi, dal grano ingiallito, dal bosso che ha perso ogni forma. Si ferma di fronte a una tomba che dà sul mare. È una semplice lastra di marmo squadrata e venata di striature grigiastre. La pietra non ha perso lucidità dopo tutti questi anni. Sopra c'è inciso il nome di Alessio.

Maria Cristina s'inginocchia, tira fuori dalla borsa una bottiglietta d'acqua, una tovaglietta di lino bianco, dei panini avvolti nella stagnola e un mazzo di violette. Sostituisce i fiori nel vaso di alluminio opaco. Ci versa un po' d'acqua. Una lucertola verde smeraldo scivola sul marmo lasciando il segno della coda sulla polvere e scompare in un cespuglio di capperi che cresce negli interstizi del sepolcro. Maria Cristina stira la tovaglia sulla lastra e ci poggia sopra il cibo. Una folata di vento le porta lo scampanellio di una bicicletta. Si gira e riparandosi gli occhi con una mano solleva un braccio.

In alto, sul ciglio della collina, nel controluce, si staglia la sagoma sottile di Irene sulla sua bici. Poco dopo appare Pippo che abbaia, poi Nicola anche lui sulla bici. L'uomo e la ragazzina la indicano e si sbracciano per salutarla. E uno dopo l'altra ripartono preceduti dal cane, giú, verso il mare.

FINE

Nota al testo.

La citazione in esergo è tratta da A. De Saint-Exupéry, *Il Piccolo Principe*, trad. di A. Bajani, Einaudi, Torino 2015.

I versi a p. 54 sono tratti dalla canzone *Yes Sir, I Can Boogie*. Lyrics: Frank Dostal. Music: Rolf Soja. © Edition Magazine Music, courtesy of Peer Musikverlag GmbH.

I versi a p. 99 sono tratti dalla canzone *La cura*, testo di Franco Battiato e Manlio Sgalambro, musica di Franco Battiato. © 1996 Universal Music Publishing Ricordi Srl/L'Ottava Srl. Tutti i diritti riservati per tutti i Paesi. Riprodotto su autorizzazione di Hal Leonard Europe BV (Italy).

La citazione a p. 226 è tratta da V. Nabokov, *Lolita*, trad. di G. A. Mella. © 1955, Vladimir Nabokov. All rights reserved. © 1993 Adelphi Edizioni S.p.A. Milano.

Indice

Stampato per conto della Casa editrice Einaudi
presso ELCOGRAF S.p.A. - Stabilimento di Cles (Tn)

C.L. 25515

Edizione							Anno			
5	6	7	8	9	10		2023	2024	2025	2026